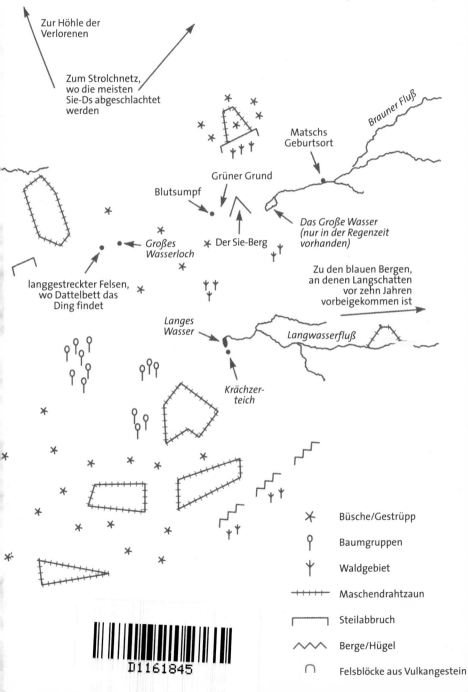

Die Domäne

(Nordwestlicher Teil)

Zur Höhle der Verlorenen

Zum Strolchnetz, wo die meisten Sie-Ds abgeschlachtet werden

Brauner Fluß

Matschs Geburtsort

Grüner Grund

Blutsumpf

Das Große Wasser (nur in der Regenzeit vorhanden)

Großes Wasserloch

Der Sie-Berg

Zu den blauen Bergen, an denen Langschatten vor zehn Jahren vorbeigekommen ist

langgestreckter Felsen, wo Dattelbett das Ding findet

Langes Wasser

Langwasserfluß

Krächzer- teich

✳	Büsche/Gestrüpp
♀	Baumgruppen
Ψ	Waldgebiet
+++++	Maschendrahtzaun
⌐	Steilabbruch
∧∧∧	Berge/Hügel
∩	Felsblöcke aus Vulkangestein

D1161845

Barbara Gowdy
Der weiße Knochen

Barbara Gowdy

Der weiße Knochen

Roman

Aus dem Englischen von
Ulrike Becker und Claus Varrelmann

Verlag Antje Kunstmann

Für Chris Kirkwood
und Rob Kirkwood

und im Gedenken an meinen Vater
Robert Gowdy

Und doch ist in dem wachsam warmen Tier
Gewicht und Sorge einer großen Schwermut.
Denn ihm auch haftet immer an, was uns
oft überwältigt, – die Erinnerung,
als sei schon einmal das, wonach man drängt,
näher gewesen, treuer und sein Anschluß
unendlich zärtlich.

aus der Achten Elegie der Duineser Elegien
von Rainer Maria Rilke

Die zentralen Elefantenfamilien

Matriarchin · Bullenkalb · Bulle · Kalb · Kuh · Neugeborener · Neugeborene

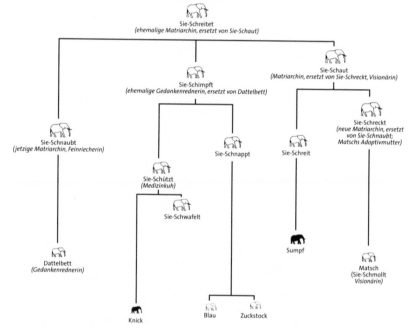

Die Sie-Schs
Matschs Adoptivfamilie

Sie-Schreitet
(ehemalige Matriarchin, ersetzt von Sie-Schaut)

Sie-Schimpft
(ehemalige Gedankenrednerin, ersetzt von Dattelbett)

Sie-Schaut
(Matriarchin, ersetzt von Sie-Schreckt, Visionärin)

Sie-Schnaubt
(jetzige Matriarchin, Feinriecherin)

Sie-Schnappt

Sie-Schreit

Sie-Schreckt
(neue Matriarchin, ersetzt von Sie-Schnaubt; Matschs Adoptivmutter)

Sie-Schützt
(Medizinkuh)

Sie-Schwafelt

Dattelbett
(Gedankenrednerin)

Sumpf

Matsch
(Sie-Schmollt Visionärin)

Knick

Blau

Zuckstock

Die Sie-Ds

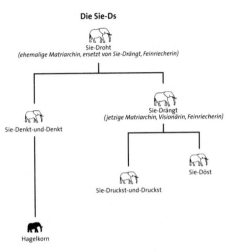

Sie-Droht
(ehemalige Matriarchin, ersetzt von Sie-Drängt, Feinriecherin)

Sie-Denkt-und-Denkt

Sie-Drängt
(jetzige Matriarchin, Visionärin, Feinriecherin)

Sie-Druckst-und-Druckst

Sie-Döst

Hagelkorn

Die Sie-Ms
Matschs Geburtsfamilie

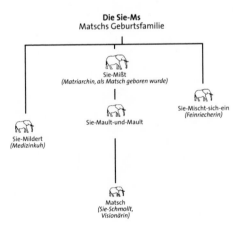

Sie-Mißt
(Matriarchin, als Matsch geboren wurde)

Sie-Mault-und-Mault

Sie-Mischt-sich-ein
(Feinriecherin)

Sie-Mildert
(Medizinkuh)

Matsch
*(Sie-Schmollt,
Visionärin)*

Die Sie-Bs-und-Bs
Langschattens Familie

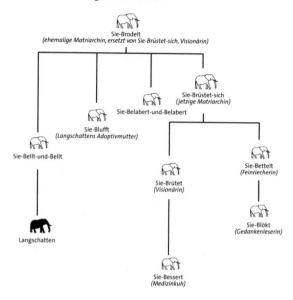

Die Wir-Fs
Die Verlorenen

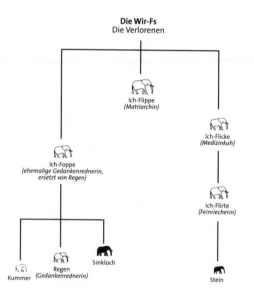

Aus dem Wörterbuch
der Elefantensprache

Aasblume	Ein übelriechendes Parasitengewächs, das sich auf Akazienwurzeln ansiedelt
Auge der Sie	Die Sonne
Bluffgeruch	Ein Geruch, der sich in flüchtige Wohlgerüche aus seiner Umgebung zu hüllen pflegt
Böser Baum	Kandelaber-Euphorbie (ihr Milchsaft ist giftig)
Dann-Vision	Eine Vision von zukünftigen Ereignissen
Das dritte Auge	Visionäre Begabung (metaphorisch)
Delirium	Brunst
Die andere Domäne	Der Ort, wo die Geister aller verstorbenen Wesen, außer die von Menschen und Elefanten, hingehen
Die Sie	Erster Elefant und Mutter aller Elefanten
Die Siejenigen	männliche oder weibliche Elefanten (vergleichbar mit Menschheit)
Domäne	Die Erde
Dort-Vision	Eine Vision von Ereignissen an einem entfernten Ort zum gegenwärtigen Zeitpunkt
Dröhnfliege	Hubschrauber oder Flugzeug
Dürrefrüchte	Der Kot anderer Geschöpfe (derb)
Endloses Lied	Ein Lied mit mehr als fünfhundert Strophen
Erder	Infraschallruf
Erinnerungsnacht	Eine besonders sternenklare Nacht
Ewiges Uferloses Wasser	Vergessenheit; der Ort, wo die Geister verstorbener Bullen, Kälber und stoßzahnloser Kühe hingehen
Fährtenmeister	Jemand mit besonderem Talent zum Spurenlesen
Falscher Kopfsaft	Die schwarzen Linien im Gesicht eines Geparls

Feinriecherin	Eine Kuh mit besonders ausgeprägtem Geruchssinn (gewöhnlich nur eine pro Familie)
Fellpicker	Madenhacker
Feuerlichtung	Ein Platz, wo Menschen das Fleisch ihrer Beute räuchern
Fleck	Insekt
Fleischfresser	Raubtier
Fliege	Vogel
Förmlicher Tonfall	Eine respektvolle Sprechweise, die durch besonders deutliche Aussprache gekennzeichnet ist
Frühmilch	Die Milch, die eine Kuh kurz vor dem Gebären absondert
Gedankenrednerin	Eine Kuh oder ein Kuhkalb mit telepathischen Fähigkeiten
Glanz	Die wenigen Stunden während der Brunst, in denen die Kuh am fruchtbarsten ist
Gleiter	Fahrzeug, besonders Lastwagen oder Jeep
Graus	Nashorn, schwarz oder weiß (es hat kurze, unansehnliche Beine, und seine Stoßzähne, oder Hörner, sind nicht nebeneinander, sondern hintereinander angeordnet)
Große Fliege	Vogel Strauß
Große Regenversammlung	Jährliches Elefantentreffen
Grün	Musth
Grunzer	Warzenschwein
Gruppieren	Methode zur schnellen Berechnung verstrichener Zeit, die Dattelbett erfunden hat (eine Gruppe entspricht ungefähr einem Monat)
Hacke	Kettensäge
Heuler	Schakal
Himmelstaucher	Adler oder Habicht
Hinterbeiner	Mensch
Hinterrüssel	Penis (derb)
Hitzeschlaf	Hitzschlag
Höcker	Termitenhügel

Irre	Gnus (sie sind überspannt und laut und neigen zu unvermittelten Bocksprüngen)
Kehllappen	Kuhglocke
Kleiner Rauch	Zigarettenrauch
Kluft	Der unterirdische Ort der Verdammnis, wo verstorbene Menschen hingehen
Kopfsaft	Temporin
Krächzer	Grille
Kreischer	Gans
Kurzschattenzeit	Heller Mittag (wenn die Schatten kurz sind)
Langgras	Bambus
Langkehle	Giraffengazelle (sie hat einen langen Hals)
Langschattenzeit	Morgen- oder Abenddämmerung (wenn die Schatten lang sind)
Niedergang	Erstes Erscheinen von Menschen
Rippen	Zebras (bei früheren Inkarnationen bedeckte das Skelett den Körper)
Rüssel	Tiefsinnigkeit
Rüsselhals	Geier, die meisten Arten (es herrscht der Glaube, daß Teile vom Rüssel eines toten Elefanten, wenn sie von einem Geier ausgebrütet werden, sich in Hälse verwandeln, aus denen sich dann die Geierbabys entwickeln)
Schattenerinnerung	Eine unvollkommene Erinnerung (ähnelt der menschlichen Erinnerung)
Schmausbaum	Schirmakazie (Rinde, Knospen und Blüten sind eßbar und schmecken köstlich)
Schnarrfliege	Klapperlerche (sie gibt bei der Paarung ein lautes rrrr, rrrr, rrrr, rrrr von sich)
Schnelläufer	Gepard
Schweifgras	Papyrus
Sie-Er	Tüpfelhyäne (beide Geschlechter scheinen männliche Genitalien zu haben)
Spitzkopfgeschlecht	Kühe, denn deren Stirn sieht im Profil fast dreieckig aus (die Stirn eines Bullen ist runder)
Stachelkraut	Rizinuspflanze (sie hat stachelige Blüten)

Starker Stoßzahn	Der bevorzugte Stoßzahn (ein Stoßzahn wird immer bevorzugt benutzt, ähnlich wie es bei Menschen Rechts- und Linkshänder gibt)
Stich	Gewehrkugel
Stinkbaum	Leberwurstbaum (seine Blüten riechen unangenehm)
Strolch	Sohn der Sie; Schöpfer aller Wesen außer Menschen und Elefanten
Strolchnacht	Vollmondnacht
Strolchnetz	Maschendrahtzaun
Tretfliege	Sekretär (schlägt beim Gehen nach hinten aus)
Unterdüfte	Die starken, schweren Gerüche, die der Erdboden bei Nacht hervorbringt
Visionärin	Eine Kuh oder ein Kuhkalb mit der Fähigkeit, sowohl zukünftige als auch anderswo stattfindende gegenwärtige Ereignisse im Geiste zu sehen
Wasserbaum	Fieberbaum (er wächst an den Ufern von Flüssen und Seen)
Wasserfels	Flußpferd
Wasserschöne	Wasserlilie
Zahnstamm	Krokodil
Zeichen	Omen, Aberglaube
Zuckstock	Schlange

Der weiße Knochen

Prolog

Wenn sie lange genug leben, vergessen sie alles.

Aber die meisten von ihnen leben nicht so lange. Neun von zehn werden in der Blüte ihres Lebens abgeschlachtet, Jahrzehnte bevor ihr Gedächtnis durchlässig wird. Ich spreche also von der Mehrheit, wenn ich sage, es stimmt, was Sie gehört haben: Sie vergessen nie.

Sie selber glauben, daß dies ihre Größe erklärt. Manche gehen sogar so weit zu behaupten, sie seien, unter den donnernden Fleischmassen und den riesigen rollenden Knochen, Erinnerung schlechthin. Die Erinnerung wohnt in ihnen, ja, aber es ist vielleicht weniger bekannt, daß sie ohne ihr Gedächtnis verloren sind. Wenn das Gedächtnis schwindet, verfällt auch der Körper, wie bei einem langsamen, stetigen Blutverlust.

Bis dahin aber wird jeder Geruch, den ihr Rüssel eingesogen hat, jeder Schimmer von Sonnenlicht, den sie mit ihrem riesigen Schatten ausgelöscht haben, als vollständige, jederzeit abrufbare Erinnerung bewahrt. Sie fragen nur selten: Erinnerst du dich? Das Erinnern ist selbstverständlich. Sie fragen vielmehr nach der Wahrnehmung: Hast du das gerochen? Hast du es gesehen?

Sie sehen besser, als allgemein angenommen wird. Glauben Sie es nicht, wenn man Ihnen erzählt, sie seien halb blind. Sie schauen in Richtung Horizont, erkennen, was da ist, und lassen sich im Gegensatz zu den Raubtieren auch von einer sich bewegenden Zebraherde nicht verwirren. Wenn die Herde nah genug ist, können sie sogar bestimmte Tiere ausmachen, sie allein aufgrund eines Jahre zurückliegenden, flüchtigen Blicks an der Zeichnung ihrer Streifen wiedererkennen. Der Klang des Windes, der an jenem Tag in den Akazien rauschte, die Sonnenstrahlen, die sich durch das Blattwerk bohrten – all das begleitet die Erinnerung und wird von neuem erlebt, und sie können bei dem, was sie damals kaum wahrgenommen haben, in Ruhe verweilen.

Nehmen wir an, daß in einer Pfanne links oder rechts von ihnen Wogen von Salzstaub aufgewirbelt wurden. In der Erinnerung können sie ihren Blick auf die Wogen richten und über das Phänomen dieses Seebetts nachsinnen, das sich seinen verlorenen See erträumt.

Was sie unter Umständen zu Tränen rührt. Sie sind sentimental bis zu einem Grad, den wir weinerlich nennen würden; selbst die großen Bullen. Jede Art von Verlust oder Sehnsucht bricht ihnen das Herz.

Eins

Den ganzen Tag lang gibt es schreiende Omen, die unbeachtet bleiben.

Eine solche Nachlässigkeit würden sie niemals zugegeben. In ihre genaue Erinnerung an jede Stunde wird das Vorherwissen eingeschmuggelt, und echte Überzeugung schwingt in ihren Stimmen mit, wenn sie sagen: »Ich habe es gerochen.« Denn wie kann es sein, daß sie es nicht gerochen haben?

Na schön, sie sind damit beschäftigt, Matsch ihren Namen zu geben. Aber nicht alle, nur die fünf größten Kühe. Und auch nicht vollauf beschäftigt. Immer wieder gehen sie in den Sumpf, um zu grasen und zu trinken, und die Matriarchin döst sogar ein und muß am späten Nachmittag mit einem Stupser geweckt werden, ehe die Kühe Matsch herbeizitieren und im Chor verkünden: »Von diesem Tag an bis in alle Ewigkeit soll Matsch Sie-Schmollt heißen!«

»Nein«, sagt Matsch entsetzt.

»Sie-Schmollt!« trompeten die Kühe. »Sie-Schmollt!«

Matsch schlackert heftig mit den Ohren. »Nein.«

Die Kühe stoßen sich gegenseitig an und sind hingerissen von dem Tumult. Sie zerteilen mit ihren Rüsseln die Sonnenstrahlen, die durch die Fieberbäume fallen, und brüllen: »Sie-Schmollt!« Und da nichts geschieht – kein plötzlicher Wetterumschwung tritt ein, niemand fällt tot um – wird das Einverständnis der Sonne als gegeben betrachtet.

Matsch dreht sich um und wandert in Richtung Sumpf. Auf halbem Weg die Böschung hinunter gibt ihr verkümmertes Bein nach, als wolle es zeigen, wie passend der Name war, auf den sie sich gefaßt gemacht hatte. Nicht dieser. »Sie-Schmollt!« – in den Stimmen schwingt jetzt Überraschung mit. Sie rufen sie zurück, oder vielleicht sind sie nur erstaunt, wie prompt sie die Wahl bestätigt. Sie rappelt sich wieder auf und läuft am Fuß der Böschung entlang. Vor ihr sammelt ein Pavian eifrig Knochen auf. Hier liegen unzählige Knochen, die meisten zersplittert und grau, von Käfern durchlöchert. Sie hebt ein Stück von einem Schädelknochen auf und hält es an ihre Kehle. Es ist sinnlos, über all die Namen nachzudenken, die sie ihr hätten geben können. Selbst Sie-Schwankt – der Name, den sie so sehr gefürchtet hatte – wäre besser, wäre zumindest zutreffend gewesen.

Warum hatte sie sich von Langschatten besteigen lassen? Sie wußte, daß sie danach ihren Geburtsnamen verlieren würde. Ihre Sinne waren verwirrt gewesen, so schien es ihr jetzt – und seine ebenso, aber was riskierte er schon? Ein Bulle kann hundert Kühe besteigen und darf dennoch für immer seinen Geburtsnamen behalten.

»Das liegt daran, daß Bullen ihr Leben lang Kälber bleiben«, sagte Sie-Schnaubt in ihrer typischen trockenen Art, als Matsch zum ersten Mal den Brauch der Umbenennung von Kühen hinterfragte. Das war am Tag, nachdem Matsch wieder zu sich gekommen und Langschatten zu seinem Einsiedlerdasein zurückgekehrt war.

»Meine liebe Matsch«, sagte Sie-Schaut und schwenkte ihren riesigen Kopf in Matschs Richtung, »ein Bulle ändert seinen Namen nicht, weil ein Bulle sich nicht verändert.«

Sie-Schaut ist die Matriarchin der Sie-Sch-Familie. Sie ist die größte Kuh auf dieser Seite des Großen Wassers, aber sie ist uralt, und man merkt es ihr an. Mitten in ihren Predigten überfällt sie manchmal ganz plötzlich die Erinnerung an eine lange zurückliegende Beleidigung, und dann unterbricht sie wütend die Predigt, fordert eine Entschuldigung und reißt wie wildgeworden Sträucher aus, die sie nicht einmal essen kann, weil ihre Backenzähne schon ganz abgestumpft sind. Ihre Sinne sind ebenfalls abgestumpft. Es kommt vor, daß alle, selbst die ganz kleinen Kälber, einem seltsamen Geräusch nachspüren und sie die einzige ist, die sich in die falsche Richtung dreht, um Witterung aufzunehmen. Manchmal trompetet sie wie aus heiterem Himmel und an niemand bestimmtes gewandt: »Wer?« oder »Sprich lauter!« Sie stellt sich Mitgliedern ihrer eigenen Familie vor. »Ich glaube, wir hatten noch nicht das Vergnügen«, sagt sie. Oder: »Dein Ruf eilt dir voraus.«

»Ein Bulle«, fuhr sie jetzt fort – und für einen Moment wirkte sie klar und gebieterisch –, »ist bloß der Gräber. Du bist die Freigegrabene. Du hast dich verändert. Und weißt du auch, was sich an dir verändert hat?«

»Ich habe einen Kälbertunnel in mir.« Matsch murmelte diese Worte im förmlichen Tonfall,* aber teilnahmslos. Natürlich wußte sie Bescheid, und »verändert« war bestimmt nicht das richtige Wort. Es klang viel zuwenig nach Verstümmelung.

»Also bist du – « soufflierte Sie-Schaut.

»Nicht mehr heil.«

»Nein, geheiligt!« trompetete die Matriarchin. Sie warf den anderen großen Kühen einen frohlockenden Blick zu, als sei Matsch auf einen Trick hereingefallen, und fügte dann, plötzlich wieder ernst, hinzu: »Auf der ganzen Domäne gibt es nichts Heiligeres als einen Kälbertunnel.« Sie beäugte Matsch über ihre beeindruckenden Stoßzähne hinweg. »Gib dich zu erkennen!« befahl sie.

»Matsch«, sagte Matsch und senkte den Kopf. Offensichtliche Anzeichen von Geistesschwäche schüchterten sie ein. »Ich bin Matsch.«

---

* Eine respektvolle Sprechweise, die durch eine besonders deutliche Aussprache gekennzeichnet ist.

Zwei

Das Gebiet ist ein geschlossener Kreis, umgeben von Wasserringen. In den uralten Liedern und Gedichten heißt es Der Ort oder Die Insel. Heutzutage, wie schon seit Hunderten von Jahren, nennt man es Die Domäne.

Der erste, innere Wasserring ist salzig und mehrere tausend Kilometer breit. Der zweite, äußere Ring – bekannt als das Ewige Uferlose Wasser – ist noch breiter, aber sein Wasser ist süß. Wo die beiden Ringe sich treffen, verhindert ein leuchtender, haarfeiner Streifen das Ineinanderschwappen der Wasser. Und dahinter, jenseits des Ewigen Uferlosen Wassers, liegt Das Geheimnis, und das kann alles mögliche sein. Land, Wasser oder Feuer.

Nur die Toten sind schon mit dem Ewigen Uferlosen Wasser in Berührung gekommen. Was den Salzwasserring betrifft, so hat ihn kein heute noch Lebender je gesehen, aber ein paar uralte Kühe, deren Gedächtnis noch nicht vollständig ausgelöscht ist, erinnern sich an heldenhafte Bullen, die von dort zurückkehrten, ganz weiß von salziger Gischt und für immer gezeichnet durch das, was sie erblickt hatten.

Seit etwa einem halben Jahrhundert ist kein Bulle mehr bis zum Rand der Domäne gekommen, weil es, so sagen sie, zu viele Menschen gibt und man ständig weite Umwege um ihre Wohnstätten herum machen muß. Die großen Kühe schütteln die Köpfe. »Hinterbeiner hat es immer gegeben«,* murmeln sie, oder etwas in dem Sinne. Will man

---

* Eine Übertreibung. Menschen gibt es seit dem Niedergang, der vor zehntausend Jahren stattfand, während der ersten langen Dürre, als zwei ausgehungerte Elefanten, ein Bulle und eine Kuh, eine Gazelle töteten und aßen und damit das höchste und heiligste Gesetz brachen: »Du sollst kein anderes Geschöpf essen, weder tot noch lebendig.« Noch ehe die beiden Ungehorsamen ihr Mahl beendet hatten, fingen sie an zu schrumpfen. Ihr Leibesumfang verringerte sich, ihre Rüssel wurden zu

den großen Kühen Glauben schenken, kann sich kein Bulle von heute (Sturm vielleicht ausgenommen) auch nur mit dem schwächsten der Bullen aus den alten Zeiten messen.

Die Familie der Sie-Sechs lebt in dem weiten Buschland im Nordwesten der Domäne. Menschen sind hier relativ selten, und niemand weiß, warum das so ist. In den feuchten Jahreszeiten steht das Gras hoch, es gibt Flüsse und unterirdische Wasserläufe. Und reichlich Beute zum Schlachten. Vielleicht wirkt die Nähe des Sie-Bergs abschreckend (er ist groß und heilig, während die Menschen klein und profan sind), aber das glaubt eigentlich niemand, denn die Menschen scheinen sich vor gar nichts zu fürchten.

Aber am Rande des Gebiets finden sich vereinzelt Menschenbehausungen, und deshalb bleiben die Familien im Nordwesten in der Regel innerhalb ihrer kleinen Bereiche, die sich manchmal überschneiden, besonders wenn die Matriarchinnen durch Freundschaft oder Blutsverwandtschaft eng verbunden sind. Ansonsten treffen sich die Familien nur, wenn die süßen Früchte alle in die Waldgebiete am Steilabbruch locken, oder während der Regenzeiten, wenn das Gras im Grünen Grund zu neuem Leben erwacht. Ein typisches Jahr hat zwei Regenzeiten: den Kleinen Regen, der ungefähr sechs Wochen dauert, und den großen Regen, der bis zu drei Monate anhält. Während der mittleren Wochen des Großen Regens findet auf dem paradiesischen Flecken, zu dem der Grüne Grund in dieser Zeit wird, die Große Regenversammlung statt. Das ist das riesige jährliche Fest, zu dem bis zu vierzig Familien kommen, um gemeinsam zu schmausen, Neuigkeiten auszutauschen und die Endlosen Lieder zu singen (die mit mehr als fünfhundert Strophen). Viele der Kühe werden während der Großen Regenversammlung brünstig, daher ist es auch eine Zeit der Paarung und der spektakulären Kämpfe zwischen den großen Bullen. Weil so

Stummeln, ihre Ohren zogen sich zusammen, und auf den Köpfen wuchs ihnen ein Fell. Sie erhoben sich auf die Hinterbeine und wollten protestieren, aber aus ihren Kehlen drang nur ein klägliches Heulen. Wütend und trotzig erklärten sie sich zu Fleischessern, die Jagd auf alle Kreaturen machen durften, die nicht aufrecht gingen (wie sie es in ihrem unendlichen Zorn von nun an taten).

vieles passieren kann, ist es üblich, daß die Kühe einander zur Begrüßung erklären, was sie in erster Linie vorhaben (abgesehen vom Essen natürlich): »Ich komme, um zu verführen.« »Ich komme, um zu tratschen.« »Ich komme, um zu lehren.«

Wenn eine Matriarchin ihre Familie zu einer anderen Zeit von ihrem Zuhause wegführt, geschieht dies immer aus einem traurigen Anlaß. Dürre. Feuer. Krankheit. Menschen. Letzteres, insbesondere das Gerücht, Menschen hätten neugeborene Kälber verschleppt, war der Grund, warum Matsch am Ufer eines Flusses geboren wurde, der viele Kilometer vom Zuhause ihrer Geburtsfamilie am Langen Wasser entfernt war.

Matschs Geburtsfamilie sind nicht die Sie-Schs, sondern die Sie-Ms. Und für die war sie nicht Matsch, sondern Klecks. Ein Kuhkalb, das um eine so ungewöhnliche Zeit wie der Mittagsstunde auf die Welt kommt – der Stunde, in der alle Dinge so unbedeutend werden, daß sie nicht einmal einen Schatten werfen –, wird entweder Klecks oder Fleck genannt. (Bullenkälber bekommen den etwas einleuchtenderen Namen Kurzschatten.)

Damals war Sie-Mißt noch die Matriarchin der Sie-Ms gewesen, und sie hatte bereits einen gewissen Ruhm erlangt, sowohl wegen ihrer symmetrischen Stoßzähne und Ohren (beide Ohren hatten an der gleichen Stelle eine Einkerbung) als auch wegen ihrer Fähigkeit, die Wahrscheinlichkeit von Ereignissen zu berechnen … Ob es regnen wird, zum Beispiel, oder ob eine Löwin ein Gnu reißen wird. Matschs Mutter, Sie-Mault-und-Mault, war die jüngste Schwester der Matriarchin. Sie wurde ebenfalls berühmt, aber erst durch ihren Tod und Matschs Geburt, Begebenheiten, die mehr oder weniger gleichzeitig stattfanden. Kurz nach dem Einsetzen der Wehen wurde sie von einer Kobra gebissen, und dennoch schaffte sie es, lange genug am Leben zu bleiben, um Matsch nicht nur zu gebären, sondern sie auch auf die Beine zu bringen und ihr einen Namen zu geben.

»Klecks«, sang sie. Dann begann sie zu torkeln.

»Du wirst fallen!« trompetete Sie-Mißt.

»Sie soll Klecks heißen!« sang Matschs Mutter.

»Die Wahrscheinlichkeit, daß du auf das Neugeborene fällst, ist außerordentlich hoch!« trompetete Sie-Mißt.

Sie standen neben einem verdorrten Affenbrotbaum, und es bestand durchaus die Gefahr, daß auch der Baum umfallen würde, wenn Matschs Mutter sich gegen ihn lehnte. Sie schwankte. Für Matsch bestand die Welt aus einem tiefhängenden, grauen Himmel und wackelnden grauen Säulen. Und roten Erdpartikeln... Schon damals, in den ersten Stunden ihres Lebens, besaß sie die ungewöhnlich scharfen Augen einer Visionärin. Sie spürte keine Furcht. Als der Himmel herabstürzte, war das für sie nur ein weiteres Ereignis. Wie durch ein Wunder blieb sie unverletzt. Ihre Hinterbeine waren unter ihrer Mutter eingeklemmt, aber sie lagen sicher und kuschelig in einem Schlammloch unter dem Bauch und den Brüsten ihrer Mutter.

Das Aufwallen des Staubs hielt eine Weile an, verstärkt durch den Todesgestank, der beim Aufprall aus dem Körper ausgetreten war. Unter den anderen Kühen brach jetzt ein Trompeten und Toben aus, sie urinierten, entleerten ihre Därme und weinten mit tiefen Schluchzern, die den Erdboden erschütterten.* Eine Kuh stupste Matsch mit dem Fuß an, bis eine andere, größere Kuh sie beiseite drängte, sich auf die Knie niederließ, ihren Rüssel um Matsch wickelte und zu ziehen begann.

»Nicht!« bellte die Medizinkuh. »Du wirst ihr die Wirbelsäule brechen!«

Sie-Mißt und eine Kuh namens Sie-Mischt-sich-ein versuchten den Leichnam anzuheben. Die anderen Kühe schlugen auf ihn ein, als könnten sie ihn wieder zum Leben erwecken. »Verschone das Neugeborene!« flehten sie die Sonne an. Sie steckten ihre Rüssel in Matschs Mund, und Matsch saugte immer wieder gierig an deren Spitzen. Um sie herum purzelten Kotklumpen herab, und es regnete Urin, der zu Pfützen zusammenfloß. Sie saugte an den Pfützen.

Stunden vergingen, und die Verzweiflung hielt an, während Sie-Mißt

---

* Sie können auch still und tränenlos weinen. Manchmal tun sie das absichtlich, meistens aber ist dieses In-sich-hinein-Weinen nur die notwendige Anpassung an Umstände, die Stille erfordern.

und Sie-Mischt-sich-ein sich weiter bemühten, den Leichnam anzuheben. Die eine ging in die Knie, schob ihre Stoßzähne unter den Rumpf der Toten und versuchte ihn hochzustemmen. Das Hinterteil oder der Kopf hob sich ein paar Zentimeter und plumpste dann zurück auf die Erde. Kurz darauf war die andere Kuh an der Reihe. Sie-Mißt, die selber ein junges Kalb hatte, roch nach Milch, aber wann immer Matsch quiekte, weil sie trinken wollte, bekam sie einen Rüssel in den Mund geschoben. Hinter ihr ging das Hieven und Grunzen weiter. Es hätte vielleicht die ganze Nacht angedauert, wenn Sie-Mischt-sich-ein sich nicht den linken Stoßzahn abgebrochen hätte.

Bei dem Knall, der so laut war wie ein Schuß, stürmten Kühe und Kälber verschreckt auf die Steppe hinaus. Sie-Mischt-sich-ein brüllte und wälzte sich wie ein Gnu, und das Kalb von Sie-Mißt rannte schreiend im Kreis herum. Matsch schrie ebenfalls, denn sie dachte, sie wäre dieses Kalb, diese rosaroten Ohren, diese Raserei. Ein junger Bulle hob den abgebrochenen Stoßzahn auf und hielt ihn sich vor die Augen. Er drehte ihn hin und her, untersuchte ihn von allen Seiten, dann ließ er ihn auf die Erde fallen, so dicht neben Matsch, daß sie die blutige Wurzel riechen konnte.

Inzwischen war das Blöken von Sie-Mischt-sich-ein zu einem gequälten Stöhnen abgeflaut. »Platz da!« trompetete Sie-Mißt, und alle, die um Matsch herumstanden, traten beiseite. Genau wie die andere Kuh ging Sie-Mißt in die Knie, wickelte ihren Rüssel um Matschs Ohren und zog.

Jede Sekunde dieser ersten Stunden ihres Lebens sollte Matsch in Erinnerung bleiben – einerseits als die schlüssige Folge von Ereignissen, zu der ihr Verstand sie später zusammenfügte, aber auch als das grelle Gewirr von Bildern, Geräuschen und Gerüchen, das sie damals wahrgenommen hatte, als alles außerhalb ihrer selbst die Verkörperung dessen zu sein schien, was sie fühlte. Der Schmerz, als Sie-Mißt an ihr zerrte, und ein stechender Sonnenstrahl, der sich durch eine Lücke zwischen den Körpern der Kühe bohrte – beide waren ein und dasselbe, sie bedingten sich gegenseitig. Ihre Furcht hatte die Gestalt der Füße der großen Kühe; Hunger war der Geruch von Kot. Immer wieder, den ganzen Tag lang, erzitterte die Luft von Donner, und der Donner war das Geräusch ihres Gefangenseins.

»Dein Herz schlägt zweieinhalbmal so schnell wie es sollte«, sagte Sie-Mißt. Sie änderte ihre Position, und Matsch suchte mit dem Mund ihre Brust, und dann wurde Sie-Mißt der Geschmack von Milch und hereinbrechender Nacht.

Der Geruch des Kalbs, das Matsch für sich selber hielt, lockte die Leuchtkäfer hervor, die ihrerseits geheimnisvolle Stacheln des Verlangens waren und eine Ahnung von anderswo existierendem, vollkommenem Glück verkörperten.

Die Löwinnen kamen vor dem Regen. Still zerfleischten sie Matschs Mutter. Matsch war ebenfalls still, gewarnt durch die Verstohlenheit der Löwinnen. Die Nacht hüllte alles in angespannte Stille, bis Sie-Mißt brüllend wieder aus der Steppe auftauchte.

Während die anderen großen Kühe die Tote beweinten, untersuchte Sie-Mißt den Schaden an dem Leichnam, zählte murmelnd die klaffenden Wunden und errechnete ihre Länge in Rüsseln: halbe Rüssellänge, drittel Rüssellänge. Alle warfen Sand auf die Blutbäche, und Matsch erlebte hinter dem Schutzwall der vielen Beine ihre erste Vision,* die sie dermaßen erschöpfte und erschreckte, daß sie, noch bevor sie ganz wieder daraus aufgetaucht war, in einen tiefen Schlaf fiel, den nicht einmal das Gewitter stören konnte.

Als sie erwachte, war die Nacht vorbei. In ihrer Vision hatte sie die Familie singend davonziehen sehen, und trotzdem war sie noch da, irgendwo hinter ihr. Vor Matsch wuchsen aus den mit Regen und Blut gefüllten Fußabdrücken gelbe Lichtsäulen. Den beißenden Geruch des Leichnams schrieb sie den Fliegen zu, von denen sie glaubte, sie seien aus der Borke des Baums geschlüpft. Die Geier hielt sie für Äste, selbst dann noch, als sie kreischend herabstießen.

Sie-Mißt war sofort da. Die Geier hüpften ein Stück zurück, aber nicht sehr weit. »Es wäre gnädiger, dich gleich zu töten«, murmelte

---

* Visionärinnen kennen zwei Arten von Visionen: Visionen von der Zukunft (manchmal »Dann-Visionen« genannt) und Visionen von Ereignissen, die mehr oder weniger zeitgleich, jedoch in räumlicher Entfernung stattfinden (»Dort-Visionen«).

Sie-Mißt und schwang einen Vorderfuß knapp an Matschs Kopf vorbei. Sie ließ Matsch trinken, dann sagte sie: »Es sind Hinterbeiner in der Gegend. Wir können nicht hierbleiben.« Sie schluchzte. Es hatte schon so viel Weinen gegeben, daß es Matsch vertraut vorkam und sie getröstet wieder einschlief.

Sie erwachte, als Sie-Mißt ächzend sagte: »Aufstellen zum Trauern«, und die großen Kühe erneut einen Kreis bildeten, diesmal mit den Köpfen nach außen. »Singen«, ächzte Sie-Mißt, und jede Kuh strich mit einem Hinterfuß über dem Leichnam durch die Luft und stimmte in eine Hymne ein, deren erste Strophe lautete:

Laß dein hier vergoßnes Blut,
Rüssel, Zähne, Mutterschoß,
Steigen auf zur Sie. Die Glut
Ihrer Liebe war dein Los.

Es war eine lange Hymne, dreihundertneunzig Strophen, und bei der vorletzten wandte Sie-Mißt sich ab und lief hinaus in die Steppe, gefolgt vom Rest der Familie. Niemand schaute Matsch an, niemand zögerte zu gehen. Da sie ihren Weggang in der Vision gesehen hatte, wußte Matsch, daß sie in einer roten Staubwolke verschwinden würden. Sie schrie, und eins der größeren Bullenkälber kam angerannt, um die Geier zu verscheuchen. Auf ein Trompeten von Sie-Mißt hin machte er jedoch gleich wieder kehrt und lief davon.

Die Geier ließen sich erneut auf die Erde fallen. Zischend und schreiend hüpften sie auf den Leichnam, und ihre Flügel schlugen gegen Matschs Hinterkopf.

Gas entwich puffend aus dem Leib ihrer Mutter, und ein Brei aus Eingeweiden quoll heraus. Klumpiges, halb geronnenes Blut lief über Matschs Gesicht und in ihre Augen. Sie übergab sich, und der kleinere von zwei Vögeln, die gerade die Gedärme über den Boden zerrten, hoppelte herbei, schlürfte die Lache auf und rupfte dann an Matschs Rüssel. Panisch strampelte Matsch mit den Vorderbeinen und verfing sich mit dem linken Fuß in einer Wurzel, die bei dem Regenguß in der vergangenen Nacht aus dem Boden geschwemmt worden war. Der Regen hatte die matschige Erde, in der ihre Beine gefangen waren, gelockert, so daß sie diesmal Erfolg hatte, als sie versuchte, sich zu befreien.

Sie kam mit einem Ruck hoch. In Anbetracht der vielen Stunden, die ihre Beine unter dem Leichnam eingeklemmt waren, hätte sie mindestens ein dutzendmal zusammenbrechen müssen, ehe sie – wenn überhaupt – stehen konnte, aber schon nach zwei Versuchen war sie auf den Beinen. Unsicher drohte sie ihrem Peiniger, der daraufhin zurück auf den Kadaver hüpfte.

Ihr linkes Auge war mit dem Blut ihrer Mutter verklebt, aber mit dem rechten nahm sie in ein paar hundert Meter Entfernung ein perliges Glitzern wahr. Der Fluß. Strauchelnd begab sie sich auf die für ihre Verhältnisse große Wanderung dorthin. Alle paar Schritte fiel sie hin, und keine fünf Meter von ihrem Ziel entfernt sank sie wie betäubt zu Boden und blieb liegen. Als sie die Augen öffnete, dämmerte es. Sie rappelte sich hoch und ging weiter.

Das Flußufer fühlte sich unter ihren Fußsohlen kühl und weich an. Sie ließ sich auf die linke Seite plumpsen, steckte die Rüsselspitze ins Wasser und beobachtete mit ihrem guten Auge einen Adler, der durch die farbigen Lamellen des langsam dunkler werdenden Himmels abwärts schwebte.

⁂

Sie schreckte auf, als keine drei Meter von ihr entfernt ein Flußpferd mit einem Kalb aus dem Wasser auftauchte. Sie stand auf und näherte sich den silbrigen, fremd riechenden Hügeln, deren Umriß Sicherheit signalisierte. Sie bewegten sich flußabwärts. Matsch folgte ihnen, aber die beiden beschleunigten ihre Schritte. Verwirrt blieb sie stehen. Die Flußpferde zogen sich weiter in die Geräusche der Nacht zurück: das Zirpen von Grillen, das Geheul, das den Schmerz in ihren wunden Beinen anfachte. Ab und zu krallte sich ein bellender Laut in ihre Haut, und sie hörte ein entferntes Gebrüll, das aus der schlammigen Mulde, in der sie eingeklemmt gewesen war, zu kommen schien. Sie streckte ihren Rüssel in diese Richtung aus und inhalierte den Todesgestank, in dem immer noch der Lebensgeruch ihrer Mutter enthalten war. Überwältigt von Verlangen machte sie sich auf den Weg zurück.

Ein Goliathreiher glitt an ihr vorbei wie ein gespenstisches Flüstern, und sie erschrak erneut, fiel hin und blieb japsend liegen, während um sie herum ein Bellen, Grunzen, Heulen, Jauchzen und Gackern ausbrach. Aus dem rechten Augenwinkel betrachtete sie die runde Scheibe des Vollmonds. Sie schlief ein und erwachte kurz vor der Dämmerung von einem Schnüffeln und Stupsen an ihrem Hinterteil. Kaum war sie aufgestanden, spürte sie ein Zwicken am Schwanz. Sie schlug mit dem rechten Hinterbein aus, fiel taumelnd auf die Knie, kam aber schnell wieder hoch und wirbelte herum, um diese neue Plage in Augenschein zu nehmen.

Das Wesen war halb so groß wie Matsch. Vierbeinig. Zackig abstehendes Fell, schräg nach unten verlaufender Rücken. Der Mund eine an die Schnauze gebundene Sichel, dazu glänzende Augen, in denen der Fluß zu sehen war wie durch in den Kopf geschossene Löcher. Jetzt, da Matsch stand, trottete es um sie herum und markierte einen Kreis, in dessen Mitte sie sich drehte.

Mattigkeit ergriff sie, als plötzlich ein Zittern des Erdbodens ihre Aufmerksamkeit nach unten lenkte. Sie könnte sich hinlegen. Sie torkelte ein paar Schritte zur Seite und sah das Blütenmuster, das ihre Füße in den nassen Sand gezeichnet hatten. Ihre Schmerzen flogen in einem weißen Schwarm von ihrem Körper weg.

Die Hyäne grunzte. Matsch starrte sie durch ihr verklebtes linkes Auge an. Das Grummeln im Erdboden wurde stärker, und die Hyäne knurrte. Matsch erblickte die schaukelnden Zitzen an ihrem Bauch, wankte vorwärts, um daran zu saugen, hielt aber abrupt inne, als das Wesen zu kichern begann.

Es starrte flußabwärts, in die Richtung, aus der das Donnern kam. Matsch verdrehte den Kopf, um mit ihrem guten Auge dort hinschauen zu können.

Sie erkannte sofort, was sie sah, nur hielt sie die riesigen grauen Klötze, die sich aus dem dunklen Dunst der Nacht herauswälzten, irrtümlich für ihre zurückkehrende Familie. Der Anblick riß sie aus ihrer Mattigkeit, sie brüllte so laut, daß ihr Rüssel und ihr Schwanz wie von selbst in die Höhe schnellten, stolzierte an der Hyäne vorbei, fiel über ihre eigenen Füße und stürzte kopfüber ins Wasser.

Sie rappelte sich auf, erreichte das Ufer, machte ein paar weitere Schritte und fiel erneut hin.

Die Herde sah sie und zügelte ihr Tempo. Matsch erhob sich und streckte die Vorderbeine durch, aber ihre Hinterbeine knickten weg, und sie plumpste in eine Schlammpfütze.

»Wer ist das?« fragte die Leitkuh. Sie wickelte ihren Rüssel um Matschs Brust und zog sie hoch.

»Riecht doch nur, wie jung sie ist«, sagte eine zweite Kuh mit einer ruhigen, schmeichelnden Stimme, deren gelassenen Klang Matsch äußerst anziehend fand.

»Wo ist deine Mutter, meine Kleine?« fragte die Leitkuh.

Matsch schnupperte an dem Bein, das zu dieser Stimme gehörte. Der Geruch war ihr vertraut, aber nicht bekannt.

»Ich rieche Tod«, sagte die anziehende Stimme.

Erschrecktes Gestammel, und alle Rüssel hoben sich.

»Die Luft ist mit ihnen«,* sagte eine grimmige Stimme.

Die Leitkuh zeigte auf etwas: »Da drüben«, sagte sie. »Ein Sie-Er.«

Durch die Palisade aus Beinen sah Matsch die Hyäne im Dunst herumschleichen.

»Ein Massaker?« fragte eine schrille, zittrige Stimme.

Die anziehende Stimme sagte: »Ich rieche nur einen einzigen Leichnam. Eine Kuh, glaube ich.«

Weiteres Gestammel. Und Weinen.

»Sie-Schnaubt«, sagte die Leitkuh, »witterst du Hinterbeiner?«

»Nur ganz vage«, sagte die anziehende Stimme. »Sie sind nicht mehr in der Nähe.«

»Wir sollten trotzdem von hier verschwinden«, sagte die schrille Stimme. Nußgroße Tränen tropften von ihrem Rüssel. »Sie könnten wiederkommen und uns alle abschlachten. Wenn ihr mich fragt, was ihr natürlich nicht tun werdet, aber ich halte es für das beste, das Neugeborene hierzulassen. Diese Kuh ist vielleicht gar nicht mit der Kleinen verwandt, und wenn ihre Familie zurückkehrt, um sie zu holen, dann werden sie nicht wissen, wo sie suchen sollen.«

Sie-Schnaubt ließ ein höhnisches Fauchen vernehmen.

»Ich sage nicht, daß wir nicht um die Kuh trauern sollen«, sagte die

---

* Das sagen sie, wenn der Wind in die andere Richtung bläst. Wenn der Wind den Geruch zu ihnen trägt, sagen sie: »Die Luft ist mit uns.«

schrille Stimme. »Aber es muß ja nicht sofort sein. Ich bin außer Atem. Wo ist Sumpf? Sumpf!«

»Beruhige dich«, brummte die Leitkuh. »Wedel mit den Ohren.«

»Mit den Ohren wedeln. Ja, in Ordnung, Mutter. Sumpf! Bleib bei .. mein Sohn. Ich habe einen von meinen Anfällen.«

ich möchte zu dem Leichnam gehen«, sagte die grimmige Stimme.

»Nein, Sie-Schreckt«, brummte die Leitkuh. »Es ist zu unsicher. Sie-Schreit hat recht, die Hinterbeiner sind vielleicht nicht weit. Die rme Kuh. Wer sie wohl war?«

Das Neugeborene hat den Geruch der Sie-Ms«, sagte Sie-Schnaubt.

Etliche Rüssel senkten sich zu Matsch nieder. Als einer in ihren Mund glitt, saugte sie an der Spitze, obwohl sie schon damit rechnete, aus dieser Quelle keine Milch zu bekommen. Dennoch roch sie Milch. Wo? Sie drehte sich im Kreis, erblickte gefüllte Brüste unter dem Bauch von Sie-Schnaubt und rannte zu ihr. Ein kleines Kalb war ihr im Weg. Sie hielt das Kalb für sich selber und blieb stehen, um von ihrem eigenen Rüssel untersucht zu werden und ihren eigenen Milchduft einzuatmen, bis dieser Duft sie daran erinnerte, wo sie hinwollte, sie sich losriß und versuchte, zwischen die Vorderbeine von Sie-Schnaubt zu gelangen.

Sie-Schnaubts Fuß schubste sie sanft weg.

Matsch versuchte es noch einmal. Der Fuß schubste sie fester. Matsch kreischte auf.

»Ruhe«, knurrte die Leitkuh mit einem durchdringenden Ton, der wie ein Gongschlag durch die Erde ging.

»Eine von den Sie-Ms!« heulte Sie-Schreit. »Ich mag die Familie sehr. Aber trotzdem glaube ich nicht – «

»Ruhe!«

Matsch lehnte sich gegen ein Bein, und die faltige Haut war ihre Erschöpfung, das Knie ihre Enttäuschung. Die Rüssel hoben sich wieder, und aus dieser unvermittelten, einheitlichen Bewegung schloß Matsch, daß die Dämmerung heraufgezogen war und die Geräusche der Nacht verbannt waren, beides zugleich.

Drei

In einer Stunde wird sich das Auge der Sie schließen, und Strolch, Ihr Sohn, wird die Wache übernehmen.*

Er steigt bereits am Himmel empor. Nach einem Drittel des Wegs zum Gipfel wird Er innehalten und mit einem weit aufgerissenen Auge, das die Fleischfresser besonnen machen sollte, sie in dieser schlimmen Zeit jedoch verwegen macht, auf die Domäne Seiner Mutter hinabstarren. Die Fleischfresser sind Ihm die liebsten Geschöpfe. Die Löwen, Seine ganz besonderen Lieblinge, werden ihre Wahl unter den halb verhungerten Zebras, Gnus und Thomsongazellen treffen, die auf den stoppeligen Grasflächen oberhalb des Blutsumpfs weiden. Wenn die Löwen so vollgefressen sind, daß ihre Bäuche über den Boden schleifen, werden sie zusammensacken und ein selbstgefälliges Seufzen anstimmen, dessen Strolch nach einigen Nächten überdrüssig werden wird, und dann wird Sein Auge sich langsam und für lange Zeit wieder schließen.

Jetzt, in der Ruhe vor dem Gemetzel, streckt Matsch ihren Rüssel in die Höhe und nimmt die Witterung ihrer Adoptivfamilie auf, die neben den Flußpferden im seichten Wasser badet. Die Zeremonie der Namensgebung ist seit über einer Stunde vorbei, aber bei Matschs Rückkehr wird das Geschrei wieder losgehen – »Sie-Schmollt! Sie-Schmollt!« –, und es wird keine freundliche Begrüßung, sondern reine Schikane sein. Die großen Kühe haben die Angewohnheit (das weiß sie noch aus der Zeit, als Echo zu Sie-Schnappt wurde), einen so lange mit dem Kuhnamen zu traktieren, bis man ihn akzeptiert.

Sie senkt ihren Rüssel, nimmt eine Ladung Sand und wirft ihn sich

---

* Die Sie ist die Mutter der Elefanten. Strolch hat alle anderen Lebewesen erschaffen, mit Ausnahme der Menschen. Er ist unzuverlässig, mißgünstig und oft gemein.

auf den Rücken. Über den Sumpf hallt das weiche Rufen von Tauben. Dort drüben ist die Vegetation längst eingegangen, aber auf dieser Seite wachsen Papyrus und Riedgras noch, und am oberen Rand des Ufers stehen acht Fieberbäume. Jenseits des Sumpfs erstreckt sich über Hunderte von Kilometern trockene Steppe. Es herrscht die schlimmste Dürre, die die Matriarchin je erlebt hat, also die schlimmste seit mindestens fünfundsechzig Jahren. Kurz nach Sonnenaufgang, ehe der Wind den Staub aufzuwirbeln beginnt, klettert Matsch manchmal die Böschung hoch, schaut sich um und staunt über den trostlosen Anblick: die kantigen, schwankenden Umrisse der verstreut weidenden Tiere ... die Steine und Stümpfe, die verdorrten Akazien, zwischen die sich ihre Familie jeden Abend zurückzieht.

»Vielleicht bleibe ich die Nacht über hier«, denkt sie jetzt verbittert, während sie die Dunstschwaden über dem Sumpf erglühen sieht.

»Matsch«, sagt hinter ihr jemand in sanft tadelndem Ton.

Nur Dattelbett kann so urplötzlich auftauchen.* Ihre Schritte sind so leise wie die eines Fährtenmeisters, und sie besitzt den sehr seltenen »Bluffgeruch«, einen Geruch, der sich stets in alle möglichen zarten oder angenehmen Gerüche der näheren Umgebung hüllt. Sie lehnt sich an Matschs Flanke, und als Matsch sich umdreht, streckt sie ihren kurzen Rüssel aus. Genau wie Matsch ist sie im zwölften Lebensjahr, aber sie ist klein ... so klein, daß sie noch nie brünstig war.

»Hast du davon gewußt?« denkt Matsch. (Sie hat die Angewohnheit, die meisten ihrer Beiträge zu den Unterhaltungen mit Dattelbett zu denken.)

Dattelbett vollführt mit ihrem schmalen Kopf ihr typisches schnel-

---

* Dattelbett, die Tochter von Sie-Schnaubt, wurde auf einem Bett aus reifen Wüstendatteln geboren, die Sturm, der wahrscheinlich ihr Vater ist, von einem Baum geschüttelt hatte. (»Vater« existiert jedoch weder als Vorstellung noch als Wort, da Bullen bei der Zeugung nicht als Beteiligte gelten. Ein Bulle gräbt den Kälbertunnel, mehr nicht. Manchmal ist es nötig, daß eine Kuh nacheinander von mehreren Bullen bestiegen wird, ehe sie das Gefühl hat, »richtig freigegraben« worden zu sein. Und der Bulle, dem es gelungen ist, dieses Gefühl auszulösen, wird auch als derjenige angesehen, dem es gelungen ist, einen ausreichend geräumigen Tunnel zu schaffen, in dem ein Kalb gedeihen kann.)

les Nicken, das jemand, der sie nicht kennt, fälschlich für ein Zucken halten würde. »Ich war mir ziemlich sicher«, sagt sie, »daß der Name in Zusammenhang mit deiner Verschlossenheit stehen würde.«

»Ich bin nicht verschlossen!« denkt Matsch wütend und gekränkt, aber auch verunsichert.

»Ich habe einige Zeit darauf verwendet, mir zu überlegen, wie die großen Kühe einen Namen auswählen«, sagt Dattelbett ernst, »und mir scheint, daß sie für jede, in der sie keine zukünftige Medizinkuh sehen, einen Namen auswählen, der sie aufbringt.«

»Aufbringt?«

Dattelbett blinzelt. »Ärgert«, sagt sie.

»Ich weiß, was das Wort bedeutet«, sagt Matsch laut.

»Provoziert«, sagt Dattelbett trotzdem. »Sie hoffen, durch diese Provokation zu erreichen, daß man sie eines Besseren belehrt. Eine falsche Strategie, meiner Ansicht nach. Im Gegenteil, die meisten Kühe scheinen sich einfach ihrem Namen anzupassen.«

»Was ist mit Namen wie Sie-Schaut? Sie-Mißt? Das sind schmeichelhafte Namen.«

»Ja«, sagt Dattelbett unbeeindruckt. »Es gibt bestimmte Ausnahmen. Wenn ich an der Reihe bin, werde ich auf Sie-Schützt-und-Schützt hoffen. Aber ich fürchte, sie werden mich Sie-Schielt nennen.«

»Du schielst ja auch.«

»Und du schmollst andauernd«, sagt Dattelbett, so als sei das eine harmlose Tatsache.

»Tu ich nicht.«

»Doch, tust du. Jedenfalls erweckst du den Eindruck, als würdest du schmollen, was auf dasselbe hinausläuft.«

»Jetzt schmolle ich nicht. Und als Langschatten mich besteigen wollte, habe ich mich auch nicht schmollend verzogen.«

»Keine Kuh wird nach ihrem Verhalten im Delirium benannt. Wenn das der Fall wäre, würde jede Kuh in dieser Familie Sie-Schäkert heißen.«

Matsch schnaubt, wider Willen erheitert.

Dattelbetts Miene entspannt sich. »Ich kann mir nicht vorstellen, dich je anders als Matsch zu nennen. Ich frage mich, wer die Idee mit Sie-Schmollt hatte. Deine Mutter bestimmt nicht.«

»Sie-Schreckt ist nicht meine Mutter«, denkt Matsch verdrossen. Sie schaut zu ihrer Familie hinüber. »Warum findest du es nicht heraus?« denkt sie. Sie schlägt Dattelbett vor, die Gedanken der großen Kühe zu belauschen, obwohl Dattelbett geschworen hat, das am Tag einer Namengebungszeremonie niemals zu tun. Dattelbett reagiert nicht, und Matsch schämt sich ein wenig. »Es war die Idee von Sie-Schreit«, brummt sie. »Wessen sonst? Sie-Schreit konnte mich noch nie leiden.«

»Nein«, sagt Dattelbett.

Meint sie, nein, es stimmt nicht, daß Sie-Schreit sie noch nie leiden konnte, oder, nein, es stimmt nicht, daß Sie-Schreit sich den Namen nicht ausgedacht hat? Beide Möglichkeiten stimmen Matsch der großen Kuh gegenüber beinahe milde, aber dann sagt Dattelbett: »Sie-Schreit hätte etwas viel Kränkenderes vorgeschlagen.«

»Ha!« sagt Matsch, und erschreckt damit ein Paar von Nördlichen Hornraben, die zum Ufer flattern, sich umdrehen und wie Löwen zu brüllen beginnen. Mit abgespreizten Ohren marschiert Dattelbett auf sie zu.

In nahezu jeder Familie gibt es eine Gedankenrednerin. Immer nur eine. Es ist immer eine Kuh (oder ein Kuhkalb), niemals ein Bulle, und nach ihrem Tod geht ihre Gabe auf eine andere Kuh aus der Familie über. Diese Kuh hört zuerst die Gedanken ihrer Artgenossen, später stellt sie fest, daß sie auch die Sprache der meisten anderen Lebewesen versteht (mit Ausnahme von Insekten, Menschen und Schlangen) und sogar fähig ist, sich ihnen mitzuteilen, indem sie einfach konzentriert Gedanken formuliert. Drei Jahre lang war Sie-Schimpft die Gedankenrednerin der Sie-Schs. Als sie im Sterben lag, prophezeite sie, Matsch werde ihre Nachfolgerin sein. Sie irrte sich. Die Geier hatten noch nicht ihre Knochen blank gefressen, da hörte Dattelbett bereits Stimmen. Warum Dattelbett? »Also sprach die Sie«, lautet die Begründung. Man frage die großen Kühe nach der Erklärung für irgendein Wunder, und sie werden antworten: »Also sprach die Sie.«

»Sind die beiden aber nervös«, sagt Dattelbett nun, und schließt zu Matsch auf. Sie meint die Hornraben, die ihre Aufmerksamkeit einem Baumstamm zugewendet haben, auf dem fünf Kappengeier in Reih und Glied sitzen (jeder zweite schaut nach hinten), was ein besonders auffälliges Omen ist. Aber genau wie die übrigen Sie-Schs achten

Matsch und Dattelbett heute nicht auf Omen. Mit einem Blick auf die Geier sagt Dattelbett bloß: »Findest du es nicht auch sonderbar, Matsch, daß die Rüsselhälse sich nicht untereinander auffressen?«

»Du mußt dir angewöhnen, mich Sie-Schmollt zu nennen«, sagt Matsch laut. Sie denkt daran, wieviel Freude es ihr immer gemacht hat, den Klang ihres Geburtsnamens aus Dattelbetts Mund zu hören, wegen Dattelbetts altmodischer, ehrerbietiger Betonung von Worten wie Matsch, Staub oder Fels, all den Erdworten, die vor Generationen als heilig galten.

»Sie-Schmollt«, sagt Dattelbett. »Sie-Schmollt« – leichthin, bemüht beiläufig. Dann senkt sie den Kopf, so als gestehe sie die Garstigkeit des Namens ein, und steckt ihren Rüssel zwischen einen Haufen Steine, die im schwindenden Licht rosafarben zu pulsieren scheinen.

Matsch hebt witternd den Rüssel in Richtung Wasser.

»Ich komme gleich. In einer Minute«,* brummt Dattelbett. Sie ist dabei, die Steine umzudrehen und einige davon an ihre trüben Augen zu heben.

»Ständig studierst du irgend etwas«, denkt Matsch. »Nach dieser Angewohnheit sollte man dich benennen.«

Schon seit Generationen halten sich die Sie-Schs ab der Mitte der langen Trockenperiode bis zur Regenzeit in der Nähe des Blutsumpfs auf. Der Sumpf sieht im Licht der tiefstehenden Sonne blutrot aus, aber das ist nicht der Grund für seinen Namen. Er hieß Bleibesumpf, und drei weitere Herden versammelten sich regelmäßig dort, bis die Menschen hier eines Tages wenige Stunden nach der Geburt eines Kalbs achtzehn Kühe und das Neugeborene abschlachteten. Sie-Schreitet war

---

* Sie messen Zeitabstände nach einer komplizierten Methode, bei der die Mondphasen, die Position der Sonne, die Zyklen von Regen und Trockenheit und vor allem die Ernährungslage – ob das Gras grün oder gelb, lang oder kurz ist, ob sie hauptsächlich Sumpfvegetation oder Baumvegetation fressen usw. – eine Rolle spielen. Diese Methode berücksichtigt sowohl Jahreszeiten und exakte Vierundzwanzigstundenzyklen als auch die Aufteilung dieser Zyklen in kleinere Einheiten, die nicht mit Stunden und Minuten identisch sind. Zum Zwecke der Vereinfachung werden in dieser Geschichte jedoch die Begriffe »Stunde«, »Minute«, »Moment« und »Sekunde« verwendet, ebenso wie »Tag« und »Jahr«.

damals die Matriarchin der Sie-Schs, und fünf Jahre später führte sie ihre Familie erneut zu dem Sumpf, denn von den vormals dort heimischen Matriarchinnen spürte sie als einzige, daß der Ort wieder sicher war. Obwohl es in den letzten zwanzig Jahren in der näheren Umgebung keine Gemetzel mehr gegeben hat, erscheinen andere Familien nur, wenn die Wasserstellen rar werden. Daß in dieser Trockenperiode bisher niemand gekommen ist, hält Matsch für ein gutes Zeichen, aber angesichts der Dürre ist es trotzdem erstaunlich.

Als sie plantschend durch das warme Wasser des seichten Abschnitts – oder das, was der seichte Abschnitt war, als es noch einen tiefen gab – läuft, stolpert sie wegen eines Krampfs in ihrem lahmen Bein. So viele Krämpfe an einem Nachmittag sind ein weiteres deutliches Omen, und dennoch glaubt sie, ihr Bein sei bloß der Last ihrer Enttäuschung nicht gewachsen. Als das Wasser ihren Bauch berührt, dreht sie sich um und blickt gerade noch rechtzeitig zu ihrer Familie hinüber, um mit anzusehen, wie Sie-Schreckt auf einen Schwarm Gänse losstürmt. Ihr Groll nimmt ein bißchen ab. Sie-Schreckt hat sie adoptiert, als keine andere säugende Kuh dazu bereit war. Zwanzig Tage zuvor war ihr eigenes Kalb bei einem Sturz gestorben, und bis die Familie Matsch fand, schien es keine Erklärung für die Milchbäche zu geben, die immer noch aus Sie-Schreckt herausflossen. Von Anfang an war sie übertrieben fürsorglich. Als kleines Kalb waren Fleischfresser für Matsch Wesen, die man immer nur von hinten sah, auf der Flucht vor den wilden Attacken ihrer Mutter, deren rechter Stoßzahn einem Schlangenkopf glich und gerade weil er winzig war eine um so gefährlichere Waffe darstellte.

Sie-Schreckts rechter Stoßzahn ist nie gewachsen. Kühe, die sie nicht kennen, sagen stets »Du tust mir aber leid« oder etwas in der Art, und als Matsch jünger war, begriff sie nicht, was sie damit meinten. Sie-Schreckt hat nichts Bemitleidenswertes an sich. »Ich bin verschont geblieben«, sagt sie oft, so als wären Stoßzähne eine Last. Wenn jemand Fremdes ihr sagt, sie gleiche eher einem heranwachsenden Kalb als einer reifen Kuh, platzt sie fast vor Stolz und erwähnt dann vielleicht, daß sie nur ein einziges Kalb zur Welt gebracht hat (statt drei oder vier, wie es der Wunsch jeder anderen Kuh wäre) und dieser »Segen« für ihr jugendliches Aussehen verantwortlich ist. Ein Neugeborenes auszutragen macht die Haut schlaff und staucht die Knochen, behauptet sie, und, schlimmer noch, es trübt die Sinne; und sie hat wirklich sehr wache Sinne, vor allem gute Ohren. Das Quieken eines Neugeborenen im Bauch hört sie schon Tage, bevor seine Mutter die ersten Bewegungen spürt, und anhand dieses Quiekens kann sie sogar das Geschlecht bestimmen.

Sie hörte Matschs Neugeborenes bereits wenige Stunden, nachdem Matschs Brunst abgeklungen war. Ein Kuhkalb, verkündetet sie, aber Matsch beharrte damals darauf, daß sie sich irren müsse, daß es kein Neugeborenes gäbe. Inzwischen ist das Quieken angeblich ohrenbetäubend, und Matschs Brüste und ihr Bauch sind angeschwollen, aber dennoch hat sie nicht das Gefühl, Leben in sich zu beherbergen, und sie hegt für das, was möglicherweise in ihr ist, keine liebevolleren Gefühle als für ihre Eingeweide. Sie betet darum, nicht richtig freigegraben worden zu sein, aber alle sagen, Langschatten sei ein sehr guter Freigräber, und Sie-Schreckt sagt, wenn die Regenzeit anbricht, wird sie ein Kuhkalb werfen. Die anderen freigegrabenen Kühe, Sie-Schnaubt und Sie-Schwafelt, werden Bullenkälber bekommen. Sie spüren, wie ihre Neugeborenen herumrollen, und Sie-Schwafelt hört sogar, was ihres träumt.

»Ganz furchtbare, schreckliche, schlimme Träume«, erzählt sie allen, umständlich und wortreich wie immer. »Lauter laute Geräusche und ein fürchterliches, grauenvolles Chaos.« Sie hat sich angewöhnt, sich dauernd schützend über ihren kleinen Bruder Knick zu stellen, so als habe er die Träume.*

Auch jetzt steht sie über ihm. Ein Flußpferd versucht, in ihrer Nähe ins Wasser zu gelangen, und sie winkt mit dem Rüssel Sie-Schreckt zu Hilfe, die daraufhin dem Flußpferd lautstark trompetend droht.

Aber es sind die anderen Flußpferde, die sich plötzlich verziehen. Die ganze Horde erhebt sich aus dem Wasser, trottet an Land und scheucht dabei die Gänse auf, deren an- und abschwellende Schreie die

---

* Knicks Vorderfüße waren bei seiner Geburt unter seinem Bauch eingeklemmt. In den ersten zwei Tagen konnte er nicht stehen, und um die Brustwarzen seiner Mutter Sie-Schützt zu erreichen, blieb ihm nichts anderes übrig, als sich direkt unter ihren Brüsten auf die Hinterbeine zu setzen.

Luft durchschneiden. Hinter den Flußpferden, am Rande einer kleinen Gruppe von Zebras und Gnus, tauchen jetzt zwei trabende Giraffen aus der Steppe auf, die mit jedem Schritt eine Staubwolke aufwirbeln. Die Zebras und Gnus wirken halb verhungert und mutlos. Wie gebannt starren sie die untergehende Sonne an (und daß sie alle in dieselbe Richtung blicken ist ein weiteres Omen, das nicht beachtet wird).

Im Vergleich mit ihnen sehen die Giraffen, die an die hoch oben hängenden Blätter heranreichen – und in der Nähe des Sumpfs sind noch genügend davon übrig –, geradezu unverschämt gesund aus. Sie gleiten zwischen den Zebras und Gnus hindurch. Ein paar Meter vom Wasser entfernt bleiben sie jedoch abrupt stehen, drehen die Köpfe und schauen ebenfalls in die Sonne.

Matsch schwenkt ihren Rüssel nach hinten und sperrt die Ohren auf. Keine sonderbaren Gerüche von dort, keine Geräusche. Und dennoch wenden die Giraffen die Augen nicht ab, erheben sich jetzt die Madenhacker fluchtartig von den Rücken der Flußpferde in die Luft.

Matsch dreht sich um.

Oberhalb der Sonne ist durch die Lichtstrahlen hindurch die Silhouette eines Geiers zu erkennen. Matsch läßt den Blick über die Fieberbäume schweifen. Auf einem Ast des höchsten Baumes sieht sie die dunklen Umrisse eines ausgestreckten Leoparden, aber er bedroht niemanden, noch nicht.

Matschs Familie befindet sich auf einem Stück, wo das Ufer flacher ist und einen ungehinderten Blick auf das bietet, was möglicherweise die Aufmerksamkeit der Giraffen fesselt. Alle außer Sie-Schaut wittern gespannt. Sie-Schreckt wedelt mit den Ohren und brummt ein paar unverständliche Worte in Matschs Richtung.

»Was ist?« ruft Matsch, aber Sie-Schreckt läuft bereits auf das Ufer zu. Unterwegs stupst sie Sie-Schaut an, damit sie mitkommt, und Sie-Schaut gehorcht wie ein folgsames Kalb.

»Jetzt ist es passiert«, murmelt Matsch erstaunt. Obwohl ihr schon immer klar war, daß Sie-Schreckt, als die zweitgrößte und zweitälteste Kuh, eines Tages von Sie-Schaut das Kommando übernehmen würde, ist sie doch völlig perplex, nun tatsächlich Zeugin des Machtwechsels geworden zu sein, und bemerkt deshalb, während sie aus dem Wasser watet, nicht, daß sie gleich eine Vision haben wird. Bis sie sich wieder gefangen hat, ist sie schon mittendrin und ihr drittes Auge bereits weit geöffnet.

Sie sieht vor sich ein Netz aus silbernen Zweigen. Es muß ein »Strolchnetz« sein. (Matsch hat nie eins gesehen, aber wie alle anderen auch weiß sie über sie Bescheid – über ihre Länge und ihre Unüberwindlichkeit, über ihr wundersam regelmäßiges Geflecht und ihre Angewohnheit, abgeschlossene Gebiete zu bilden, in denen Rinder sich oft zu ihrer Verblüffung gefangen finden.) Ihr drittes Auge schaut nach unten. Sie hat keine Ahnung, was sie sehen wird, und es dauert ein paar Sekunden, bis sie begreift. Eine Böschung, Felsblöcke. Nein. Kadaver.

Dutzende, Hunderte, lauter Gnus und Zebras. Ihr drittes Auge schweift am Fuße des Zauns entlang, und der Schrecken nimmt kein Ende. Dann schwenkt ihr Auge herum und erblickt eine weitere Katastrophe.

Die sterblichen Überreste von ihresgleichen.

Allen Leichen fehlt das Gesicht, die Rüssel wurden beiseite geworfen, die Stoßzähne und teilweise auch die Füße sind verschwunden. Marabus stolzieren zwischen den toten Leibern herum und scheinen vor ihrem dritten Auge zurückzuweichen, als es schnell über die Leichen wandert. Bei einer Kuh verharrt es, und an der Form des Kiefers erkennt Matsch Sie-Denkt-und-Denkt. Es sind also die Sie-Ds. Sie zählt dreiundzwanzig Leichen, ehe ihr Auge sich schließt.

Sie rennt mit platschenden Schritten zum Ufer. Dattelbett wartet am Rand des Wassers auf sie, aber Matsch rennt an ihr vorbei. Auf halber Höhe der Uferböschung knickt ihr lahmes Bein ein, und sie rutscht rückwärts, aber Dattelbett stellt sich hinter sie und schiebt sie nach oben.

In etwa hundert Meter Entfernung schleppen sich im matten rötlichen Licht drei gespenstisch aussehende Kühe und ein Bullenkalb über die Steppe. Das Bullenkalb wirft nach jedem seiner spastischen Schritte den Kopf zur Seite. Die größte Kuh trägt etwas zwischen Unterkiefer und Schulter. Sie läßt es fallen, und eine Staubwolke steigt empor.

Während sie es mit den Stoßzähnen hochhebt, warten die anderen.

»Was ist das?« sagt Dattelbett schnuppernd.

»Ein Neugeborenes«, sagt Matsch. »Ein totes Neugeborenes.«

Es stinkt wie eine mindestens fünf Tage alte Leiche. Der Geruch der Familie wird davon überdeckt, aber als sie näher kommen, erkennt Matsch sie. »Die Sie-Ds«, sagt sie und spurtet vorwärts.

Dattelbett hält mit ihr Schritt. »Nein«, sagt sie ungläubig. Die Sie-Ds sind eine der größten Familien gewesen.

Matsch zählt diese vier zu den dreiundzwanzig aus ihrer Vision hinzu und sagt: »Von siebenundzwanzig sind vier übriggeblieben.«

Ihre eigene Familie hat inzwischen die Ankömmlinge erreicht. Sie-Schreit kreischt aufgeregt, und Sie-Schaut, ihre Mutter, versetzt ihr einen Klaps und trompetet dann: »Gebt euch zu erkennen!«

Matsch hebt ihren Mund an das alte, rissige Ohr von Sie-Schaut. »Es sind die Sie-Ds«, sagt sie. »Die letzten Überlebenden.«

»Du meine Güte«, sagt Sie-Schaut. Ihre Rüsselspitze fällt herunter.

Matsch stellt sich neben Sie-Schreckt und Sie-Schützt, die Medizinkuh.

»Schlimm«, sagt Sie-Schreckt leise.

Sie-Schützts Stimme ist nicht ganz so leise, aber weniger laut als ihr übliches Gebell: »Eine Mischung aus Wasserbaumrinde und Grunzerpisse sollte das in Ordnung bringen. Sie-Schützt wird einen ganzen See aus Pisse brauchen.«*

Sie-Schützt und Sie-Schreckt beraten sich wegen eines Breiumschlags für das Bullenkalb. Es handelt sich um Hagelkorn, wie Matsch nach kurzem Rätseln erkennt ... Sie hat ihn zuletzt bei der Großen Regenversammlung vor zwei Jahren gesehen, und sein Geruch wird von dem Gestank überdeckt, den sein rechter Vorderfuß verströmt. Als sie näher hinschaut, sieht sie, daß über dem mittleren Zehennagel ein Loch ist und sich darin Maden schlängeln, die im Zwielicht graublau schimmern.

»Wie willst du ihn herbringen?« erkundigt sich Sie-Schreckt bei Sie-Schützt.

»Wen herbringen?«

---

* Sie-Schützt ist so begeistert von ihrem Kuhnamen, daß sie ihn immer benutzt, wenn sie von sich selber spricht, denn es widerstrebt ihr, ihn durch ein Pronomen zu ersetzen.

»Den Urin.«

»Sie-Schützt wird die Grunzer bitten, direkt auf die Borke zu pissen. Sie-Schützt wird jeweils einen Streifen vom Baum abreißen, ihn weichkauen und dort ausspucken, wo die Grunzer sind.«

»Gib dein Bestes«, sagt Sie-Schreckt. Damit den Warzenschweinen die Bitte in ihrer eigenen Sprache übermittelt werden kann, fügt sie hinzu: »Nimm Dattelbett mit.«

Als die beiden weg sind, nähert sich Sie-Schreckt der Matriarchin der Sie-Ds. »Sie-Drängt«, sagte sie im förmlichen Tonfall.

Sie-Drängt tritt von einem Fuß auf den anderen.

»Unsere Wege haben sich bei der letzten Regenversammlung nicht gekreuzt«, sagt Sie-Schreckt, und als sie ihren Rüssel ausstreckt, wird die Luft vom lauten Flügelschlag einer Klapperlerche erschüttert.

Die Sie-Ds weichen entsetzt zurück.

»Eine Schnarrfliege«, ruft Sie-Schreckt. »Bloß eine Schnarrfliege.«

Die Sie-Ds beruhigen sich rasch, so als sei das Gefühl von Panik ihnen derart vertraut, daß es ihre Aufmerksamkeit nicht lange fesseln kann. Sie-Drängt läßt das übelriechende Bündel bis unter ihr Kinn rutschen und beobachtet Sie-Schreckt aus halb geschlossenen, glänzenden Augen. Die Kühe rechts und links neben ihr sind ihre ältesten Töchter: Sie-Druckst-und-Druckst und Sie-Döst.

»Welchen Namen habt ihr ihr gegeben?« fragt Sie-Schreckt. Sie nähert ihren Rüssel schlängelnd dem Neugeborenen, aber Sie-Drängt dreht den Kopf zur Seite, und Sie-Schreckt zieht den Rüssel wieder ein und sagt: »Ihr seid beim Wasser angekommen. Hier seid ihr in Sicherheit.«

❧

Ein Ziegenmelker hat Dattelbett erzählt, daß die Sterne herunterfallen. »Kannst du sie sehen?« flüstert Dattelbett Matsch zu.

Matsch sucht mit einem Auge den Himmel ab. Es ist eine Strolchnacht, und sie sieht bloß den glotzenden Mond. »Hat er gesagt, wie viele?«

»Unzählige.«

»Wenigstens dieses Grauen bleibt den toten Sie-Ds erspart.«

»Woher weißt du das?«

»In meiner Vision waren alle Stoßzähne abgehackt.«

»Aber du weißt nicht, wann das passiert ist.«

»Die Toten hatten etwas furchtbar Trostloses an sich.«

»Nun ja.« Dattelbett holt tief Luft. »Ein Gemetzel –«

»Nicht nur das. Ich kann es nicht beschreiben ... eine völlige Hoffnungslosigkeit. Ich glaube nicht, daß auch nur eine von ihnen zur Himmelskuh geworden ist.«

Himmelskühe sind tote Kühe, die in den Himmel aufgefahren sind, um sich der Familie der Sie anzuschließen. Ein Stern ist der leuchtende Stoßzahn einer Himmelskuh. Wenn ein Stern herabfällt, geschieht das, weil eine Himmelskuh die Familie der Sie verlassen muß und ins Ewige Uferlose Wasser stürzt, wo sie aufquillt, um fortan gefühllos zwischen den toten Kälbern und Bullen zu treiben, die stets direkt aus diesem Leben ins Ewige Uferlose Wasser fallen. Die bittere Wahrheit ist nämlich, daß selbst neugeborenen Kälbern keine Sekunde seligen Zusammenseins mit der Sie gewährt wird. Wenn eine große Anzahl Sterne vom Himmel fällt, bedeutet das, ein toter Mensch ist aus dem Spalt unter der Domäne* entwischt, und da er ganz flach gequetscht ist, kann er mühelos zum Himmel schweben, wo er nun so viele Stoßzähne wie möglich abhackt, ehe die Sie erwacht.

Wenn einem im Paradies die Stoßzähne abgehackt werden, spürt man keinen Schmerz, das ist immerhin ein Trost. Wenn einem die Stoßzähne abgehackt werden, während man auf der Erde ist, bedeutet das eine unvergleichliche körperliche Qual, egal ob man noch lebt oder nicht (daß Tote keinen Schmerz empfinden, ist für sie alles andere als selbstverständlich). Einer Kuh wird dadurch auch der Zugang zur Familie der Sie verwehrt, denn damit eine Kuh zur Himmelskuh werden kann, muß mindestens ein Stoßzahn oder der Stumpf eines Stoßzahns nach dem letzten Atemzug einen ganzen Tag und eine ganze Nacht hindurch am Schädel hängen. Kühe ohne Stoßzähne kommen, genau wie Kälber und Bullen, nicht ins Paradies.

»Hörst du das?« denkt Matsch und spitzt die Ohren. Das jämmerliche Geschrei eines Gnus übertönt das Durcheinander nächtlicher

---

* Tote Menschen werden an einen unterirdischen Ort namens Die Kluft verbannt.

Geräusche. Das Gnu ist verwundet worden. Aber nicht von einer Löwin oder einem Leoparden, denn die töten ihre Opfer geräuschlos durch Genickbruch. Nein, von Schakalen oder Wildhunden. Oder Hyänen. »Hörst du's?« sagt sie laut. »Hörst du's?«

»Still, sonst erschreckst du die Sie-Ds«, flüstert Dattelbett. Sie zieht Matsch am Rüssel.

Aber Matsch ist tief in die Erinnerung an die Hyäne versunken, die in der Nacht ihrer Geburt um sie herumgeschlichen ist, und sie dreht sich jetzt selbst im Kreis, um die Hyäne nicht aus den Augen zu verlieren. Trotzdem spürt sie vage, wie Dattelbett an ihr zerrt, und langsam, aber sicher weicht die Hyäne dem Silberschaft des Mondlichts, der über die Oberfläche des Sumpfs tanzt, und Matsch hält an. Der Lichtstrahl ist der Widerschein des starken Stoßzahns der Sie. Sein Anblick sollte eigentlich aufmunternd wirken, aber wie könnte er das, in einer solchen Nacht? »Ich habe schreckliche Angst«, denkt Matsch.

Dattelbett schweigt.

»Dir geht es genauso«, denkt Matsch. »Ich rieche deine Angst.«

»Ich kann nicht beurteilen, ob es meine Angst ist«, gesteht Dattelbett, »oder ob ich die Angst um mich herum aufgesogen habe. Deine Angst.« Sie schaut zur Steppe hinüber. »Ihre.«

Vorhin hat sie der Familie von ihrer Unterhaltung mit einem der Gnubullen erzählt – einem ungewöhnlich zugänglichen und intelligenten Patriarchen –, als sie mit Sie-Schützt losgegangen war, um Urin von den Warzenschweinen zu besorgen. Vor sechzig Tagen war der Bulle mit einer aus Tausenden von Gnus und Zebras bestehenden Herde auf den Maschendrahtzaun aus Matschs Vision gestoßen. Jenseits dieser scheinbar endlos langen Barriere befand sich in etwa einem Kilometer Entfernung ein Teich, und der Bulle sagte, der Geruch des Wassers habe die Herde dazu getrieben, bis zur Erschöpfung am Zaun hin und her zu galoppieren. Alle Kühe des Bullen seien an Durst eingegangen, ebenso alle Kälber. Wie die Sie-Ds umgekommen sind, wußte er jedoch nicht. Er hat sie gar nicht gesehen, was Matsch einleuchtet. Ihrer Vision zufolge sind sie erst später gestorben.

Matsch betrachtet die Sie-Ds. Sie scheinen über das Stadium der Angst hinaus zu sein. Dicht zusammengedrängt stehen sie abseits von Matschs Familie, die inzwischen größtenteils schläft, die Kühe im Stehen, die kleinen Kälber aneinandergekuschelt auf dem Boden. Normalerweise hätten sich die Sie-Schs bei Sonnenuntergang aus dem Sumpf in den relativ sicheren Akazienhain zurückgezogen, aber es war nicht in Frage gekommen, die Sie-Ds allein zu lassen oder sie aufzuwecken. Sogar Hagelkorn scheint zu schlafen, eins seiner Ohren ist über das Auge geklappt, und sein schlimmer rechter Fuß ruht auf dem linken Vorderfuß. Der Urinbrei hat die Würmer aus der Wunde getrieben. Einige haben sich noch stundenlang auf dem Boden gekrümmt, aber vor kurzem hat Sie-Drängt sie zertrampelt. Jetzt hält sie wieder die Totenwache für ihr Neugeborenes. Es liegt zwischen ihren Vorderbeinen. Hinter ihr schlummern aneinandergelehnt Sie-Druckst-und-Druckst und Sie-Döst. Alle vier haben getrunken, gebadet und gegessen, aber sie haben noch kein Wort gesprochen. Sogar ihre Gedanken sind stumm. Außer einem hohlen, verloren klingenden Pfeifen, sagt Dattelbett, ist nichts zu hören.

༛

Die Nacht gleitet dahin, durch sich selbst hindurch. Was da wie eine Lawine über die Böschung rollt, sind die zurückkehrenden Flußpferde. Am Ufer bleiben die beiden Anführer stehen und reißen die Mäuler auf, und das matte Licht bringt ihre Eckzähne zur Geltung. Als Sie-Schreckt ihnen droht, klappen sie die Mäuler zu, und die ganze Horde dreht sich um und zuckelt ans andere Ende des Sumpfs, wo unter einer Nebelschwade etliche Krokodile versammelt sind.

Als nächstes erscheinen die Giraffen. Als sie an den beiden Familien vorbeikommen, beugen sie die Hälse und schauen hinab auf den kleinen Leichnam. Giraffen werden von Sie-Schreckt geduldet, aber nur so gerade eben.

»Sie-Schützt fühlt sich so vertrocknet wie eine schrumplige alte Zitze«, röhrt Sie-Schützt, und Sie-Schreckt wirbelt herum, anscheinend verblüfft über diese Erinnerung an ihre Pflichten als Matriarchin, und trompetet: »Trinkt! Eßt! Badet!«

Sie-Schreckt steht es nicht zu, den Sie-Ds Anweisungen zu geben, aber auch sie gehen zum Wasser. Sie-Drängt führt sie ein Stück entfernt von den Sie-Schs ans Ufer. Hagelkorn humpelt hinter den Kühen her, und Sie-Schützt brummt ihm zu: »Paß auf, daß dein Fuß nicht naß wird! Sie-Schützt wird dir so viel Schweifgras bringen, wie du fressen kannst!«

»Nun übertreibt mal nicht!« brüllt Sie-Schreit. »Das bißchen Futter, das übrig ist, muß noch wer weiß wie lange für uns alle reichen!«

»Das hat dich bisher nicht davon abgehalten, dich vollzustopfen wie ein Bulle«, brummt Sie-Schnaubt.

»Dich auch nicht!« kreischt Sie-Schreit. Sie schwenkt ihren Rüssel.

Sie-Schreit ist häßlich. Auf ihrem Gesicht blühen Warzen, ihre Stoßzähne sind stumpf und abgesplittert, aber dennoch ist sie so eingebildet, als wäre sie eine Schönheit. Genau wie Sie-Schnaubt (die eine echte Schönheit ist) wackelt sie mit dem Hinterteil und schwenkt den Rüssel; allerdings sind ihre Absichten nicht immer klar, vor allem nicht für Fremde, die sie mit ihren hoheitsvollen Begrüßungsgesten oft verschreckt.

»Ich muß an meine Verehrer denken«, sagt Sie-Schnaubt. Sie schwingt ihren Rüssel zu Sumpf hinüber, der – was eigenartig für ein vierzehnjähriges Bullenkalb ist, besonders für ein so gutaussehendes – keinerlei Interesse am weiblichen Geschlecht zeigt. Er unternimmt keine Versuche, Kühe zu besteigen, er beschnuppert sie nicht einmal, und wegen dieser unnatürlichen, aber gerngesehenen Zurückhaltung ist er noch nicht aus der Familie ausgestoßen worden, obwohl er das übliche Alter längst überschritten hat. »Oh, bitte, laß mich nicht abblitzen«, sagt Sie-Schnaubt, als er vor ihr wegläuft, und obwohl ihr diese gespielten Annäherungsversuche, denen er noch nie Beachtung geschenkt hat, immer wieder großen Spaß machen, schwingt heute ein melancholischer Unterton in ihrer Stimme mit, und er schaut sich um und brummt: »Ich laß dich nicht abblitzen. Ich ziehe mich bloß zurück.«

»Beeilung, Sohn«, wiehert Sie-Schreit. »Ich habe das Gefühl, gleich kriege ich einen meiner Anfälle.« Sie packt ihn am Schwanzende, aber er macht sich los und geht mit schwerfälligen Schritten allein ins Wasser.

Die meisten Kühe der Sie-Schs waten zum Riedgras hinüber. Sie-Schaut hat ihre Versuche, die harten Triebe zu kauen, aufgegeben und verzehrt statt dessen im Flachen die dünneren Gräser und Kriechpflanzen. Bei ihr sind Sie-Schützt, Sie-Schnappt (den Namen verdankt sie ihrer Angewohnheit, sich alles zu schnappen, was anderen aus dem

Mund fällt) und die drei kleinen Kälber. Die Sie-Ds bleiben ebenfalls im Flachen, und Sie-Drängt streckt regelmäßig den Rüssel in Richtung ihres toten Kalbs aus, neben dem Sie-Schwafelt unschlüssig herumsteht, so als würde sie sich am liebsten über die Leiche stellen. Schließlich folgt Sie-Schwafelt den anderen ins Wasser und begnügt sich damit, sich über ihren kleinen Bruder Knick zu stellen, und Sie-Drängt wirkt von da an weniger gereizt.

Etwa eine Stunde lang baden und essen die beiden Familien. Die Sie-Ds lehnen sich an einander und streicheln sich mit den Rüsseln, behalten aber ihr sonderbares Schweigen bei, und als Sie-Drängt plötzlich lostrompetet, wenn auch nur mit dünner, rasselnder Stimme, kriegen die Sie-Schs deshalb einen derartigen Schreck, daß sie im Chor »Hilfe!« und »Achtung!« rufen, noch ehe sie wissen, welche Gefahr droht.

Es ist eine Tüpfelhyäne. Sie läuft auf der Böschung oberhalb des toten Neugeborenen hin und her. Sie-Schreckt rennt mit platschenden Schritten zum Ufer. Als sie dort ankommt, hat Sie-Drängt die Hyäne bereits in die offene Steppe hinaus gejagt, aber zur Sicherheit jagt Sie-Schreckt sie noch ein Stück weiter weg.

Am Ufer marschiert Sie-Drängt zu dem Leichnam. Sie dreht sich um und hebt ein Hinterbein. Den Blick zur Seite gewandt, tritt sie mit voller Wucht auf den toten Leib.

Das Wumm beim Auftreffen hallt über den Sumpf. Sie hebt erneut den Fuß. Wummm!

Viermal tritt sie auf ihr totes Neugeborenes. Sie häuft Sand auf die sterblichen Überreste, geht dann zu einer Stelle, wo der Sand trockener ist, und bläst zwei Rüssel voll auf ihren eigenen Körper. Ihre Töchter und Hagelkorn gehen zu ihr, während die restlichen Sie-Schs den Sumpf verlassen. Sie-Schreckt – die das Geschehen von der Böschung aus beobachtet hat – rutscht auf den Hinterbacken hinunter und wirft ihrerseits Sand über die Leiche.

»Matsch«, sagt Sie-Drängt.

Matsch kommt ein paar Meter hinter ihrer Familie, die nun die Leiche umringt und beschnüffelt, aus dem Wasser. Überrascht, die Auserwählte zu sein, drängelt sie sich zwischen den großen Kühen hindurch, bis sie vor der Matriarchin der Sie-Ds steht. Sie-Drängt war früher eine besonders ehrfurchtgebietende Kuh, bekannt für ihre geistvollen Predigten und ihren imposanten Schädel. Jetzt hängt dieser Kopf so schlaff herab und ist so verschrumpelt, daß Matsch sich fragt, wie sie die Hyäne überhaupt wittern konnte. Temporin* rinnt über ihr Gesicht; respektvoll berührt Matsch das Sekret und steckt dann ihren Rüssel in den Mund der alten Kuh, zieht ihn aber wegen des stechenden Geruchs nach Verzweiflung und faulen Zähnen gleich wieder zurück. Sie-Drängt senkt den Kopf, um sie anzuschauen. Obwohl ihre Augen vom vielen Kummer getrübt sind, erkennt Matsch darin noch den Schimmer eines von Visionen erleuchteten Geistes.

»Mein Neugeborenes habe ich Matsch genannt.« Ihre Stimme ist rauh und leise, so als habe ihre Kehle Schaden genommen. »Schramme wäre der passendere Name gewesen; es war kein Matsch in der Nähe. Mir gefällt jedoch der Klang des Wortes Matsch, und ich hatte an dem Tag davon geträumt, mich in einer Suhle zu wälzen.«

Matsch hat keine Ahnung, wie sie reagieren soll. Neben ihr brummt Sie-Schreckt: »Unsere Matsch hat gerade ihren Kuhnamen erhalten. Sie heißt jetzt Sie-Schmollt.«

Sie-Drängt scheint das nicht gehört zu haben. Sie sagt zu Matsch: »Du hast das dritte Auge.«

»Ja.«

»Es wird dir weder den Tod deiner Mutter noch den Tod deiner Kälber zeigen. Wußtest du das?«

Das hat Matsch nicht gewußt. Die einzige Einschränkung, von der sie je gehört hat, ist, daß sie sich wahrscheinlich nie selber sehen wird. Sie dreht sich zu Sie-Schaut um, die ebenfalls das dritte Auge besitzt, und die alte Kuh erwidert ihren Blick und murmelt: »Alles Wissen ist nur ein Traum von früherem Wissen.«

Sie-Drängt scheint auch das nicht gehört zu haben. »Vielleicht wirst du den Tod deiner Schwestern und Tanten vorhersehen«, fährt sie fort, »oder deiner Adoptivmutter. Ich habe alle diese Todesfälle in meiner Familie vorhergesehen. Aber du wirst weder den Tod derjenigen, die dich zur Welt gebracht hat, noch den Tod derer, die du zur Welt bringen wirst, vorhersehen. Allerdings wird dir vielleicht ein Blick auf die Ursache ihres Todes gewährt. Vor zweihundertzehn Tagen sah ich im

---

* Ein öliges Sekret, das bei Erregungszuständen aus den Schläfendrüsen austritt.

Geiste das Strolchnetz und die Hinterbeiner, die aus dem Bauch der Dröhnfliege sprangen. Ich sagte mir, wir müssen uns von den Netzen fernhalten. Aber von diesem Netz wußte ich nichts. Und natürlich hat auch nicht das Netz auf uns geschossen.«

»Oh, auf euch wurde geschossen?«, sagt Matsch. »Ich habe gar keine Stichlöcher gesehen.«

»Du hattest eine Vision von dem Gemetzel?«

»Kurz bevor ihr hier ankamt. Zuerst habe ich die Irren gesehen, und die Rippen, Hunderte und Aberhunderte von Leichen, und dann ... deine Familie. Ich habe dreiundzwanzig gezählt.«

»Seid ihr dorthin zurückgekehrt?« fragt Sie-Schreckt die Matriarchin der Sie-Ds. Nicht immer kehren die Überlebenden eines Gemetzels zurück, um ihre Toten zu betrauern.

»Na ... ja, al ... so, am – ähm – näch ... sten Nach ... mit ... tag.« Das kommt von Sie-Druckst-und-Druckst, die oft zögerlich spricht und deren merkwürdige Angewohnheit, jedes Wort in die Länge zu ziehen, den Eindruck erweckt, als würde sie aus weiter Entfernung rufen. »Also, die Stoßzäh...ne – ähm – die wa...ren weg und – ähm – ei...nige Fü...ße e...ben...so.«

Sie-Schreit fängt laut zu weinen an, und bald schluchzen alle Sie-Schs, sogar Sie-Schnaubt und Sumpf. Sie urinieren, entleeren ihre Därme, sondern Ströme von Temporin ab. Die Sie-Ds treten angesichts des Aufruhrs zur Seite und schweigen, bis Sie-Schreckt sich soweit beruhigt hat, daß sie fragen kann: »Und wieso seid ihr verschont geblieben?«

»Wir sind weggerannt«, erklärt Sie-Drängt kurz und bündig.

»Gerannt und gerannt«, intoniert Sie-Döst träge.

Es ist das erste Mal, daß Sie-Döst spricht. Ein Schweigen entsteht, da alle abwarten, ob sie weiterreden will. Aber statt dessen beginnt sie mit einer Art tänzerischer Fluchtparodie, wirft die Beine hoch und läuft mit gespreizten Ohren und ausgestrecktem Schwanz wie eine Verrückte auf der Stelle.

»Laß das«, sagt Hagelkorn. »Bitte.« Er legt den Rüssel auf ihr Hinterteil, und sie senkt den Kopf und beruhigt sich. »Werte Matriarchin, ich glaube, sie ist überreizt«, sagt er im förmlichen Tonfall zu Sie-Drängt.

Seine Stimme gleicht dem melodischen Brummen eines höflichen alten Bullen – ebenso wohlklingend wie unangebracht. Die Sie-Schs wenden ihre Aufmerksamkeit jetzt ihm zu, und trotz des Gestanks aus seiner Wunde nimmt Matsch seinen würzigen Geruch nach frischem Kot und gärenden Früchten wahr. Er ist elf Jahre alt. Viel zu jung, um eine Kuh richtig zu besteigen, denkt sie, und sie schaut auf seinen schlimmen Fuß, um einen Grund für ihre plötzliche Traurigkeit zu haben.

»Kommt, gehen wir unter die Bäume«, sagt Sie-Schreckt.

Beide Familien laufen langsam, damit Hagelkorn Schritt halten kann, und Sumpf zeigt ein ungewöhnliches Maß an körperlichem Einsatz und Anteilnahme, indem er ihn den Abhang hochschiebt. Als sie bei den Fieberbäumen ankommen, zieht Sie-Schreckt die oberen Äste herunter, damit alle von der Rinde und den verschrumpelten Blättern fressen können, und Sie-Drängt wendet sich erneut an Matsch und sagt: »Wir haben deine Geburtsfamilie getroffen.«

»Die Sie-Ms?« sagt Sie-Schreckt und klappt die Ohren auf. Die Sie-Ms sind mittlerweile zur geheimnisvollsten aller Herden geworden, zu der Familie, die man am seltensten trifft. Matsch hat sie nicht mehr gesehen, seit sie von ihnen am Tag nach ihrer Geburt unter dem verdorrten Affenbrotbaum zurückgelassen wurde. »Wo?« fragt Sie-Schreckt.

»Beim Sie-Berg. Sie kamen gerade aus der Höhle mit der Salzlecke. Drei Kühe und zwei Kälber.«

»Wo waren die übrigen?«

Sie-Drängt schält einen Streifen Rinde ab. »Abgeschlachtet.«

»Nein!« sagt Sie-Schreckt. Sie stößt mit ihrem winzigen Stoßzahn in die Luft, so als wolle sie Menschen abwehren.

Sie-Drängt beobachtet sie kauend.

»Hat Sie-Mißt überlebt?« fragt Matsch ängstlich.

»Sie-Mißt ist nicht mehr die Matriarchin«, sagt Sie-Drängt. »Sie ist mittlerweile zu verträumt.« Und wie zur Verdeutlichung schließt sie die Augen und scheint einzuschlafen. Zwei Kuhreiher landen auf ihrem Rücken, und Matsch will gerade etwas sagen, da schlägt sie die Augen wieder auf und verkündet: »Sie läßt dir eine Botschaft ausrichten, Matsch. Zwei Botschaften. Die erste lautet: Sei ihr nicht böse, weil sie dich dem Verderben anheim gegeben hat, aber die Chancen standen nur eins zu vierhundertsechs, daß der Schlamm dich freigeben würde.

Das ist die erste Botschaft. Die zweite lautet: Stell dich gut mit Mir-Mir, der Schnelläuferin. Sie weiß womöglich, wo der Sichere Ort ist.«

»Wann hast du sie getroffen?« fragt Matsch unter Tränen.

»Vor – ähm – vor fünf … und … fünf … zig Ta … gen«, antwortet Sie-Druckst-und-Druckst.

Sie-Schreckt sagt: »Wir kennen keine einzige Schnelläuferin.«

»Wir auch nicht, werte Matriarchin«, sagt Hagelkorn. Er benutzt erneut den förmlichen Tonfall.

Sie-Schreckt schaut ihn an. »Sie weiß womöglich, wo der Sichere Ort ist? Was könnte das bedeuten? Was für ein sicherer Ort?«

Er senkt den Kopf ehrerbietig, was heutzutage nur noch wenige Bullenkälber machen, wenn sie eine direkte Frage der Matriarchin einer fremden Familie beantworten. »Der einzige Sichere Ort«, sagt er. Er humpelt zu Sie-Drängt hinüber, streicht mit seinem Rüssel über ihre Flanke und sagt: »Werte Matriarchin, darf ich es ihnen erzählen?«

Hoch am Himmel, irgendwo in südöstlicher Richtung, fliegt ein Flugzeug, und Sie-Drängt verdreht den Kopf und blinzelt in die tiefstehende Sonne. Das Flugzeug ist so weit entfernt, daß nicht einmal Matsch es sehen kann, aber über das Gesicht der Matriarchin legt sich ein gequälter Ausdruck. Dennoch hat Sie-Drängt die Worte von Hagelkorn gehört, und sie nickt.

»Vielen Dank«, sagt er. Er wendet sich an die Sie-Schs. Trotz seines stinkenden Fußes kommen sie näher. »Diese Geschichte«, hebt er an, »wurde uns von Ranzig aus der Familie der Sie-D-und-Ds,* einem Vetter unserer Matriarchin, erzählt. Es geht dabei um einen magischen Knochen, der der weiße Knochen genannt wird, den wir aber die

---

* Wenn eine Familie zu groß wird, löst sich manchmal eine der älteren Kühe – gemeinsam mit ihren Kälbern, Großkälbern und jüngeren Schwestern – von den anderen ab und gründet einen neuen Zweig der Familie. Um sich einen Namen zu geben, verdoppelt dieser Zweig den Familienlaut. Eine weitere Abspaltung von einer Familie, in der es bereits einen Zweig mit dem verdoppelten Laut gibt, nennt sich dann (beispielsweise) die Zweiten Sie-D-und-Ds. Die persönlichen Namen von Kühen werden gelegentlich auch innerhalb einer Familieneinheit verdoppelt, wenn es angebracht erscheint, eine junge Kuh nach einer älteren, noch lebenden Verwandten zu benennen.

weiße Trophäe nennen. Denn jedesmal, wenn sein richtiger Name ausgesprochen wird, verliert er etwas von seiner magischen Kraft. Weil Ranzig furchtbare Angst davor hatte, daß die weiße Trophäe ihre Kraft völlig verlieren könnte, bat er uns, diese Geschichte für uns zu behalten. Aber solche Geheimnistuerei scheint mir inzwischen fehl am Platz.«

»Du kannst dich auf unsere Verschwiegenheit verlassen«, sagt Sie-Schreckt.

»Ranzig ist sehr groß und furchteinflößend«, sagt Sie-Schnaubt. »Stimmt's?« Ihre Augen glitzern.

»Er ist tot«, grummelt Sie-Drängt, die immer noch nickt und verängstigt dreinschaut.

»Ach«, sagt Sie-Schreckt und wirft den Kopf zurück.

»Nein, werte Matriarchin«, sagt Hagelkorn mit einer neuerlichen leichten Verbeugung, »er wurde nicht umgebracht. Er ist vor zweihundert Tagen an müdem Herzen gestorben. Wir hörten sein Todesbrummen und fanden ihn im Schweifgras am Ufer des Langwasserflusses liegend. Kaum hatte er unsere Matriarchin erblickt, fing er an, die Geschichte zu erzählen. Er fühlte sein Ende nahen, und da er unsere Matriarchin immer sehr gern gehabt hatte, wollte er ihr etwas hinterlassen, das vielleicht eines Tages ihre Rettung sein würde.«

An dieser Stelle verzieht Hagelkorn das Gesicht und hebt seinen schlimmen Fuß. »Wenn du erlaubst, Matriarchin«, sagt er zu Sie-Schreckt, »würde ich mich gern hinlegen.«

»Natürlich«, sagt Sie-Schreckt.

»Ich werde dir ein Bett bereiten«, sagt Sumpf, und in einem zweiten überraschenden Anfall von Betriebsamkeit räumt er etliche Steine und Zweige weg.

Hagelkorn legt sich auf die Seite. Die anderen bilden einen Kreis um ihn, und er wird in Schatten getaucht. Er schaut zu Sie-Schreckt hoch. In förmlicher Redeweise erzählt er ihnen das folgende:

Das Auftauchen des Menschen hat nicht, wie gemeinhin angenommen wird, zu einem Zeitalter der Finsternis geführt. Während der ersten Jahrzehnte nach dem Niedergang war die Domäne vielmehr ein herrlicher Ort, und das lag teilweise daran, daß die Menschen von damals keine Ähnlichkeit mit ihren heutigen Nachkommen hatten. Sie aßen Fleisch, das ja, und sie waren uneinsichtig und zornig, aber sie töteten nur, um zu essen, und nur wenige von ihnen hatten eine Vorliebe für Siejenige. Es gab weder Gemetzel noch Verstümmelungen. Es herrschten Überfluß und Behaglichkeit, und zwischen den Siejenigen und den anderen Geschöpfen bestand eine einzigartige Vertrautheit, denn (dies ist eine weitere wenig bekannte Tatsache) damals waren alle Siejenigen Gedankenredner, und die Gedanken aller Geschöpfe waren verständlich.

Als die Finsternis dann doch anbrach, war sie um so schrecklicher. Sechshundert Tage und sechshundert Nächte lang fiel kein Regen. Der Wind wehte ununterbrochen, und die Luft war von schwarzem Staub erfüllt. Als das Wasser und die Weidepflanzen verschwanden, begannen die verschiedenen Arten sich gegenseitig zu mißtrauen, und die Gedanken der Menschen, Schlangen und Insekten wurden unergründlich. Die Gedanken der Schlangen und Insekten klangen wie ein schwaches Läuten. Von den Gedanken der Menschen ging eine Stille aus, die so tief und bedrohlich war, daß viele, die sie wahrnahmen, dem Gedankenreden abschworen.

Was löste diese schreckliche Stille aus? Es war die Finsternis ... die Finsternis, die sich der Gedanken der Menschen bemächtigt hatte und ihren bereits verkommenen Geist noch verkommener machte. Schon bald schlachteten sie ganze Familien ab. Nachdem sie das Fleisch ihrer Opfer verschlungen hatten, verbrannten sie die Häute und zermalmten die Knochen und Stoßzähne. Offenbar stand ihnen der Sinn nach Vernichtung, und die überlebenden Siejenigen flohen an den Rand der Domäne und kamen gar nicht mehr auf die Idee, zurückzukehren, um ihre Angehörigen zu beweinen, denn sie glaubten, daß keine Spuren der Toten übriggeblieben seien.

Sie irrten sich. Inmitten eines Kreises aus Felsblöcken lag noch die Rippe eines Neugeborenen. Keiner der Menschen, die an den Felsblöcken vorbeikamen, sah sie je, obwohl sie im Laufe der Jahre ausblich und eine leuchtend weiße Farbe annahm. Den meisten Lebewesen gab sie ein Gefühl von Vergebung und Hoffnung. Aber die Herzen der Menschen waren hart und ließen sich nicht erweichen. Nicht in jener Zeit.

Schließlich verzog sich die Finsternis, die Gemetzel hörten auf, und die Siejenigen kehrten zu ihren alten Weidegebieten zurück. Nachdem die Menschen vom Übel des schwarzen Staubs befreit waren, spürten einige von ihnen die Macht des weißen Knochens. Sie machten sich auf die Suche nach einem immergrünen, friedlichen Ort, und als sie ihn fanden, erklärten sie ihn zu einem sicheren Gebiet für alle Geschöpfe auf der Domäne, einschließlich der Fleischfresser, auch wenn sie selbst nicht mehr zu dieser Gattung gehörten.

Seitdem hat es unter allen Arten Gerüchte über diesen Zufluchtsort gegeben, aber nur die Siejenigen können dorthin geführt werden. Ihr Wegweiser ist der weiße Knochen, der in Zeiten der Finsternis in unterschiedlichen Teilen der Domäne auftaucht, immer jedoch westlich von einer Bergkette, inmitten eines Kreises aus Felsen oder Termiten-hügeln. Er bleibt nie lange an derselben Stelle. Genau zwei Tage und zwei Nächte (für einen guten Fährtensucher lange genug, um eine Route festzulegen) bleibt er jeweils im Besitz einer Familie oder eines einzelnen, ehe er verschwindet, um dann in einem anderen Kreis aus Felsen oder Termitenhügeln wieder aufzutauchen. Je tiefer die Finster-nis, desto weißer erscheint er den Siejenigen (in den Augen anderer Wesen ist er schmutzig und unauffällig). Wenn jemand von den Sie-jenigen das Glück hat, ihn zu finden, dann sollte sie oder er ihn in die Luft werfen, sich merken, wie er gelandet ist und sich von seinem spit-zen Ende den Weg weisen lassen. Aber wer auch immer ihn wirft, muß an die Kraft des weißen Knochens glauben.

»Ansonsten«, sagt Hagelkorn, »wird er einen nur im Kreis herum führen.« Er steht auf.

Die Sie-Schs, die am dichtesten bei ihm stehen, weichen zurück ... unbeholfen, blinzelnd. Sie sind benommen von dem, was sie gehört haben.

»Wir haben keine Ahnung, wie Ranzig von der Legende erfahren hat«, sagt Hagelkorn. »Er starb, ehe wir ihn fragen konnten. Aber wir haben nie an seinen Worten gezweifelt. Mit dem letzten Atemzug hat er uns gesagt, daß der Kleine Regen ausbleiben und der Langwasser-Fluß sich gänzlich zurückziehen würde, und damit hatte er ebenfalls recht.* Wie er das gewußt haben kann, ist ein weiteres Rätsel.«

---

* Binnengewässer ziehen sich Tropfen für Tropfen in Schlafhöhlen jenseits des Rands der Erde zurück. Gelegentlich erwacht das Wasser, verläßt die Höhlen und zieht in

»Ranzig hat nie ein unwahres Wort gesprochen«, sagt Sie-Drängt mit großem Nachdruck. Sie nickt immer noch mit dem Kopf.

»Er war die Wahrheit in Person«, sagt Hagelkorn. Er greift nach dem Rüssel der alten Matriarchin und zieht sanft, bis sie aufhört, ihren Kopf zu bewegen.

»Also«, brummt Sie-Schreckt, »wenn Ranzig diese Dürre vorhergesagt hat, obwohl niemand, noch nicht einmal Langschatten, sie hat kommen sehen, dann glaube ich für meinen Teil, daß seine Geschichte wahr ist.«

Die anderen Kühe der Sie-Sechs brummen zustimmend.

»Allerdings«, sagt Sie-Schnaubt, »fällt es schwer, sich Menschen vorzustellen, die von Güte durchdrungen sind.«

»Auch in die finstersten Felsspalten ist schon einmal das Sonnenlicht gefallen«, verkündet Sumpf ... der gelegentlich dazu neigt, verlockend klingende, aber haltlose Bemerkungen zu machen.

Form von Gewitterwolken über die Erde hinweg. Wenn eine Wolke zu der Vertiefung gelangt, aus der sie ursprünglich stammt, bricht sie auseinander, und das Wasser strömt hinab. (Der Horizont verhält sich umgekehrt. Während der Trockenzeit, in deren Verlauf die Luft immer staubiger wird, rückt er träge näher. Nach den ersten, erfrischenden Regenfällen entfernt er sich so schnell, daß bereits nach zwei, drei Tagen der ursprüngliche Abstand wiederhergestellt ist.)

Vier

Zehn Minuten später fliegt dasselbe Flugzeug, das Sie-Drängt erschreckt hat, im Tiefflug über einen ausgetrockneten Palmenwald, wo Langschatten in Deckung gegangen ist. Erst als das Dröhnen nachläßt, wird ihm klar, daß er das Gesicht dem Steilabbruch zugewandt hat, und daß infolge dieser Verfehlung alle seine Beziehungen zu anderen Bullen zusammenbrechen werden. Ihm wird ganz übel bei dem Gedanken, einen so geläufigen Aberglauben vergessen zu haben, und er gibt per Infraschall eine Reihe von Entschuldigungen von sich.* Er tut dies, obwohl keiner seiner Bullenfreunde sich in Hörweite befindet.

Wenn doch, hätte er es gemerkt, denn es hätte irgendeinen Austausch gegeben. Zumindest hätte er einen Geruch wahrgenommen, wenn auch noch so schwach. Aber seit hundertneunzig Tagen ist ihm nicht ein einziges Zeichen oder Wort von einem Mitglied seiner Geburtsfamilie, den Sie-B-und-Bs, untergekommen. Er bangt um ihr Leben, genau wie er um das Leben aller anderen bangt, die ihm etwas bedeuten. Mit einem schrecklichen Gefühl der Hilflosigkeit – und ganz ohne Grund, denn im Blutsumpf ist sie in Sicherheit, und ihm ist bewußt, daß alle sie betreffenden Omen gut sind – bangt er um Matsch, sieht sie im

---

* Infraschallrufe oder »Erder« sind körperlich übermittelte Fernbotschaften. Um ein bestimmtes Individuum zu erreichen, brummt der Absender auf der Körperfrequenz dieses Individuums. Das Brummen entspringt nicht aus der Kehle, sondern aus dem Bauch, es geht durch die Beine und die Füße in den Boden, wo es ausstrahlt und dann durch die Füße und Beine des Empfängers wieder aufsteigt, solange dieser sich innerhalb des Übertragungsradius befindet. Infraschallbotschaften haben den Vorteil, große Entfernungen überbrücken zu können, sind jedoch anfällig für Störungen durch Tumulte im Erdboden, wie zum Beispiel Massenfluchten oder kleinere Erdbeben.

Geiste vor sich, scheu und unscheinbar, wie sie bei ihrer ersten Begegnung gewesen ist, oder malt sich aus, wie sie vor einer Gruppe Menschen flüchtet und dabei durch ihr lahmes Bein behindert wird.

Hauptsächlich wegen Matsch ist er selbst nicht im Blutsumpf, sondern siebzig Kilometer weiter nördlich, auf der Suche nach einem gewissen weißen Knochen.

Während einer Dürre mangelt es im Lande nicht gerade an Knochen, und zu allem Überfluß ist auch noch fraglich, ob dieser weiße Knochen tatsächlich existiert. Dennoch hat er sich mit dem typischen Eifer, den man ihm nachsagt, auf die Suche begeben. Er hat öfter gehört, wie man ihn als eifrigen, temperamentvollen Bullen beschrieb, der zu übertriebener Begeisterung und Angstzuständen neige (und zu ausgefallenen Begierden und einer lächerlichen, archaischen Ausdrucksweise).

Nun, wie sagte seine alte Matriarchin gern: »Die Langbeinigen gehen aufs Ganze.«

Er stampft dreimal mit dem linken Fuß auf, vollführt eine komplette Umdrehung nach links, stampft erneut dreimal mit dem linken Fuß auf und singt dabei:

Krächzer sind im Gras
Am Firmament sind Fliegen
Das Böse schleicht sich dicht heran
Doch wird es euch nicht kriegen.

Der Tanz und das Lied sollen weit entfernte Verwandte und Freunde schützen. Das Lied allein kann einer Kuh, die man gut kennt, helfen, wenn sie gerade gebärt, aber Langschatten bezweifelt, daß irgendeine Kuh, ob er sie nun kennt oder nicht, zur Zeit gebärt. Kälber kommen nicht aus den Kühen heraus, wenn Dürre herrscht ...

Langschatten selber ist eine Ausnahme, denn er kam am Ende der letzten großen Dürreperiode zur Welt. Trockenzeit hätte man ihn auch nennen können, aber er wurde kurz nach Sonnenaufgang geboren, wenn die Schatten gigantisch sind, und seine Mutter entschied sich für den beeindruckenderen Namen. Seine Mutter war die berühmte singende Kuh Sie-Bellt-und-Bellt. Auch ihre Schreie während der Wehen und sogar ihre Todesschreie waren melodisch. Sie starb nur sechs Stunden nach Langschattens Geburt, am Mittag, zur Kurzschattenzeit. Sie starb grundlos. »Also sprach die Sie«, erklärten die Kühe, und Langschatten glaubte es, bis er, noch als Kalb, von dem seltsamen Aberglauben erfuhr, der besagt, daß eine Kuh noch vor dem nächsten Sonnenaufgang sterben wird, wenn innerhalb eines Tages und einer Nacht, nachdem sie ein Kalb geboren hat, eine dreibeinige Hyäne ihren Weg kreuzt.

Hatte eine dreibeinige Hyäne den Weg seiner Mutter gekreuzt?

»Nein«, sagte seine Adoptivmutter Sie-Blufft.

Aber sie sagte oft nein, wenn sie ja meinte, und deshalb glaubte er ihr nicht. Auf Knien bat er sie, ihm die Wahrheit zu sagen.

»Dreibeinig?« sagte sie daraufhin. »Nun, zufällig schlich an dem Tag tatsächlich eine dreibeinige in der Gegend herum.«

Er erzählte ihr von dem Aberglauben. »Wußte denn keiner davon?« fragte er.

»Natürlich wußten wir davon.«

»Ihr wußtet davon?« Er begann zu schluchzen, bloß weil die Möglichkeit bestand, daß niemand versucht hatte, seine Mutter vor dem Verhängnis zu schützen.

»Was genau meinst du mit ›wußtet‹?« fragte sie ausweichend.

Es war tröstlich für ihn zu hören, daß der Tod seiner leiblichen Mutter eine konkrete Ursache gehabt hatte, denn das bedeutete, daß solche Todesfälle sich durch Wachsamkeit vermeiden ließen. Er beschäftigte sich ausgiebig mit Omen und Aberglauben, mit Zeichen, wie diese Phänomene meistens genannt werden. Die geläufigen – »Lügner haben kurze Beine«; »Ein Fellpicker auf dem linken Stoßzahn bringt Glück« – kannte er natürlich schon. Es waren die in Vergessenheit geratenen, mit denen er sich vertraut machen wollte. Er fragte die Kühe in seiner Geburtsfamilie aus. Bei den Großen Regenversammlungen stand er manchmal stundenlang neben einer uralten Matriarchin, während sie alle Zeichen aufzählte, die sich je in ihr Gedächtnis eingegraben hatten und noch nicht endgültig verloren waren.* Auf diese Weise wurde er

---

* Die meisten frühen Erinnerungen, die in den ersten Jahren des Gedächtnisschwunds verlorengehen, lassen sich wiederherstellen, weil sie dem Körper nah genug bleiben, um erneut aufgesogen werden zu können.

zum Experten für das Unheimliche und war bereits berühmt, als er im zarten Alter von zehn Jahren seine Familie verließ.

Normalerweise geht ein Bulle mit elf oder zwölf Jahren weg, aber nur selten tut er es wie Langschatten aus eigenem Antrieb. Jeder Bulle gibt bereitwillig zu, daß er für immer bei seiner Familie geblieben wäre, wenn die großen Kühe ihn nicht weggescheucht hätten. Die Verbannung ist eine harte Sache, und Langschatten kennt junge Bullen, die sich noch jahrelang in der Nähe ihrer Familien herumgetrieben haben, in dem tragischen Irrglauben, daß ihnen ihre Besteigungsspiele oder auch ihre Kampfspiele – was immer die Kühe gegen sie aufgebracht hatte – vergeben würden. Doch selbst diese Dickschädel geben irgendwann auf und ziehen entweder allein herum oder versuchen (fast immer erfolglos), sich bei einer anderen Familie einzuschmeicheln. Am Ende schließen sie sich gewöhnlich einer kleinen Herde von Junggesellen an, deren ältestes Mitglied eine Art Führerfunktion übernimmt, falls es nicht schon zu klapprig ist.

Die andere, weniger beliebte Möglichkeit besteht darin, Einzelgänger zu werden ... Kühen nachzustellen, wenn der Paarungsdrang überwältigend wird, ansonsten jedoch für sich allein zu bleiben. Sein eigener Patriarch zu sein.

Langschatten betrachtet sich als Einzelgänger, trotz seiner tiefen, sentimentalen Liebe zu seiner Familie und seinen Freunden und trotz der Tatsache, daß er von Anfang an nie lange allein war. Kuhfamilien, einzelne Bullen und auch Junggesellenherden (deren Mitglieder dazu neigen, sich gemeinsam in übertriebene Besorgnis hineinzusteigern) kamen zu ihm, wann immer sie für ein Problem in ihrem Leben keine Erklärung fanden. Warum fließt meine Milch nicht mehr? Warum habe ich diese Zuckungen? Obwohl Langschatten sich durch die Besucher in seiner Ruhe gestört fühlte, löste er doch gern das betreffende Rätsel, wenn er konnte. Es schmeichelte ihm, um Rat gefragt zu werden, und es gab ihm die Gelegenheit zu überprüfen, ob ein Aberglaube tatsächlich wirksam war oder nicht, und dadurch wiederum lernte er, die ausschlaggebenden Faktoren genauer zu bestimmen.

Nach fünfzehn Jahren kannte er jedes Zeichen, aber inzwischen fühlte er sich durch seinen Ruhm eingeengt. Er entzog sich. Er verbarg seinen Geruch, indem er seine Blase und seinen Darm im Wasser entleerte. Er verwischte seine Fußspuren, indem er so oft wie möglich über Felsen lief oder rückwärts ging. Er sang leise. Viele der glückbringenden Verse sind wirkungsvoller, wenn sie gesungen werden, und zwar mit Lust, und er sang ausgesprochen gern. Er besaß das gleiche Tremolo wie seine leibliche Mutter, und seine Stimme war kraftvoll genug, um eine ganze Gnuherde in die Flucht zu schlagen. Aber wenn er eine Melodie schmetterte, riskierte er, ein begeistertes Publikum von Siejenigen anzuziehen, weshalb er sich angewöhnte, flüsternd oder nur im Geiste zu singen. Nur bei den Großen Regenversammlungen ließ er sich gern überreden, die eine oder andere Strophe aus den »Erinnerungen« zum besten zu geben.

Keine dieser Vorsichtsmaßnahmen wäre ihm lästig gewesen, hätte ihm nicht gleichzeitig tausenderlei Aberglaube zu schaffen gemacht. Wenn man seinen Darm in einen Fluß entleert, wird das mißbilligt, bedeutet aber noch kein Unglück. Das gleiche gilt für die Darmentleerung in einem Sumpf nach Einbruch der Dunkelheit oder im schützenden Schatten einer Wolke. Aber: »Entleere dich im Sumpf im Angesicht der Sie, und deine Beine werden jucken vom Schritt bis zum Knie.« Und wer in die Fußabdrücke eines Musth-Bullen tritt, riskiert Bauchschmerzen. Und so weiter. Dennoch gelang es ihm, die meisten dieser Tabus zu umgehen und seinen Artgenossen auszuweichen, wenn er das Bedürfnis dazu hatte – nur Sturm, der ein Fährtenmeister war, tauchte auf, wann es ihm paßte, aber der war immerhin eine willkommene Nachrichtenquelle.

Von Sturm erfuhr Langschatten während der kurzen Trockenzeit in seinem siebenundzwanzigsten Lebensjahr von einem Kalb, dessen Mutter ebenfalls wenige Stunden nach seiner Geburt gestorben war und das – die Geschichte war noch trauriger als seine eigene – eingeklemmt unter dem Körper seiner Mutter von seiner Familie zurückgelassen worden war. Gerade noch rechtzeitig hatten die Sie-Sechs es gerettet.

Das Schicksal dieses Kuhkalbs rührte ihn tief, weil es seinem eigenen so ähnlich war, und er wollte unbedingt in Erfahrung bringen, was das Unheil der Mutter heraufbeschworen hatte. Aber noch etwas anderes, ein beunruhigendes, unerklärliches Verlangen, trieb ihn dazu, sich auf die Suche nach den Sie-Sechs (deren Matriarchin er einmal erfolglos zu besteigen versucht hatte) zu begeben. Als er sich ihnen näherte, reagierten sie verständlicherweise mit Argwohn. Er war noch weit weg, als Sie-Schaut ihn erblickte und ihn per Infraschall aufforderte, sich mit dem Wind zu nähern, und selbst nachdem er sich ihnen zu erkennen gegeben hatte, war Sie-Schnaubt die einzige, die ihn willkommen hieß. Sie lief ein paar Schritte vor ihm her und wackelte mit dem Hinterteil, so daß das Kuhkalb unter ihrem Bauch gezwungen wurde, zur Seite zu treten. Weil das Kalb im richtigen Alter zu sein schien – knapp zwei Jahre – hielt er es für Matsch.

»Was hast du zu sagen?« brummte Sie-Schnaubt in ihrem typischen Tonfall, der zugleich höhnisch und äußerst lasziv klang. Sie lächelte ihn über die Schulter hinweg an und spielte mit dem Zweig in ihrem Rüssel.

»Daß du sehr schön bist«, antwortete er. Das fand er wirklich, aber er sagte es nur, weil er ihr Bedürfnis nach Komplimenten als ein Hindernis erkannte, das um so größer und unüberwindlicher werden würde, je länger er es ignorierte.

»Und ich bringe Glück«, sagte sie.

»Tatsächlich?« Sie hatte sein Interesse geweckt.

Sie ließ den Zweig fallen und drehte sich zu ihm um. Mit kleinen, gezielten Schritten drehte das Kalb sich ebenfalls um. Ihm fiel auf, wie schmal der Kopf der Kleinen war, und er staunte, welche Auswirkungen das Gewicht einer Kuh auf den Schädel eines Neugeborenen haben konnte.

»Jeder Bulle, der mich besteigt, wird sich garantiert monatelang bester Gesundheit erfreuen«, sagte Sie-Schnaubt.

Er durchkämmte sein Gedächtnis nach einem entsprechenden Aberglauben. Erfolglos. »Bist du sicher?«

»Na los, steig auf.« Sie tänzelte vor ihm herum und bot ihm ihr Hinterteil dar. »Find es selbst heraus.«

Er schnupperte an ihrer Vulva. Sie befand sich nicht in der Brunst, deshalb schüttelte er den Kopf. »Trotzdem vielen Dank«, sagte er, verblüfft über ihr unsinniges Angebot.

»Ha!« Sie warf den Rüssel in die Luft.

Er blickte auf sie herab, als stünde er auf einer Klippe. Für sein Alter war er ungewöhnlich groß. »Er machte seinem Namen alle Ehre«, wie man so sagt. Er war zu schlank, um wirklich schön zu sein, aber seine

Stoßzähne hatten eine beachtliche Größe, und seine langen Beine schienen eine betörende Wirkung auf brünstige Kühe auszuüben. Dennoch war es nicht immer günstig, so hoch über dem Boden zu schweben, hatte er festgestellt. Bei manchen Gelegenheiten, so auch jetzt, hatte er das Gefühl, daß ihm da oben etwas entging, was für alle anderen offensichtlich war, so als sei er ein völlig anderes Wesen. Eine Giraffe vielleicht oder ein Vogel.

»Ihr macht mir wirklich Spaß«, sagte Sie-Schnaubt, während sie sich an einem Termitenhügel scheuerte. »Ihr sittsamen jungen Bullen.«

Ach so. Jetzt begriff er. Sie hielt ihn zum Narren. Das verkraftete er nach den vielen Tricks und Täuschungen, die er sich von seiner Adoptivmutter Sie-Blufft gefallen lassen mußte, nur schwer. Er spürte, wie ihm das Temporin die Wangen hinabbrann, und fächelte sich zur Beruhigung mit den Ohren Luft zu. Da kam das Kalb unter Sie-Schnaubt hervor, und er schob seinen Rüssel unter ihren, der winzig war, und sagte: »Du bist Matsch, nicht wahr?«

Die Kleine schüttelte kurz und entschieden den Kopf. »Nein, ich bin Dattelbett«, sagte sie im förmlichen Tonfall, »die Tochter von Sie-Schnaubt. Ich weiß, wer du bist. Du bist Langschatten, Kenner der Zeichen. Es freut mich sehr, deine Bekanntschaft zu machen.«

Er war so verblüfft über ihre Ernsthaftigkeit und ihre altmodische Rhetorik ... und ihre Höflichkeit – wie konnte dieses Kalb nur die leibliche Tochter von Sie-Schnaubt sein? –, daß er lachen mußte (jetzt war er derjenige, der lachte), und das wirkte auf Sie-Schnaubt, die daraufhin davonschlenderte, ernüchternd, auf die anderen großen Kühe jedoch ermutigend. Sie kamen eilig herbei, und alle redeten gleichzeitig:

»Mein Rüssel tut weh, kommt das daher, daß ich auf einen Zuckstock getreten bin?«

»Vorvorgestern nacht habe ich im rechten Ohr das Rauschen von Wasser gehört.«

Sie-Schreit übertönte plärrend die Stimmen der anderen: »Ich habe nur ein einziges Kalb geboren! Woran liegt das? Was ist mit mir los, was habe ich falsch gemacht?«

Als Antwort auf alle Fragen sagte er: »Eßt den Kot von Neugeborenen«, denn dadurch änderte sich in jedem Fall das persönliche Schicksal, und dann spreizte er die Ohren, hob den Rüssel, um seiner Erscheinung mehr Gewicht und Autorität zu verleihen, und brüllte: »Wo ist das Kalb namens Matsch?«

Abgesehen von Sie-Schreit, die ihr Wehklagen fortsetzte, verstummten die Kühe. So gesittet und jung er auch sein mochte, er war ein erwachsener Bulle und stärker als jede von ihnen.

»Matsch ist hier«, sagte eine tiefe, grimmige Stimme hinter ihm. Es war Sie-Schreckt.

Er drehte sich um und schaute auf das Kalb an ihrer Seite hinab. Der Boden unter seinen Füßen schwankte, die Sonnenstrahlen begannen zu tanzen, und sein Geruchssinn bombardierte ihn mit einer Unmenge seltsamer Aromen. Er verlor völlig die Orientierung. Aber er wußte, was los war. Sechs Tage zuvor, an der Gabelung des Braunen Flusses, war er auf die Kadaver von zwei männlichen Kudus gestoßen, deren verzahnte Geweihe verrieten, daß sie im Kampf gestorben waren, und solche Geweihe an einem solchen Ort waren ein Zeichen dafür, daß er sich auf eine außergewöhnliche Begegnung gefaßt machen mußte.

Matsch wirkte erstaunlich unbeeindruckt. Sie trat einen Schritt zurück, stolperte und wurde von Sie-Schreckt wieder aufgerichtet. Langschatten sah ihr verkümmertes Hinterbein und dachte: »Sie ist ziemlich robust, aber keine Schönheit.« Während Sie-Schreckt ihn mit angespannten Ohren beobachtete, beschnupperte er Matschs Kopf.

Im ersten Moment sog er nur ihren süßen Kälberduft ein. Dann erwischte ihn ein Hauch ihres sich entwickelnden Kuhgeruchs, und sein Penis schoß unter seinem Bauch hervor. Matsch duckte sich quiekend unter Sie-Schreckts Bauch.

Sie-Schreit hörte auf zu jammern. Sie-Schützt, wie jede gute Medizinkuh wenig zimperlich, roch an seinem Mund. Das Schweigen wurde schließlich von Sie-Schaut gebrochen:»Mein Lieber«, sagte sie, »du bist von bemerkenswerter Länge. Zu schade, daß gerade keine von uns im Delirium ist.«

»Trotzdem vielen Dank«, rief Sie-Schnaubt.

Sie-Schützt wollte wissen, ob er Rinde vom Ebenholzbaum gegessen hatte. »Zuviel von dem Zeug«, brüllte sie, »und dein Hinterrüssel schnellt hervor wie das Bein einer Großen Fliege!«

»Es liegt an Matsch«, sagte er. »Matsch hat mich erregt.«

»Das ist doch lächerlich!« trompetete Sie-Schaut.

»Allerdings, Matriarchin. Nie dagewesen.« Er langte mit dem Rüssel nach Matsch, die unter Sie-Schreckt kauerte. Es gelüstete ihn schon jetzt nach einem weiteren Hauch ihres Dufts. Aber Matsch wich zurück, bis sie außer Reichweite war.

»Wenn sie zum ersten Mal ins Delirium kommt, werde ich derjenige sein, der ihren Kälbertunnel gräbt«, sagte er. »Wahrlich, das gelobe ich!« Er schnupperte und blickte sich um, auf der Suche nach einem guten Omen, das seinen Schwur bekräftigen konnte. Es war keins da, abgesehen von ein paar Himmelssplittern in Form blauer Blumen, und deren Kräfte wirkten eher bei Vitalitäts- und Verdauungsproblemen. Er warf den Rüssel in die Luft. Im Grunde brauchte er kein Omen, sein Wille genügte ihm. Allerdings war es verwirrend, daß dieser Wille nicht auf ein Zeichen zurückzuging, es sei denn, das Zeichen, das Langschattens Verführung durch ein verkrüppeltes Kalb verfügt hatte, war immer noch wirksam und täuschte ihm diesen Willen nur vor.

»Da wirst du Konkurrenz kriegen«, knurrte Sie-Schreckt.

»Trotzdem werde ich derjenige sein.«

Er zog mit schlingerndem Penis von dannen, bis er für die gesamte Herde außer Hör- und Riechweite war, und erst allmählich wurde ihm klar, daß er Matsch gar nicht nach ihrer leiblichen Mutter gefragt hatte. Er hatte überhaupt nicht mit ihr gesprochen.

Er hört erneut ein Flugzeug und rennt zu dem Dornendickicht, das zum Glück in der dem Steilabbruch entgegengesetzten Richtung liegt. Daß der Steilabbruch nicht mehr zu sehen ist, spielt keine Rolle. Wenn über einem ein Flugzeug fliegt, darf man ihm nicht das Gesicht zuwenden. Nicht einmal dann, wenn man hundert Kilometer entfernt ist.

Langschatten hebt den Kopf zum Himmel, und der Schatten des Flugzeugs streicht über ihn hinweg. Es gibt zwei Arten von Flugzeugen: die kleinen, gedrungenen, die nur einen wirbelnden Flügel auf dem Kopf haben, und solche wie dieses, mit glatter, federloser Haut und zwei steifen Flügeln, die niemals flattern oder schlagen.

In den Eingeweiden beider Flugzeugarten befinden sich Menschen. Schlächter – eine neue, geradezu unersättliche Generation. Sie haben es auf die Stoßzähne der Siejenigen abgesehen, manchmal auch auf die Füße. Den Rumpf lassen sie fast immer liegen, nur selten räuchern sie auf Feuerlichtungen das Fleisch, bringen es dann fort und lassen die Gerippe liegen. An der Schädelform kann Langschatten erkennen, ob er die Toten gekannt hat. In den letzten zweihundert Tagen hat er zwölf Bekannte entdeckt; eine davon war seine langweilige, herzensgute Tante Sie-Belabert-und-Belabert, die Kuh, die ihm unabsichtlich das Kunststück beigebracht hat, mit offenen Augen und Ohren zu schlafen, damit es so aussah, als höre er ihr noch zu.

Auf den Feuerlichtungen lassen die Menschen die unförmigen hölzernen Skelette zurück, auf die sie Fleisch und Fell eines erlegten Geschöpfes hängen, nachdem sie beides von dessen eigenem, makellosem Skelett heruntergerissen haben. Langschatten zertrampelt diese falschen Skelette jedesmal zu Kleinholz. Er sammelt die Knochen zusammen und läßt ein Hinterbein in ein paar Zentimetern Höhe darübergleiten, damit der Geist befreit wird und in die Vergessenheit des Ewigen Uferlosen Wassers eintauchen kann, und dann trägt er sie von der Lichtung weg, bedeckt sie mit Blättern und Sand und singt eine Hymne. Im Falle von Sie-Belabert-und-Belabert hat er sich die Zeit genommen, den Schädel zu pulverisieren und einen Rüsselvoll Staub Richtung Sonne zu blasen. Auch in diesem Moment kam ein Flugzeug vorbei und schob sich zwischen die Sonne und die Knochenwolke.

Dieses Flugzeug nun dreht ab und verschwindet.

Langschatten wirft sich Sand über den Rücken. Seine Angst gibt ihm zu denken. Ein Gepard, der ostwärts gewandt auf einem Termitenhügel sitzt, garantiert Sicherheit bis zum Sonnenuntergang des folgenden Tages, und heute Morgen hat er zwei solche Geparden gesehen. Er ist in Sicherheit. Er war den ganzen Nachmittag in Sicherheit. Warum ist er überhaupt in Deckung gegangen?

Weil er langsam den Glauben an die Zeichen verliert.

Nein. Nein, das stimmt nicht. Er schaut hinauf zur Sonne. »Es stimmt nicht«, sagt er beschwörend. Es mag keine Vorhersage dieser mörderischen Dürre und schon gar nicht des Anbruchs einer Zeit nie dagewesener Gemetzel durch die Menschen gegeben haben, aber wahrscheinlich liegt das nur daran, daß es, wie Sturm warnend gesagt hat, durchaus unendlich viele Zeichen geben könnte.

Aber auch mit dieser Erklärung fühlt Langschatten sich nicht wohl. Als Sturm das sagte, hatte Langschatten geglaubt, der alte Bulle wolle ihn herausfordern oder leide unter Musth-Verwirrung. Er hatte im Brustton der Überzeugung zurückgegeben: »Ich kenne jedes Zeichen, das es gibt.«

Das war vor über einem Jahr gewesen, auf der Großen Regenversammlung. Dort hatten die beiden Bullen sich zum letzten Mal gesehen, und ihre Begegnung war kurz, aber (wie sich herausstellen sollte) folgenschwer gewesen, denn Sturm hatte Langschatten ein großes Geheimnis offenbart, und dies, obwohl er mitten in der Musth* war, in »Grün«, und sogar noch kampflustiger und verrückter als gewöhnlich in dieser Zeit, denn Sie-Schnaubt war gerade brünstig geworden.

Zahllose Kühe befanden sich damals in der Brunst. Es war eine herrliche Zeit. Das frische Gras stand so hoch, daß die Halme einem über den Bauch strichen, Teiche und Sümpfe waren zurückgekehrt, der Schlick erneut zum Leben erwacht. Man konnte in vollen Zügen den Himmel einatmen, ohne auch nur ein Staubkörnchen aufzunehmen.

Wie immer fand die Große Regenversammlung im Grünen Grund statt, und weil das Gras so ungewöhnlich üppig war, kamen auch Familien, die sich jahrzehntelang nicht hatten blicken lassen. Manche waren über zweihundert Kilometer weit gewandert. Nach Langschattens Schätzung waren etwa vierhundert Teilnehmer gekommen, aber Sie-Rechnet erklärte, es seien genau dreihundertachtundsechzig. Ihr schwacher Geruch und ihre geringschätzige Art machten sie nicht gerade anziehend. Auf jeden Fall war sie die am wenigsten kokette von den brünstigen Kühen. Selbst während Langschatten sie bestieg, zählte sie Madenhacker und brüllte (an die Vögel gerichtet, nahm er an): »Stillhalten!« Aber Langschatten war nicht wählerisch. Er spürte das heftige Verlangen, sich zu paaren, mußte aber die besten Kühe den stärkeren und älteren Musth-Bullen überlassen, und davon war ein halbes Dutzend anwesend.

---

* Jährliche Periode erhöhter Paarungs- und Kampflust bei Bullen, die zwischen drei Tagen und vier Monaten dauern kann (in dieser Zeit verfärbt sich der Penis grün und Urin tröpfelt heraus).

Der kräftigste, älteste und angesehendste von ihnen war Sturm. Viele nennen ihn den Rüsselvollen, in Anerkennung seines Muts und seiner Spiritualität, und weil er der letzte jener glorreichen Herde von sechs Junggesellen ist, die in ihrer Jugend das Land durchstreiften, um verschleppte Kälber zu befreien. Zu der Zeit wurden in Teilen der Welt, wo besonders viele weiße Menschen lebten, Kälber versklavt und dazu abgerichtet, auf den Hinterbeinen stehend riesige bunte Blasen hin und her zu werfen. Ohne einen einzigen Menschen zu töten oder sich selber zu verletzen, befreiten diese sechs Bullen achtzehn Kälber, indem sie sich zu den Schlafstätten schlichen und die dünnen Fellwände der Verschläge, in denen die Kälber gefangen gehalten wurden, zerfetzten oder einfach hochhoben. Lautlos liefen die Bullen zwischen den Verschlägen herum und kauten oder rissen die Fesseln und Absperrungen durch.

Sturm bewegt sich heute noch lautlos, selbst auf Kieseln und trockenem Laub, und sein Rüssel ist immer noch so empfindlich wie damals, als er ein Kalb auf dreißig Kilometer Entfernung wittern konnte. Nur Sie-Drängt und Sie-Schnaubt (mit beiden hat er sich so oft gepaart, daß einige seiner Fähigkeiten auf sie abgefärbt haben) können mit seinem Geruchssinn konkurrieren.

Sturm ist bei jeder Großen Regenversammlung in Musth, und kein anderer Musth-Bulle darf ihm in die Quere kommen. Während der Musth duldet ein Bulle generell keine anderen Bullen in seiner Nähe, aber solchen, die sich zufällig auch in Musth befinden, begegnet er mit besonderer Feindseligkeit. So groß die Zuneigung, die zwei Bullen sonst füreinander hegen, auch sein mag, in dieser Situation wird der stärkere den schwächeren herausfordern, ihn als Weichzahn, Schlaffrüssel oder Kuhbulle beschimpfen. Bullen in Musth, die gleich stark und gleich alt sind, bekämpfen sich. Diese Kämpfe sind der reine Irrsinn. Sie dauern stundenlang an, und die meiste Zeit tun die Gegner nichts anderes, als sich gegenseitig zu taxieren. Die duftenden brünstigen Kühe sind noch da, irgendwo hinter dem Horizont der Besessenheit, die die Bullen umfangen hält. Auch die Büsche und Baumstämme sind noch da, lauernd. Es kommt vor, daß einer der zornigen Bullen diese zwischendurch angreift. Schließlich wirbelt er wieder zu seinem Feind herum, aber dann sieht er womöglich aus dem Augenwinkel weitere Büsche und reißt auch sie mitsamt den Wurzeln aus der Erde. Der andere Bulle macht es ebenso, und das geht so lange weiter, bis einer von beiden ein heftigeres Verlangen nach Nahrung als nach einer Kuh verspürt und abzieht.

Langschattens Musth beginnt gewöhnlich dreißig Tage vor der Großen Regenversammlung und geht mittendrin zu Ende. Bei der letzten Versammlung blieb er jedoch bis zum Schluß in Musth und hatte zwei Kämpfe hinter sich (beide verloren), als die Sippen sich allmählich wieder in ihre Familiengruppierungen auflösten. Kälber, die ungezügelt herumgelaufen waren, schmiegten sich nun wieder an die Beine ihrer Mütter, und ihre Mütter – die sich selber zwischendurch vielleicht ein bißchen ungezügelt benommen hatten – waren wieder so ernst und wachsam wie zuvor. Am Rande der sich zerstreuenden Menge standen einzelne Bullen und wunderten sich, welche Raserei sie noch vor wenigen Tagen veranlaßt haben mochte, Kühe wie Sie-Schreit oder gar Sie-Welkt zu besteigen.

Langschatten verhielt sich, sobald er nicht mehr »grün« war, ungewöhnlich, denn er trieb sich immer in der Nähe der Sie-Schs herum. Aber es war gar nicht so einfach, einen Hauch von Matschs Duft zu erwischen. Sie hielt sich von allen fern, außer von Dattelbett. Wenn sie sich doch einmal unter ihre Familie mischte, kam es ihm immer so vor, als verstecke sie sich hinter einer der großen Kühe. Seine Berühmtheit und Autorität hatten überhaupt keine Wirkung auf sie. Sie interessierte sich auch kein bißchen für die Zeichen, was für ein weibliches Wesen ungewöhnlich, ja einzigartig war.

»Laß mich an dir riechen!« brüllte er schließlich.

Daraufhin drängte sich Matsch entweder näher an Sie-Schreckt, die ihn mit ihrem tödlichen kleinen Stoßzahn bedrohte, oder lief tolpatschig davon. Wenn er dann sah, wie ihr lahmes Bein zur Seite wegrutschte, bekam er Mitleid mit ihr und begnügte sich damit, sie von weitem zu betrachten und sich an ihren Duft zu erinnern. Manchmal, wenn Sie-Schreckt zwischen ihnen stand, forderte Matsch ihn auf, wegzugehen. Er lachte über soviel Mumm. Er war entzückt.

Seinem Schwur getreu war er derjenige gewesen, der ihren Kälbertunnel gegraben hatte, und zwar gleich am Morgen ihrer ersten Brunst (vor über anderthalb Jahren). Er hatte angenommen, sie würde fortan die Tiefe seiner Zuneigung zu ihr verstehen und gelegentlich sogar genießen. Aber kaum war ihre Brunst vorüber, wich sie ihm wieder aus, und das quälte ihn von Mal zu Mal mehr, wenn er mit den Sie-Schs zusammentraf. Seine Gefühle für Matsch waren so befremdlich, daß er zu dem Schluß gekommen war, es müsse sich um etwas Heiliges handeln, und überdies um etwas, das entweiht würde, wenn man es beschrieb. Bei der letzten Großen Regenversammlung hatte er sich dennoch zu einem Versuch hinreißen lassen. Über ein Gebirge von Sie-Sch-Rücken hinweg rief er Matsch zu: »Wir sind gleich!«

»Wir haben uns doch bloß einmal gepaart«, entgegnete sie, ohne sich umzudrehen.

»Ich meine nicht, daß du mir ähnlich wirst«, sagte er. »Ich will sagen, ich sehe dich genauso, wie ich mich selber sehe. Du bist mutterlos, bist dein eigener Herr – genau wie ich. Nur kleiner ... und weiblichen Geschlechts, selbstredend –« Sie-Schnaubt, die gerade von einem jungen Bullen bestiegen wurde, lachte spöttisch, und Langschatten verstummte und kam sich töricht vor. Er knabberte eine Weile an ein paar weißen Blumen, dann riß er sich zusammen und sagte bewegt: »Es ist wohl Fügung – Fügung, daß ich von unserer ersten Begegnung an bis zum Tag deines Todes eine unnatürliche Zuneigung zu dir verspüren soll.« Er hielt verwirrt inne. »Womit ich nicht sagen will, daß du vor mir sterben wirst«, sagte er.

Matsch, die hinter Sie-Schreckt stand, starrte ihn an. »Welcher Tag wird das sein?« fragte sie. Ihre Augen waren grün, wie die aller Visionärinnen, und wenn sie wie jetzt glänzten, dann war der Schein fünfzig Meter weit sichtbar.

»Welcher Tag wird was sein?« fragte er benommen.

»Der Tag meines Todes.«

»Ich habe nicht die geringste Ahnung. Du verstehst mich falsch.«

Sie ließ den Rüssel sinken.

»Ich möchte an dir riechen.«

»Nein.«

»Warum nicht?«

Dattelbett hob ihr schmales Köpfchen. »Sie ist überhaupt nicht wie du«, sagte sie schüchtern, im förmlichen Tonfall.

Er ging weg und ließ seinen Rüssel über den Boden gleiten, um einen Dufthauch von Matschs Urin aufzuspüren. Er fühlte sich jämmerlich, elend ... und er war über die Maßen beunruhigt, so als könne er jeden Moment mit einer Horde Menschen zusammenstoßen.

Statt dessen stieß er mit Sturm zusammen.

»Blöder Kuhbulle!« brüllte Sturm.

Langschatten wich seitwärts aus. »Verzeihung«, sagte er im förmlichen Tonfall.

»Plattfüßiger Weichzahn«, knurrte Sturm.

Langschatten legte die Ohren an. »Ganz recht«, sagte er.

Das hatte nichts mit ausgesuchter Höflichkeit zu tun. Das war nackte Angst. Wenn Sturm sich in Musth befand, war er imstande, über einen Bullen herzufallen, bloß weil der es wagte, ihm in die Augen zu schauen. Und Langschatten hatte ihn sogar angerempelt! Sturm befand sich eindeutig mitten in der Musth. Seine Schläfendrüsen waren geschwollen, das Sekret rann in Bächen über sein Gesicht, und sein riesiger grüner Penis sonderte eigroße Tropfen ab, die dampfend auf die Grasstoppeln fielen und so scharf rochen, daß es Langschatten ein Rätsel war, wie er den großen Bullen übersehen konnte. »Äußerst ungeschickt von mir«, murmelte er. »Ganz allein meine Schuld.«

Er wandte sich ab, aber Sturm brüllte: »Ich wollte sowieso mit dir reden!«

Langschatten blickte über die Schulter zurück. Der große Bulle wedelte mit den Ohren, ließ ein drohendes Knurren vernehmen und hob dann ruckartig seinen riesigen Kopf, in dem die Augen mordlustig flackerten. Langschatten ergriff die Flucht.

»Halt!« röhrte Sturm.

Langschatten blieb stehen, blickte sich abermals um und sah verängstigt weglaufende Kühe und eine Schar Waldhühner, die wie Dreckklumpen aufstoben.

Sturm trat schaukelnd von einem Fuß auf den anderen. Er gab sich offenbar große Mühe, sich zu beruhigen. »Komm sofort zurück«, sagte er, »du mieser ... du mieser kleiner ... Komm zurück ... mein Lieber.«

»Ich habe nicht mit Sie-Schnaubt gesprochen«, sagte Langschatten. Während ihrer Brunst wurde Sie-Schnaubt immer von einem Heer junger Bullen verfolgt, und der, der sie im Augenblick bestieg, war nur der kräftigste von den Jungbullen. Aber solange sie noch nicht im Stadium des Glanzes war, das nur wenige Stunden andauert und in dem der Geruch einer Kuh am köstlichsten ist, hielt Sturm sich zurück.

»Das weiß ich«, knurrte Sturm.

»Ich habe mit dem Kalb namens Matsch gesprochen.«

»Ja, ja, schon gut. Komm endlich her.«

Langschatten war schnell und hätte Sturm durchaus entkommen können, aber er war inzwischen neugierig geworden, was Sturm wohl dazu veranlaßte, seine Musth-Launen zu unterdrücken. Außerdem tat ihm der alte Bulle leid. Er wußte, wie es war, wenn man einen kleineren Bullen schikanierte, den man unterschwellig als Freund erkannte.

»Ich habe dir etwas zu sagen«, polterte Sturm. »Verschiedenes … wichtige Dinge. Erstens, glaub bloß nicht, du seist allwissend, was die Zeichen betrifft. Es gibt Zeichen, von denen du keine Ahnung hast.«

»Und welche sollen das sein?« fragte Langschatten beleidigt. Unwillkürlich hatte er den förmlichen Tonfall aufgegeben.

Sturm bewegte ruckartig den Kopf in Richtung der Sie-Schs. Mit erhobenem Rüssel atmete er tief ein. »Unzählige«, knurrte er.

»Tatsächlich?« sagte Langschatten kühl.

Sturm wandte sich wieder um. »Durch eine denkwürdige Begegnung ist mir kürzlich klar geworden, daß es tatsächlich unendlich viele Zeichen geben könnte.«

»Ich kenne jedes einzelne Zeichen.«

Sturm blickte ihn über den Rand eines seiner prachtvollen Stoßzähne finster an. Erneut eingeschüchtert, ging Langschatten mit kleinen Schritten rückwärts.

»Schön wär's«, sagte Sturm.

Langschatten zögerte, verwundert über den Anflug von Niedergeschlagenheit in Sturms Stimme. Sturm schlenkerte mit seinen zerfledderten Ohren und riß ein paar Grasbüschel aus der Erde. Unvermittelt hob er den Kopf. Er schloß die Augen, ein Zeichen, daß Sie-Schnaubt nun jeden Moment in den Glanz eintreten würde. Sturms Geruchssinn war so gut, daß er den verräterischen Duft noch vor dem Bullen wahrnehmen würde, der sie gerade bestieg. Der soll lieber machen, daß er wegkommt, dachte Langschatten.

»Vermutlich interessiert es dich gar nicht, wen ich getroffen habe«, sagte Sturm, immer noch witternd.

»Im Gegenteil«, sagte Langschatten, »es interessiert mich brennend.«

Sturm schaute ihn an, und der Blick seiner blutunterlaufenen Augen wirkte klar und irre zugleich. Er schlang den Rüssel um eine Grasstaude und trennte die Halme mit einem Vorderfuß ab, aber anstatt sie zu essen, bewarf er sich damit, eine nutzlose, kälbische Spielerei. »Die Verlorenen«, sagte er.

»Die Verlorenen?« wiederholte Langschatten erstaunt.

»Du hast mich verstanden.«

Langschatten kannte niemanden, der die Verlorenen oder die Waldbewohner, wie sie manchmal genannt wurden, je gesehen, ihren Geruch oder ihr Brummen wahrgenommen, geschweige denn mit ihnen gesprochen hatte. In allen Erzählungen über sie war es ein entfernter Bekannter eines entfernten Bekannten, der angeblich irgendwie mit ihnen zu tun gehabt hatte. Nichtsdestotrotz wurden sie immer gleich beschrieben: ungewöhnlich lange, dünne Stoßzähne, kleine Ohren, geschmeidige Haut, leuchtend grüne Augen. Trotz ihrer Kleinwüchsigkeit waren sie stark und wunderschön. Und begabt. Lauter Visionäre, äußerst gewandt und feinsinnig. Sie konnten sieben Tage alten Kot auf dreißig Kilometer Entfernung riechen. Noch dazu waren sie begnadete Sänger. Wenn sie in einer Reihe, jeder mit dem Rüssel den Schwanz vor sich festhaltend, den Wald durchstreiften, grölten sie so laut wie ein Hurrikan, aber melodiös und harmonisch, in komplexen Rhythmen. »Du hast Verlorenenblut in dir«, sagt man, wenn einer oft und schön singt, so wie Langschatten, aber soweit er wußte, war das bloß eine Redensart. »Verlorene Ohren« sagte man zu kleinen Ohren, »verlorenen Fußes« für sicheren Fußes, »verlorene grüne Augen« – alles nur Redensarten, es sei denn, man glaubte, wie viele es taten, tatsächlich an die Existenz der Verlorenen.

Sturm glaubte daran. Er war nie auf eine Spur von ihnen gestoßen (bis vor kurzem jedenfalls), aber er hatte immer geglaubt, daß es sie gab. Er behauptete sogar, ein Blutsverwandter von ihnen zu sein. Sturm war derjenige, der Langschatten erzählt hatte, die Verlorenen seien genau wie die anderen Siejenigen gewesen, ehe sie von Menschen in einen riesigen Wald getrieben worden waren, in dem sie für Jahrhunderte verschwanden. Selbst die Sie hatte sie für verschollen erklärt. Unter dem dichten Baldachin des Walds, der das warme und wachsame Auge der Sie verbarg, verehrten die Verlorenen die Sie jedoch weiterhin. Als sie schließlich entdeckt wurden (entweder von einer Matriarchin der Sie-Vs oder der Sie-Gs – darüber streiten die beiden Familien sich bis heute), war die Sie so gerührt von solch unbeirrter Treue, daß sie allen Verlorenen und deren Nachkommen, ob männlich oder weiblich, die Gabe des dritten Auges schenkte. Was ihren lautlosen Gang und die besondere Empfindsamkeit ihrer Rüssel betrifft, so werden diese dem klaren Wasser des Walds zugeschrieben. Ihre wunderbaren Stimmen dagegen lassen sich nicht so leicht erklären, obwohl Sturm zu der Vermutung neigt, daß sie die Eier von Singvögeln verspeisen. Allerdings, das muß er zugeben, sind sie zu herzlosen Taten fähig, wie zum Beispiel dem Töten ihrer geistesgestörten Alten.

»Du hast sie getroffen?« fragte Langschatten jetzt.

»Das habe ich«, sagte Sturm. Seine Stimme klang skeptisch, als zweifle er selber an der Begebenheit.

»Wann?«

»Zu Beginn der Dürre, an einem der ersten sengend heißen Tage. Ich ahnte, daß der Kleine Regen ausbleiben würde, und suchte nach frischen Wasserquellen. Westlich der großen Brandstelle stieß ich auf ein Strolchnetz und mußte einen Umweg nach Norden machen, der mich achtzig Kilometer vom Weg abbrachte. Ich wanderte in nordnordwestlicher Richtung weiter, zwei Flußbetten folgend. Dann kam ich zu einer Ansammlung von Hinterbeinernestern und darauf in ein Wüstengebiet, dessen Durchquerung vier Tage dauerte. Hinter all dem lagen Berge. Im Osten, Westen und Norden, eine Kette nach der anderen, und am Fuße der Berge Wälder.« Seine Stimme schwoll vor Entrüstung an. »Riesige Schmausbäume. Mit grünen Blättern! Ich aß, bis mein Magen ächzte. Bei der Sie, das tat ich!«

»Kaum zu glauben«, brummte Langschatten.

»Bei der Sie!« grölte Sturm. Er prüfte erneut die Luft. Er schloß die Augen, rührte sich aber nicht vom Fleck.

»Es wundert mich, daß du nicht dort geblieben bist«, sagte Langschatten.

»Tut es das, mein Lieber?« Ein irres Funkeln trat in seine Augen.

»Bei soviel lukullischem Genuß – «

»Am siebten Tag«, unterbrach Sturm grollend, »hörte ich den Gesang der Verlorenen! Und weißt du, was sie gesungen haben?«

Langschatten schüttelte vorsichtig den Kopf.

»Kein fröhliches Lied«, sagte Sturm zornig, mit sarkastischem Unterton. »Es klang nicht sehr einladend.« Und dann donnerte er mit seiner unmelodischen Baßstimme los:

Wir entkamen. Viele starben
Und wir trauern ohne Maß,
Verlorene geht rasch in Deckung
Oder werdet Feindesfraß.

Hinterbeiner hacken Rüssel,
Füße, Schwänze, fressen Aas
Geht in Deckung und versteckt euch
Oder werdet Feindesfraß.

»Feindesfraß!« sagte Langschatten, angeekelt von der Barbarei, aber auch vom Gebrauch solch geschmackloser Ausdrücke in einem Lied.

»Du zweifelst an meinen Worten?« trompetete Sturm.

»O nein, keineswegs!« Das war nicht ganz aufrichtig. Aber trotz Feindesfraß klang nichts an der Geschichte faul oder verdächtig, und Langschatten gewöhnte sich allmählich an den ungeheuerlichen Gedanken, daß Sturm die Verlorenen tatsächlich getroffen hatte.

»Ich fand sie in einem Langgrasgehölz«, sagte Sturm. »Eine achtköpfige Familie. Für ihre Verhältnisse ist das groß, aber sie waren einmal fast doppelt so viele. Die Hinterbeiner haben sieben von ihnen in einer Grube massakriert. In einer Fallgrube zu verenden ist ein schrecklicher Tod. Schrecklich. Hast du so was je gesehen?«

»Ich habe davon gehört – «

»Das ist nicht dasselbe. Kühe verschwinden einfach vor deinen Augen. Sie rennen den Pfad entlang, und plötzlich sind sie weg. Du denkst, sie wären über den Rand der Domäne gefallen. Du bleibst gerade noch rechtzeitig stehen, kurz vor dem Abgrund, fast wärst du selber hineingefallen, denn es ist nichts zu sehen, weil … weil …« Seine Stimme versagte.

»Weil die Hinterbeiner die Gruben mit Ästen und Blättern tarnen«, ergänzte Langschatten leise.

»Ihr rennt, deine Mutter vorneweg. Sie fällt als erste hinein. Deine neugeborene Schwester fällt auf sie drauf. Deine Mutter schreit. Du siehst, daß einer der Stäbe sich durch ihren Hals gebohrt hat. Einer von den Stäben, die die Hinterbeiner mit dem spitzen Ende nach oben in den Boden der Grube rammen. Hast du davon auch gehört?«

Langschatten nickte.

Sturm nickte ebenfalls. »Sie lebt noch«, sagte er mit Erstaunen in der Stimme. »Deine Mutter ist durchbohrt, aber sie lebt noch. Sie schreit. Deine Schwester« – er fing an zu weinen – »schreit auch. Blut spritzt. Du mußt sie retten. Aber wie? Niemand weiß, was zu tun ist. Deine Mutter ist die Matriarchin, sie weiß gewöhnlich, was zu tun ist, aber sie liegt unten in der Grube, und du hörst schon die Hinterbeiner näher kommen.«

Langschatten weinte jetzt. All seine Zweifel, ob Sturm den Verlorenen wirklich begegnet war, hatten sich in Zorn und Trauer darüber verwandelt, daß sieben von ihnen auf die gleiche Art gestorben waren wie Sturms Mutter. »Ich wußte gar nicht, daß du eine Schwester hattest«, schluchzte er.

Sturm blinzelte.

»Ist sie auch umgekommen?« fragte Langschatten unter Tränen.

»Hör auf mit dem Geflenne!« brüllte Sturm. Er warf den Kopf hoch, und Langschatten duckte sich – jetzt war es soweit, gleich würde Sturm ihn angreifen –, aber Sturm schleuderte nur seinen Rüssel nach hinten und wurde dann wieder ruhig. Er schloß die Augen und sog verzückt die Luft ein. Aus seinem Penis drang ein Urinstrahl, der im späten Nachmittagslicht orangefarben glitzerte, und dann schwenkte der alte Bulle den Rüssel wieder nach vorn, krümmte ihn leicht und betrachtete Langschatten mit freundlichem Interesse. »Was du gehört hast, ist wahr«, sagte er im Plauderton. »Die Verlorenen sehen wirklich aus wie Kälber, abgesehen von der Länge ihrer Stoßzähne. Ein Bulle in deinem Alter hat, und ich übertreibe nicht, doppelt so lange Stoßzähne wie du. Allerdings bei weitem nicht so dicke. Und alle haben sie knallgrüne Augen, hundertmal so hell wie die unserer Visionärinnen. Wie kleine grüne Sonnen, die Licht ausstrahlen.«

»Bemerkenswert.«

»In der Tat. Das sind sie wirklich. Sie nennen sich die Wirs, wie du zweifellos gehört hast. Wir-Bs, Wir-Schs. Die einzelnen Namen fangen mit ›Ich‹ an.«

Davon hatte Langschatten nicht gewußt. »Warum das?« fragte er.

»Nun, zum einen wählen die Kuhkälber ihren Kuhnamen selbst. Aus einer Reihe von Vorschlägen der großen Kühe.«

»Das ist eine schrecklich große Verantwortung für einen jungen Geist.«

»Es bestärkt das Kalb in seiner Eitelkeit. Die Verlorenen haben eine sehr hohe Meinung von sich selber, sogar die Neugeborenen. Die Familie, von der ich spreche, die Wir-Fs, mag außergewöhnlich sein, aber ich habe den Eindruck gewonnen, daß Wichtigtuerei ein Charakterzug der gesamten Rasse ist. Ihr eingebildetes, herablassendes Benehmen stellte meine Geduld auf eine harte Probe, wie du dir sicher denken kannst. Als wäre ich ein Säugling! Aber die Matriarchin, Ich-Flippe, die war eigentlich recht herzlich zu mir, besonders wenn man bedenkt, was für Kummer sie hatte und wie gigantisch ich denen vorgekommen sein muß – schließlich war ich ein Bulle und der erste unserer Art, dem sie je begegnet sind, und ich hatte sie unerwartet in ihrem Schlupfwinkel aufgespürt. Aber natürlich hatte eine von ihnen schon eine Vision von mir gehabt. Die sind nicht so leicht zu überraschen.« Belustigung zeigte sich jetzt auf seinem Gesicht. »Ich sagte zu Ich-Flippe: ›Bei dem Namen habe ich keine große Hoffnung, daß du finden wirst, wonach du suchst, jedenfalls nicht allzu bald.‹ Aber sie hat durchaus ihre Vorzüge.« Als sei ihm bei diesem Gedanken Sie-Schnaubt wieder eingefallen, streckte er den Rüssel in ihre Richtung aus, und sein Penis wurde länger und verspritzte nach allen Seiten Urin. Dann trat er rückwärts an einen Termitenhügel und scheuerte sich heftig das Hinterteil.

»Wonach suchten sie denn?« fragte Langschatten.

»Nach dem weißen Knochen«, antwortete Sturm bereitwillig.

»Welchem weißen Knochen?«

»Ich möchte dich etwas fragen. Hast du je von einer Rasse weißer Siejeniger gehört? Ich meine, vollkommen weiß?«

»Nein. Noch nie.«

»Hatte ich auch nicht. Aber die Wir-Fs behaupten, eine solche Rasse habe bis vor zwanzig Generationen auf der Domäne gelebt.«

»Sag bloß«, murmelte Langschatten, dem langsam wieder Zweifel kamen.

»Die Weißlinge hat man sie genannt«, sagte Sturm.

Langschatten wartete.

»Wie auch immer«, fuhr der alte Bulle schließlich fort, »es gibt sie nicht mehr. Schon lange nicht mehr.« Er seufzte. Vielleicht weinte er. »Ihre Knochen auch nicht«, sagte er. »Ihre Knochen sind zu Staub zerfallen. Außer – «

Ein Schweigen trat ein, bis Langschatten begriff, daß er etwas sagen mußte. »Außer was?«

»Außer einem Knochen. Dem magischen weißen Knochen.«

»Der hat überdauert«, warf Langschatten beherzt ein.

»Er ist noch völlig intakt, selbst nach all der Zeit noch makellos, ohne das kleinste Loch. Er ist niemals stumpf und grau geworden. Im Gegenteil, er wird immer weißer. Er ist inzwischen weißer als alles andere. Daran kann man ihn erkennen. Allerdings ist er nicht sehr groß. Bloß eine Rippe, noch dazu von einem Neugeborenen.«

»Haben die Wir-Fs ihn schon einmal gesehen?«

»Nein, sie selber nicht. Nur ihre Vorfahren.« Er schlang den Rüssel um ein Büschel Gras und riß es mitsamt der schmutzigen Wurzel aus. Gedankenverloren schlug er das Büschel gegen sein Bein.

»Du sagst, er sei magisch – «, sagte Langschatten neugierig.

Sturm schaute ihn von der Seite an. »Aha«, sagte er. »Wenn von Magie die Rede ist, wird der Kenner der Zeichen hellhörig. Der Kenner der Zeichen ist ganz versessen auf Magie.«

Langschatten war auf der Hut.

»Der Kenner der Zeichen!« grölte Sturm. Dann schwieg er. Er schüttelte den Kopf, so als sei ihm ein ungewöhnlicher Gedanke gekommen. Er drehte sich im Kreis, brummte zusammenhangloses Zeug, schwenkte seinen Rüssel schnüffelnd über den Boden, dann durch die Luft, entwurzelte einen giftigen Stechapfelstrauch, schleuderte ihn hoch über seinen Kopf, schwang wild den Rüssel hin und her, bis er sich schließlich zusammenriß und in gemessenem Tonfall sagte: »Der weiße Knochen kann einen zum Sicheren Ort führen. Der Sichere Ort ist ein Paradies. Dort gibt es keine Dürren. Keine Gefahren. Genau genommen handelt es sich um den Zweiten Sicheren Ort, aber da ich nie einen Ersten Sicheren Ort gekannt habe, ist es für mich einfach der Sichere Ort. Wie auch immer, man wirft den weißen Knochen in die Luft, und wenn er landet, zeigt er in die richtige Richtung. Für zwei Nächte und zwei Tage, genau so lange, wie das Neugeborene gelebt hat, bleibt er im Besitz des Finders. Danach verschwindet er, wird von einem Himmelstaucher oder einem Rüsselhals aufgehoben, fortgetragen und woanders fallen gelassen, damit er auch anderen den Weg zum Sicheren Ort weisen kann. Man muß sich also in diesen zwei Tagen und Nächten über den Weg klar werden.« Er stieß ein verächtliches Schnauben aus. »Bei der Sie«, brüllte er, »wer den rechten Kurs dann immer noch nicht halten kann, der verdient es nicht, den Sicheren Ort zu finden!«

»Ist ja allerhand«, brummte Langschatten. Durch seine Vehemenz hatte Sturm ihn wieder überzeugt.

Grollend scharrte der alte Bulle mit dem Fuß. »Vor Generationen hat dieser Knochen die Verlorenen vor den Hinterbeinern gerettet. Die Verlorenen sind nicht zufällig in den Wald geflohen, sie wurden dorthin geführt. Deshalb nennen sie den Wald den Ersten Sicheren Ort, was erklärt, wieso man jetzt von einem Zweiten spricht. Kaum waren sie dort angekommen, verschwand der weiße Knochen, aber das stürzte sie nicht in Verzweiflung, jedenfalls damals nicht, denn sie glaubten, in ihrem neuen Gebiet gäbe es keine Hinterbeiner. Und jahrhundertelang gab es dort tatsächlich keine. Bis vor hundertachtzig Tagen.«

»Welches Ende des weißen Knochens zeigt einem denn –?«

»Das Ende des weißen Knochens, das einem –!« Jedes Wort war überdeutlich ausgesprochen und klang wie eine Explosion. Sturm sammelte sich. »– das einem den richtigen Weg zeigt«, fuhr er ruhig fort, »ist natürlich das spitze Ende. Aber solange man den weißen Knochen nicht hat, kann man ihn weder hochwerfen noch dem spitzen Ende folgen. Deshalb sind alle auf der Suche nach ihm. Alle Verlorenen – nicht nur die Wir-Fs, auch die anderen Familien – suchen nach ihm. Ich selber bin auch auf der Suche, oder war es jedenfalls, bevor dieser … dieser …« – er zeigte fuchtelnd mit dem Rüssel auf das Temporin und seinen wild zuckenden Penis –, »dieser Wahnsinn losging«, sagte er kläglich.

»Aber warum suchst du ihn?«

»Die Hinterbeiner haben wieder mit ihren Gemetzeln angefangen!« röhrte Sturm.

»In den Hügeln, wo die Verlorenen sind, vielleicht, aber doch nicht hier.«

»Bist du etwa Visionär? Kannst du die Zukunft vorhersehen?«

»Natürlich nicht«, murmelte Langschatten.

»Dann unterbrich mich nicht dauernd, sondern hör zu. Ich-Flippe hat gesagt, man solle bei den Bergen und in den kahlsten Gebieten nach einem sehr großen Schmausbaum Ausschau halten. Der weiße Knochen wird unweigerlich in der Nähe eines sehr großen Schmausbaums fallen gelassen. Mein Plan ist folgender: Ich gehe zu den Bergen, du suchst in den kahlsten Gebieten.«

»Ich?«

»Was glaubst du wohl, warum ich dieses Risiko eingehe?« knurrte Sturm.

Sturm schob seinen monströsen, zuckenden Rüssel ganz dicht an Langschattens Gesicht heran.

»Welches Risiko?« fragte Langschatten schließlich.

Sturm ließ den Rüssel sinken. »Jedes Mal, wenn man den Namen des weißen Knochen ausspricht, verliert er ein bißchen von seiner magischen Kraft.« Er sprach jetzt wieder im Plauderton. »Darum sagt Ich-Flippe, man solle ihn lieber den Dalang-Knochen nennen.« Ihm schien mulmig zu werden, so als hätte er eher daran denken sollen.

»Der Dalang-Knochen«, sagte Langschatten.

»Erzähl niemandem davon«, sagte Sturm. »Jedenfalls noch nicht. Wenn die Geschichte erst unter den Kühen die Runde macht, hat das Ding seine Kraft verloren, ehe wir uns versehen. Ich selbst habe es nur drei anderen Bullen erzählt. Alles Fährtenmeister.«

»Wem denn?«

»Was spielt das für eine Rolle?« trompetete Sturm. »Jetzt zu dir«, sagte er schroff. »Du bist zwar kein Fährtenmeister, aber du kommst viel rum und bist ziemlich verschwiegen. Wenn wir den Dalang-Knochen nicht im Laufe des nächsten Jahres finden, werden wir wohl oder übel noch anderen von ihm erzählen müssen. Die Suche ausweiten. Aber denk daran, daß immer noch die Möglichkeit besteht, daß einer von uns den Sicheren Ort zufällig findet, auch ohne die Hilfe des Dalang-Knochens.«

»Gibt es dort denn keine Hinterbeiner?«

»Doch, aber die sind von einer ganz anderen Art. Friedlich. Verzückt.«

»Sie trachten nicht nach unseren Stoßzähnen?«

»Sie trachten weder nach unseren Stoßzähnen noch nach unseren Füßen noch nach unserem Fleisch.«

»Das glaube ich nicht«, entfuhr es Langschatten.

»Ausgerechnet du glaubst es nicht!« trompetete Sturm, aber er ließ unvermittelt den Rüssel sinken, und sein Blick wurde stumpf. »Es ist wirklich kaum zu glauben«, murmelte er. »Ich kann es selbst kaum glauben, wenn ich ehrlich bin. Und dennoch ist mir die Geschichte irgendwie vertraut. Als hätte ich sie schon mal geträumt. Die verzückten Hinterbeiner.« Er warf Langschatten einen Blick zu. »Weißt du, was sie den ganzen Tag machen? Sie starren die Siejenigen an. Den ganzen Tag lang. Manche von ihnen sitzen zwar in großen Gleitern, aber trotzdem sind sie so still wie die Steine.«

»Wozu soll das gut sein?«

»Nun, Ich-Flippe vermutet, die Erinnerung an die Zeit vor dem Niedergang sei zu ihnen zurückgekehrt, und ihnen sei plötzlich wieder eingefallen, daß sie früher selber Siejenige gewesen sind. Und jetzt geistert in ihren haarigen kleinen Köpfen die Vorstellung herum, sie würden wieder zu dem werden, was sie einst waren, wenn sie uns nur lange genug anstarrten. Sie würden ihre ursprüngliche Größe zurückgewinnen, ihre Ohren würden wachsen und so weiter.«

»Wer hat den Wir-Fs von dem Zweiten Sicheren Ort erzählt?«

»Es war eine Prophezeiung«, murmelte Sturm.

»Ein Zeichen?«

»Zweifellos.«

»Waren es die Verlorenen, die behauptet haben, es gäbe unendlich viele Zeichen?«

Aber Sturm hatte jetzt den Rüssel gehoben und witterte. Er schwenkte den Kopf in Richtung der tief stehenden Sonne und brummte: »Die Finsternis naht.« Dann stapfte er duch eine Reihe von süß duftenden Sträuchern, aus denen aufgescheuchte braune Kaninchen stürmten und im Zickzack durch die Schatten rannten. Eins segelte über den Rücken eines Warzenschweins, des größten einer ganzen Horde, die auf der Flucht vor Sturm auseinanderstob, die Schwänze gen Himmel gereckt. Der Himmel selbst schien sich plötzlich zu einem flirrenden, dunkelroten Korridor aus Heuschrecken zu verengen, deren feines Sirren wie das Nachbeben der donnernden Schritte des großen Bullen wirkte, so als berste alles Zerbrechliche. Aber in Sekundenschnelle breitete sich der Korridor über den ganzen Himmel aus, und das Sirren schwoll zu einem lauten Getöse an.

Durch das Getöse hindurch nahm Langschatten deutlich die wilden Freudenschreie wahr, mit denen die Sie-Sechs Sturm begrüßten. Auch die weiche Erde, die feuchten Rinnsale und die prallen Wurzeln unter seinen Fußsohlen nahm er sehr bewußt wahr.

Angenommen, es gab wirklich einen Ort, wo die Menschen die Siejenigen in Ruhe ließen. Warum gerade jetzt danach suchen, wo doch kein Zeichen auf eine Dürre oder ein Gemetzel hinwies? Selbst die Heuschrecken flogen hoch am Himmel gen Norden davon und stellten keine Bedrohung dar. Das Paradies war hier. Warum sollte er es verlassen und sich zu den kahlsten Gebieten aufmachen, um einen Knochen zu suchen? Falls es diesen Knochen überhaupt gab. Wie konnte Sturm das mit Sicherheit wissen?

Irgendwie hatte er von den Heuschrecken gewußt. Das glaubte Langschatten zumindest.

Seit diesem Tag ist mehr als ein Jahr vergangen, aber erst vor kurzem ist Langschatten klar geworden, daß Sturm damals, als er sagte: »Die Finsternis naht«, nicht die Heuschrecken meinte, die kurz darauf den Himmel überfluteten und eine plötzliche Dämmerung erzeugten.

Nein, er hat das hier gemeint. Diese Landschaft voller Leichen und Staub, über die sich aus einer grenzenlosen Leere das Dröhnen von Flugzeugen ergießt.

Er hat diese zitternden Akazien gemeint … Langschatten streicht mit dem Rüssel über ihr Geäst. »Weit und breit kein Leben mehr«, denkt er unwillkürlich, als wäre es ein Omen.

Hoch oben fliegt ein weiteres Flugzeug vorbei. Als das Geräusch seinen Schädel erschüttert, steigert sich seine auflodernde Sehnsucht nach dem Sicheren Ort zu dem festen Glauben an die Existenz dieses Orts.

Und damit auch an die Existenz des weißen Knochens. Er fragt sich: Wie komme ich dazu, die Legenden einer Rasse anzuzweifeln, die hellsichtig genug war, um die Zerstörung vorherzusagen, die niemand meiner eigenen Rasse auch nur erahnt hat? Die Verlorenen haben Sturm das Geheimnis des weißen Knochens anvertraut, und Sturm hat es mir anvertraut ... Das allein, denkt er, ist Grund genug, daran zu glauben.

Er beschließt, nach Süden zu wandern, zu einem baumlosen, von Maschendrahtzäunen durchzogenen Ödland. Dieses Gebiet hat er sich bisher nicht zu erkunden getraut.

Fünf

Im Anschluß an Hagelkorns Geschichte folgt ein weiteres tiefes Schweigen, das schließlich von Hagelkorn selber beendet wird, als er verkündet, er hoffe, in drei Tagen kräftig genug zu sein, um gemeinsam mit den Sie-Ds die Suche nach dem weißen Knochen wiederaufzunehmen. Er sagt, Sie-Drängt fühle sich trotz des Wassers und der vielen Nahrung nicht wohl hier.

»Wegen eines Geruchs?« fragt Sie-Schreckt, denn Feinriecherinnen wittern Gefahr manchmal schon Tage früher als alle anderen.

»Nein, kein Geruch«, gibt Hagelkorn anstelle seiner Matriarchin zur Antwort. »Auch keine Vorahnung.«

»Es, na…ja, a…lso, es ist – ähm – ein Ge…fühl hin…ter ih…ren Au…gen«, sagt Sie-Druckst-und-Druckst.

Woraufhin Sie-Schnaubt, die andere Feinriecherin unter den Anwesenden, sagt: »Das Gefühl kenne ich. Ich habe es selber gelegentlich.«

Sie-Schreckt dreht sich abrupt zu ihr um. »Hast du es jetzt gerade?«

»Ich glaube nicht, aber ich werde mich vergewissern.« Sie klimpert mit ihren langen Augenwimpern. »Nein, ich spüre nichts.«

»Aber«, brummt Sie-Schreckt, »wenn Sie-Drängt sich doch unwohl fühlt…« Sie schwenkt den Rüssel und sticht mit ihrem kurzen Stoßzahn in die Luft. Nachdem ein Schwarm Ibisse den Blutsumpf umkreist und sich dann gespenstisch lautlos niedergelassen hat, wendet sich Sie-Schreckt wieder an Hagelkorn. »Wir werden euch begleiten!« trompetet sie, und alle Sie-Schs (außer Sie-Schreit, die jammert, daß sie für lange Märsche zu gebrechlich ist) brüllen: »Wir werden euch begleiten!«

Inzwischen ist es später Vormittag, und nachdem sich die Aufregung gelegt hat, verlassen beide Familien den Schutz der Fieberbäume und gehen zurück in den Sumpf. Die Kühe der Sie-Ds waten dieses Mal so weit hinein, daß sie bis zu den Bäuchen im Wasser stehen. Hagelkorn bleibt dicht am Ufer und hält seinen verletzten Fuß hoch, bis Sumpf zu ihm ins Flache schlendert und in seinem teilnahmslosen Tonfall sagt: »Offenbar hat man dich allein gelassen.« Daraufhin setzt Hagelkorn sich mit spritzenden Schritten in Bewegung, allerdings nicht zu Sumpf hinüber, sondern zu den Sie-Ds ins Tiefe.

Sie-Schützt beobachtet Hagelkorns mühsames Stapfen, schweigt aber. An Land riskiert er einen Hitzeschlaf, der ihn, geschwächt wie er ist, umbringen könnte. Sie hebt den Rüssel zur Steppe hin, und Matsch vermutet, daß sie die Witterung der Warzenschweine aufnehmen will und sich fragt, ob sie wohl bereit wären, noch einmal Urin für einen neuen Breiumschlag zu spenden. Oder vielleicht plant sie, da keine Würmer mehr in der Wunde sind, eine andere Sorte von Umschlag. Matsch wäre kein bißchen überrascht, wenn sie dafür Geierkot oder die Eingeweide von Zebras bräuchte. Sie-Schützt ist eine gute Medizinkuh. Was ihr an Kunstfertigkeit fehlt, gleicht sie durch Eifer und Hingabe aus, nur hat sie für Matschs Empfinden eine allzu große Vorliebe für besonders unappetitliche Heilmittel.

»Ob du es glaubst oder nicht, aber der Kot von Rüsselhälsen hilft gegen Durchfall«, sagt Dattelbett, die neben Matsch weidet.

»Da ist mir Durchfall lieber«, denkt Matsch und schaut dann zu Sie-Schreit hinüber, aber die große Kuh blickt in die andere Richtung.

In letzter Zeit ist Matsch von Sie-Schreit öfter ausgeschimpft worden, weil sie ihre Beiträge zu den Unterhaltungen mit Dattelbett denkt, statt sie auszusprechen. »Ich durchschaue dich!« hat Sie-Schreit vor zwei Tagen gekreischt, als Matsch einen stillen Kommentar zu Dattelbetts Erläuterung abgab, in welche Kategorien sie Pflanzen einteilt (eßbare und nicht eßbare, wobei sie bei den eßbaren zwischen lecker und genießbar unterscheidet und dann jeweils danach geht, wann und in welcher Gegend sie wachsen, wie sie aussehen und wie leicht sie sich kauen lassen). »Du lästerst über uns!« kreischte Sie-Schreit.

»Ich über euch lästern?« fragte Matsch.

»Warzenübersät und übelriechend«, sagte Sie-Schreit und imitierte dabei Dattelbetts altmodische Sprechweise. Sie ließ einen zornigen Blick über die anderen großen Kühe schweifen und rief: »Ich frage mich, wessen Ohren damit wohl gemeint sind?«

»Es ging um Aasblumen.«

»Ich rieche Unehrlichkeit!« rief Sie-Schreit.

»Dieses Kalb ist keine Lügnerin«, sagte Sie-Schreckt in ernstem Tonfall.

»Jeder Gedanke, der es wert ist, gedacht zu werden, ist es auch wert, ausgesprochen zu werden!« rief Sie-Schreit. »Das ist die Grundlage allen Redens! Ein Gedanke, der es wert ist, gedacht zu werden!«

Während sie diese Szene erneut durchlebt, watet Matsch über den knochenbedeckten Sumpfboden noch ein Stück weiter von den großen Kühen weg. Dattelbett folgt ihr. Beide essen eine Weile schweigend, dann denkt Matsch: »Ich frage mich, ob er uns aus Dankbarkeit von der weißen Trophäe erzählt hat, oder weil er weiß, daß deine Mutter eine Feinriecherin ist.«

»Beides vermutlich. Den Sie-Ds nützt es genauso wie uns, wenn wir ihn finden.«

»Er wird ihnen nur dann etwas nützen, wenn die beiden Familien zusammenbleiben.«

»Wir werden zusammenbleiben. Das hat die Matriarchin doch vorhin versprochen.«

Matsch schaut zu Sie-Schreckt hinüber. »Was denkt sie gerade?«

Dattelbett blinzelt. Es ist Gedankenrednerinnen verboten, den Gedanken der eigenen Matriarchin zu lauschen.

»Na los«, drängt Matsch.

Sie-Schreckt zugewandt, aber mit zusammengekniffenen Augen an ihr vorbeischauend, so als würde sie die spielenden Kälber im flachen Wasser beobachten, winkelt Dattelbett ihre kleinen Ohren ab.

Kurz darauf beugt sie sich zu Matsch hinüber und brummt überrascht: »Ihre Neigung fortzugehen ist geringer geworden. Es widerstrebt ihr, einen Platz zu verlassen, der Wasser und frisches Gras zur Genüge bietet.«

»Das ist ein Fehler«, denkt Matsch.

»Du willst dich ja bloß nicht von Hagelkorn trennen«, sagt Dattelbett.

Matsch schnaubt, aber dann geht sie in sich, um festzustellen, ob das wenigstens teilweise stimmt. Sie dreht ihren Rüssel in Hagelkorns Richtung, wittert seinen herrlichen Geruch und hat das Gefühl, als würde etwas in ihr aufbrechen und durchatmen. Einen Augenblick lang kann sie sogar nachempfinden, was ihr eigener Geruch bei Langschatten auslöst, aber sie schüttelt den Kopf.

»Es ist nichts Anstößiges an deinem Wunsch, bei ihm zu bleiben«, sagt Dattelbett geziert. »Er ist ja noch ein Kalb.«

»Das ist mir klar.«

»Mit wem wirst du dich unterhalten, falls ich getötet werde?«

»Falls du getötet wirst?«

»Das könnte eines Tages passieren. Ausgeschlossen ist es nicht.«

»Ich will mit den Sie-Ds von hier weggehen, weil ich Angst habe«, denkt Matsch mürrisch. »Ich weiß nicht wovor, aber ich fürchte mich. Dir geht es genauso. Und Sie-Drängt auch.« Sie läßt ihren Rüssel aufs Wasser klatschen. Ihr verkümmertes Bein knickt ein, sie fällt um und geht unter. Als sie wieder auftaucht, denkt sie: »Ich wünschte, wir könnten sofort aufbrechen.«

»Und ich wünschte, Langschatten wäre hier«, sagt Dattelbett.

»Wieso?« denkt Matsch genervt. Ihre Aufmerksamkeit wandert hinab zu ihrem geschwollen Bauch, zu dem Neugeborenen darin.

»Er wäre uns allen eine Hilfe, denn er könnte die Landschaft deuten.« Blinzelnd schaut sie zum gegenüberliegenden Ufer. »Möglicherweise gibt es überall Zeichen, die uns nahelegen, hierzubleiben, so lange der Sumpf noch da ist.« Behutsam saugt sie Luft ein. »Ich finde das Zögern der Matriarchin durchaus verständlich.«

»Gestern hat sich mein Bein ständig verkrampft«, denkt Matsch. Plötzlich ist ihr bewußt geworden, was für ein schlechtes Omen das ist.

»Stimmt«, sagt Dattelbett leise und dreht sich zu ihr um.

»Wenn das nicht bedeuten würde, mich von dir zu trennen«, denkt Matsch, »würde ich allein aufbrechen.«

»Matsch!« schreit Dattelbett, woraufhin Sie-Schreckt und Sie-Schreit die Köpfe heben.

»Dattelbett!« trompetet Sie-Schreit. »Gewöhn dir gefälligst an, sie Sie-Schmollt zu nennen! Hast du verstanden?«

»Deine Familie verlassen!« brummt Dattelbett voller Entsetzen.

Matsch denkt: »Die Bullen gehen ja auch weg.«

»Hast du je von einer Kuh gehört, die weggegangen ist?«

Nein, hat sie nicht.

»Was ist mit ...«, sagt Dattelbett, und Matsch weiß, daß sie an die Hyänen denkt, sich aber nicht traut, von ihnen zu sprechen, weil sie befürchtet, Matsch könne wieder von der quälenden Erinnerung an ihre Geburt heimgesucht werden. Matsch schaut sie ruhig an. Blinzelnd erwidert Dattelbett den Blick. Irgendwann schließt sie die Augen, hebt den Rüssel und schnuppert an einer Stelle zwischen Matschs Augen.

Matsch nimmt dieses sonderbare Verhalten hin. Sie hält es für möglich, daß Dattelbett hinter ihre Gedanken zu gelangen versucht, zur Quelle ihrer Visionen, der pulsierenden Masse, die Matsch in die Lage versetzt, in die Ferne zu schauen. Ihr fällt wieder ein, wie Sturm ihr vor Jahren gesagt hat, nichts strebe nach Verwirklichung, bis jemand eine Vision davon habe – »Hat die Vision einmal stattgefunden«, sagte er, »muß es zwangsläufig geschehen« –, und sie fragt sich, ob sie Dattelbett, indem sie sie anstarrt und sich ausmalt, wie sie gemeinsam den Blutsumpf verlassen, Wirklichkeit aufzwingen, sie auf eine Weise festlegen kann, die andere Zukunftsmöglichkeiten vernichtet. Sie denkt dies im vollen Bewußtsein, daß Dattelbett es hört. Und weil sie weiß, daß Dattelbett es hört, denkt sie, daß sie den Blutsumpf nicht ohne sie verlassen wird, hat aber dennoch das Gefühl, als seien sie bereits von einander getrennt. Sie sehnt sich bereits nach Dattelbett, sehnt sich nach dem Jetzt zurück. Sie hat das vage Gefühl, beobachtet zu werden, was höchstwahrscheinlich bedeutet, daß sie einen Moment (einen folgenreichen Moment) durchlebt, den eine andere Visionärin sieht, aber es kann auch sein, daß sie selber diesen Moment beobachtet. Daß sie sehr, sehr alt ist und im Geiste zu diesem Moment zurückkehrt, bereits so oft zu ihm zurückgekehrt ist, daß er durch die Erinnerungen jener früheren Besuche ganz faltig geworden ist.

Und bei jedem Besuch schleicht sich die Frage nach den Hyänen ein. Sogar im Schutze dieses Moments beginnt Matsch beim Gedanken an Hyänen zu zittern.

»Dennoch würde ich weggehen«, sagt sie laut.

Dattelbett öffnet die Augen.

»So groß ist meine Furcht.«

Am späten Vormittag bemerkt Matsch, wie Sie-Drängt ohne Hagelkorn und ihre Töchter zu den Sie-Schs hinüberwatet. Im Wasser bewegt sich Sie-Drängt mit der Anmut eines Flußpferds; ihr riesiger, schrumpliger Kopf schaukelt kaum. Warum folgt ihre Familie ihr nicht? denkt Matsch erstaunt, aber als Sie-Drängt an den Sie-Schs vorübergeht, wird ihr klar, daß die große Kuh auf dem Weg zu ihr sein muß.

»Sie-Drängt«, sagt Matsch zur Begrüßung, und Dattelbett fügt im förmlichen Tonfall hinzu: »Werte Matriarchin.« Beide strecken der großen Kuh den Rüssel entgegen, diese aber wendet sich ab und beginnt zu weiden.

Dattelbett wirft Matsch einen Blick zu, in Erwartung einer stillen Reaktion, aber Matsch vermutet, daß Sie-Drängt zur Gedankenrednerin der Sie-Ds geworden ist, und versucht deshalb, ihre Verblüffung zu unterdrücken. Sie ißt weiter, und Dattelbett ebenfalls. Die Sonne steht schon im Zenit, als Sie-Drängt zu ihnen spricht.

»Jeder Moment ist eine Erinnerung«, sagt sie.

Matsch und Dattelbett schauen sich fassungslos an. Die große Kuh bezieht sich auf Gedanken, die Matsch vor Stunden gehabt hat, und das bedeutet nicht nur, daß sie zur Gedankenrednerin der Sie-Ds geworden ist, sondern auch, daß sie Matschs Gedanken aus fünfzig Meter Entfernung hat hören können.

»Alles ist von der Sie bestimmt«, fährt sie mit ihrer sanften, brüchigen Stimme fort. »Folglich hat die Sie sich alles bereits vorgestellt. Wir sind nur am Leben, weil wir in Ihrer Vorstellung leben. Unser Leben, wie wir es erfahren, ist eine Erinnerung der Sie an etwas, das Sie sich bereits vorgestellt hat. Wir sind die Erinnerung. Wir sind lebendige Erinnerung.« Sie richtet ihre schimmernden Augen auf Matsch. »Verstehst du?«

»Ja«, sagt Matsch, obwohl das nicht stimmt, zumindest nicht ganz. Was sie sagt, klingt so abgeklärt, so sehr nach hart erkämpftem Gleichmut – die Predigt einer Matriarchin, die dreiundzwanzig Familienangehörige verloren hat.

»Was ist das?« knurrt Sie-Drängt plötzlich. Sie schwenkt ihren Rüssel in die Höhe.

Matsch und Dattelbett tun es ihr nach.

Die drei spitzen die Ohren. Etwas stimmt nicht. Es sind keine Vogelschreie zu hören. Matschs verkümmertes Bein fängt zu zittern an, und sie schaut nach rechts und sieht, daß Sie-Schnaubt ebenfalls wittert. Und jetzt nimmt sich Sie-Schreckt ein Beispiel an Sie-Schnaubt und hebt auch den Rüssel. Schon schnellen die Rüssel der anderen großen Kühe hoch, Sekunden später auch die von Hagelkorn, Sie-Döst und Sie-Druckst-und-Druckst.

Vom Ufer schwappt Angstgeruch in dicht aufeinanderfolgenden Wellen herüber. Die Zebras halten ihre Schnauzen in den Wind. Die Giraffen schauen über die Steppe, die kleinen Köpfe regungslos erhoben. Ein paar Husarenaffen klettern den Stamm des höchsten Fieberbaums hoch, und die kleinen Kälber wedeln nervös mit den Rüsseln und drängen sich an Sie-Schützt und Sie-Schnappt. Diese beiden großen Kühe sind der bisher offenbar nur von Sie-Drängt und Sie-Schnaubt georteten Quelle des beunruhigenden Geruchs am nächsten. Sie-Schaut ißt unbeirrt weiter. Unbeirrt wovon? fragt sich Matsch, aber sie spricht die Frage nicht aus. Niemand tut das, niemand spricht, sogar die kleinen Kälber hüten sich, die allgemeine Konzentration beim Aufnehmen der Witterung zu stören. Matsch läßt den Blick über das Ufer schweifen, neigt den Kopf, betrachtet den Himmel. Sie schaut wieder zu ihrer Familie hinüber. Die Ohren ihrer Adoptivmutter sind angespannt. Sie-Schreckt hat etwas gehört. Matsch bewegt ihren Rüssel ein paar Zentimeter nach rechts, und jetzt riecht sie es.

Der Gestank eines Fahrzeugs.

Innerhalb weniger Sekunden sind alle erstarrt, haben alle das Geräusch oder den Geruch wahrgenommen. Etliche Rüssel wenden sich Sie-Schreckt und Sie-Drängt zu, denn eine von beiden wird signalisieren, was zu tun ist. Es besteht durchaus die Chance, daß das Fahrzeug gar nicht auf dem Weg zum Blutsumpf ist – Fahrzeuge trinken nicht an den Wasserstellen, und in den letzten fünfundzwanzig Jahren ist hier keins mehr gesichtet worden. Zu diesem Zeitpunkt wäre es der reine Wahnsinn, in die offene Steppe hinauszulaufen und sich dem Feind zu zeigen. Nicht die Fahrzeuge sind der Feind, sondern die Menschen, die sie in ihren Bäuchen mitnehmen. Solange sie allein sind, schlafen die Fahrzeuge, aber kaum kriecht ein Mensch in sie hinein, rasen sie dröhnend los und stoßen einen üblen Geruch aus.

Dieser Geruch brennt jetzt, auch wenn er nur ganz schwach ist, in Matschs Rüssel. Mit ihrem zitternden Bein und dem schmerzenden

Rüssel kostet es sie große Mühe, stillzustehen. Sie sieht alles auf merk-würdige Weise überdeutlich. Sie schaut zu, wie die Flußpferde aus dem Wasser steigen und die Krokodile hineingleiten.

Nur die Giraffen verharren regungslos, und sie sind die einzigen, die das Fahrzeug sehen können, sofern es überhaupt sichtbar ist. Sein Dröhnen ist jetzt ganz nah. Das Zwitschern eines Vogels ertönt, der Gestank wird stärker, und schließlich setzen sich die Giraffen stolzie-rend in Bewegung.

»Jetzt«, brummt Sie-Drängt und läuft in Richtung Ufer.

Als sie im Flachen angekommen sind, hat sich bereits eine V-For-mation gebildet, mit den beiden Matriarchinnen an der Spitze, flankiert von den nächstgrößeren Kühen, Sie-Schnaubt und Sie-Schnappt, dann leicht versetzt wiederum die nächstgrößeren Kühe, das sind Sie-Schreit und Sie-Döst und so weiter, bis hin zu Matsch und Dattelbett. Matsch ist an einem Ende des V hinter Hagelkorn und Dattelbett am anderen Ende hinter Sie-Schaut, die noch gestern an der Spitze gelaufen wäre. Zwischen den Schenkeln des V drängen sich die drei kleinen Kälber dicht an Sumpf. Eigentlich müßte er sich in die Formation einreihen, aber in dieser Situation sagt es ihm niemand, denn alle starren auf den Abhang, und außer Sie-Schaut, die »Wer? Wer?« murmelt, und Sie-Schreit, die ein zittriges Winseln von sich gibt, sind alle still. Sogar jetzt besteht noch die Möglichkeit, daß das Fahrzeug abdreht.

Aber das tut es nicht. In einer Staubwolke rast es brüllend die Böschung hinunter, als habe es sie schon in der Steppe gerochen, obwohl der Wind mit ihm war. Noch ehe es stehenbleibt, springen die Menschen heraus. Sie-Schreckt stimmt ein furchterregendes Geheul an. Sie-Schreit und die Kälber beginnen zu schreien. Das Rattern von Gewehrschüssen ertönt, und Sie-Schreckt fällt auf Sie-Drängt. Mit hyänenartigem Geschrei galoppieren die Menschen in den Sumpf, rei-ßen bei jedem Schritt die Knie hoch und feuern aus ihren Gewehren. Sie-Schnappt dreht sich um die eigene Achse und sinkt zu Boden. Die V-Formation löst sich auf.

Matsch hastet an den großen Kühen vorbei, bis sie bei ihrer Adop-tivmutter ist. Rosa Blut quillt aus Sie-Schreckts Mund, rotes Blut strömt aus einem Loch in ihrem Rüssel. Matsch versucht, das Loch mit dem Fuß abzudichten, aber der Kopf von Sie-Schreckt zuckt, so daß

Matsch versehentlich gegen ihren Kiefer tritt. Blut spritzt in hohem Bogen durch die Luft. Erschrocken geht Matsch in die Knie, schiebt ihre Stoßzähne unter den Körper von Sie-Schreckt und will ihn anheben. Aber es hat keinen Zweck. Matsch ist zu klein, ihre Stoßzähne sind zu kurz. Sie steht wieder auf. Neben ihr versucht Sie-Döst mit aller Kraft, Sie-Drängt aufzurichten, die es irgendwie geschafft hat, sich von Sie-Schreckts Gewicht zu befreien, aber offenbar nicht allein hochkommt.

Die kleinen Kälber quieken und verstecken sich unter den großen Kühen, die nur widerstrebend von den beiden gefallenen Matriarchinnen ablassen. Erneut Schüsse. Der Kopf von Sie-Döst fliegt nach hinten, dann nach vorn; aus einem Loch zwischen ihren Augen sprudelt Blut. Wie jemand, der sich etwas genauer anschauen will, neigt sie sich Matsch zu, dann fällt sie mit dem Gesicht zuerst auf ihre trompetende Mutter.

Eine weitere Salve Schüsse. Sie-Schreckt wird erneut getroffen, knapp über der linken Schläfe. Sie ist sofort tot. Matsch schaut sich verzweifelt um. Sie-Drängt hat einen Schuß in den Bauch abbekommen, und auch sie ist tot. Die, die noch am Leben sind, fliehen in alle Himmelsrichtungen vor den beiden Menschen und versuchen festen Boden zu erreichen. Knick, das kleinste Kalb, hat Mühe, die Böschung zu erklimmen. Sie-Schützt ist bereits oben angekommen und brüllt ihm zu, er solle sich beeilen. Als seine Beine nachgeben, langt sie nach unten, packt ihn am Rüssel und zieht ihn scheinbar mühelos hoch. »Sie-Schwafelt!« brüllt sie. Ihre Tochter rennt am Rand des Sumpfs entlang. Dicht hinter Sie-Schwafelt sind Blau und Zuckstock, die beiden Neugeborenen von Sie-Schnappt. Blau stolpert, und Sie-Schwafelt dreht sich um und wird von einem Schuß in den Bauch getroffen. Durch die Wucht des Schusses bäumt sich ihr Körper auf, ehe sie zur Seite fällt und mit einem Geräusch, das an das Knurren eines Löwen erinnert, auf den Boden prallt.

Blau rappelt sich hoch. Sie rennt zu Sie-Schwafelt und drückt verängstigt ihren Hals gegen die Flanke der Kuh. Es sieht aus, als betrachte sie staunend den roten Sprühregen, der sich aus dem Einschußloch ergießt. Der Mensch, der Sie-Schwafelt erschossen hat, schlingt ein Seil um Blaus Kopf. Sein auf den Rücken geschobenes Gewehr blitzt grell in der Sonne. Er zieht am Seil, und Blau wehrt sich kreischend. Zuckstock, ihre Zwillingsschwester, rennt zu ihr zurück. Der Mensch springt auf den Rücken von Blau und tritt sie so brutal, daß ihre Vorderbeine einknicken. Er tritt sie immer wieder, bis sie losstürmt. Ihre kurzen, vogelähnlichen Schreie wechseln sich mit dem ängstlichen Wehklagen ihrer Schwester ab, und der Mensch, der auf ihr reitet, tritt erneut zu, johlt und schwenkt einen Arm. Der andere Mensch feuert ihn lautstark an. Zuckstock bleibt dicht bei Blau und dem Menschen auf ihrem Rücken, folgt jedem Richtungswechsel ihrer Schwester. Als Blau langsamer wird, greift der Mensch nach hinten, nimmt sein Gewehr, zielt auf Zuckstock und schießt. Das kleine Kalb wird zur Seite geschleudert und landet auf dem Rücken, die Beine gen Himmel gestreckt.

Blau bleibt stehen. Der Mensch tritt sie. Er rammt ihr den Gewehrkolben zwischen die Augen. Schließlich torkelt sie wie betäubt zu ihrer toten Schwester. Sie wickelt ihren Rüssel um eins der ausgestreckten Beine und zieht Zuckstock auf die Seite. Der Mensch steigt von Blaus Rücken. Er geht weg. Dreht sich im Gehen um und hebt das Gewehr. Richtet das Gewehr auf Blau. Schießt.

Ein gräßliches Jaulen ertönt. Matsch hat noch nie zuvor eine Kettensäge gesehen oder gehört, aber sie weiß, daß dies das Geräusch einer solchen Säge ist. Der Mensch, der sie in Händen hält, kommt auf Matsch zugerannt.

Mittlerweile kann ihr lahmes Bein ihr Gewicht kaum noch tragen, und sie läuft in selbstmörderisch langsamem Tempo das Ufer entlang. Der Mensch ist jedoch nicht hinter ihr her. Sie bleibt stehen und dreht sich um. Das Jaulen der Kettensäge wird noch schriller. Von dem Menschen geführt schneidet die Säge Sie-Drängt die vordere Kopfhälfte weg. Sie braucht dazu nicht länger als Matsch brauchen würde, um einen dünnen Zweig durchzubeißen, aber die Zeit scheint plötzlich zu kriechen, und das Abtrennen zieht sich quälend lange hin.

»Scheusal!« trompetet Matsch, denn diese Verstümmelung ist die eigentliche Grausamkeit. Wenn nicht wenigstens einer der Stoßzähne am Schädel verbleibt, kann auch die große Sie-Drängt nicht in die Himmelsherde der Sie eingehen. »Scheusal!« Sie ruft es immer wieder, sie kann nicht anders. In ihren Ohren klingt es undeutlich und gedehnt, so als käme es aus dem Rüssel von Sie-Druckst-und-Druckst.

Der Mensch, der die Zwillingskälber erschossen hat, rennt etwa dreißig Meter weiter das Ufer entlang und jagt Sie-Schaut. Jetzt wendet er sich um, richtet das Gewehr auf Matsch, und irgendwann, sie weiß nicht, wieviel Zeit vergangen ist, folgen die stotternden Explosionen. Dünne, harte Luftströme streifen Matschs Haut. Eine Ewigkeit später hört sie, wie die Kugeln pfeifend von Felsen abprallen, in den Stein einschlagen oder sich mit dumpfem Ploppen in den Sand der Böschung bohren.

Auch jetzt sieht sie alles unnatürlich deutlich, und während sie weiterrennt, schaut sie hinüber zu dem Menschen mit der Säge, der sich gerade im flachen, rotgefärbten Wasser über Sie-Schnappt beugt. Er richtet sich wieder auf, einen schlanken Stoßzahn in der Hand. Er wirft ihn in Richtung Ufer, und der Zahn wirbelt anmutig durch die Luft – zuerst zeigt die Spitze nach oben, dann die blutige Wurzel, dann wieder die Spitze –, und zweimal meint Matsch ihn reglos in der Luft verharren zu sehen, ehe er auf den ineinander verschlungenen Leichen der Zwillingskälber landet. Der Mensch johlt und stapft zu Sie-Schreckt hinüber, da krachen weiter unten am Ufer erneut Schüsse.

Matsch hält an. Sie-Schaut ist getroffen. Auf ihrem faltigen Rumpf ist ein Kreis aus fünf Einschußlöchern zu sehen. Die Löcher dampfen, aber es fließt kein Blut, und die uralte Kuh bleibt aufrecht stehen. Der Mensch geht gemächlich zu ihr und hebt erneut das Gewehr. »Ich glaube, wir hatten noch nicht das Vergnügen!« trompetet Sie-Schaut und streckt ihm zur Begrüßung den Rüssel entgegen. Als der Mensch nahe genug herangekommen ist, wickelt sie ihren Rüssel um den Gewehrlauf. Der Mensch feuert und duckt sich vor den roten Spritzern. Aber Sie-Schaut fällt noch immer nicht um. Jetzt ruft der Mensch mit der Säge vom flachen Wasser aus etwas herüber, und Matsch schaut zu ihm hin. Er hält sich den kleinen Stoßzahn von Sie-Schreckt zwischen die Beine und bewegt sein Becken vor und zurück. Am Ufer fallen wieder Schüsse, und dann erschüttert ein heftiges Beben die Erde, als Sie-Schaut zu Boden geht.

Matsch wird allmählich klar, daß sie die Uferböschung hochlaufen sollte. Sie läuft los, von Kugeln umschwirrt, vorbei an der Leiche von Sie-Druckst-und-Druckst, deren Kopf vollständig abgetrennt ist … Blut sprudelt noch über den freiliegenden Knorpel der Halswirbel. Sie tritt in dampfende rote Lachen, auf Patronenhülsen und Hautfetzen, und auch die Böschung ist ganz glitschig von Blut, so daß sie auf dem Weg nach oben wie in einem Traum immer wieder abrutscht, kaum daß sie Tritt gefaßt hat.

Nach und nach bricht die Erde unter ihren strampelnden Vorder-füßen weg, bis sich ein kleiner Sockel gebildet hat, von dem aus sie sich hochstemmen kann. Schwankend bleibt sie am Rande des Abhangs stehen. Sie ist sich vage bewußt, daß sie eine gute Zielscheibe für die Menschen abgibt, und betrachtet sich selber. Ihr lahmes Bein, ihr selt-sam geschärfter Blick. Ihre Unversehrtheit, so als durchlebe sie lediglich eine Erinnerung, die vielleicht nicht einmal ihre eigene ist.

Hinter ihr kreischt die Kettensäge. Gen Osten ragt, kaum sichtbar, der Sie-Berg auf.

Dorthin wird sie gehen, beschließt sie wie hypnotisiert. Sie mar-schiert los. Die kümmerlichen Büsche und Bäume der Steppe tauchen wie Geister aus dem Staub auf. Beim Gehen sendet sie per Infraschall Notrufe an all die Mitglieder ihrer Familie, die womöglich noch am Leben sind, erhält aber keine Antwort. Falls es hier irgendwelche Lebenszeichen von ihresgleichen gibt, nimmt sie sie nicht wahr. Ihr Geruchssinn ist nicht fein genug, um Blutgestank und Staub zu durch-dringen, und sie ist nicht bereit, von dem geraden Weg, den sie einge-schlagen hat, abzuweichen, selbst dann nicht, als sie merkt, daß es sich bei den beiden ausgefransten Bändern, zwischen denen sie läuft, um die Spuren des Fahrzeugs handelt.

Sechs

Die Gegend, die Matsch nun durchquert, ist ihr vertraut, aber sie kennt sie nur als Oase in der Regenzeit, nicht so ausgedörrt wie jetzt.

Es gibt hier nichts Grünes, nichts Blühendes, nichts, was nicht verkümmert wäre. Die Kronen der Bäume sind schwarz von Geiern, der Erdboden eine apokalyptische Landschaft, übersät mit Knochen, die aus roten Staubverwehungen oder, an verbrannten Stellen, aus der schwarzen Asche ragen.

Es sind die Skelette von Zebras, Gnus und Gazellen, aber die noch Lebenden scheinen beinah toter und letztendlich schlimmer dran zu sein als ihre verendeten Verwandten. Unter den Lebenden gibt es keine Jungen, was offenbar selbst die Fleischfresser kaum glauben können. Die Schakale, die zwischen den Thomsongazellen herumtrotten, heben die Schnauzen und schauen sich forschend um, so als suchten sie nach etwas Frischerem, Wohlschmeckenderem als diesen Klappergestellen, an deren wackligen Beinen sie vorbeischauen.

Wegen des abgeweideten Grases erkennt Matsch Löwenrudel trotz des wehenden Staubs so früh, daß sie ihnen ausweichen könnte. Dennoch macht sie keine Umwege, und die vollgefressenen Löwen heben in ihrer Trägheit nicht einmal die Köpfe, wenn Matsch vorbeigeht. Jetzt sieht sie, wie ein paar Meter vor ihr ein groteskes Gespann aus einem Geparden und einem alten Geier ein noch zuckendes Zebra zerfetzt. Der Blick des Zebras fällt auf Matsch, und im selben Moment hackt der Geier ihm das Auge aus. In der Nähe eines Sandpapierbusches rüttelt eine Husarenaffenmutter am Bein ihres toten Jungen. Als Matsch nur noch ein paar Meter von ihr entfernt ist, hüpft sie schnatternd auf und ab, schlägt auf das leblos daliegende Junge ein, schleudert es dann durch die Luft, und es landet in einer Staubwolke vor Matschs Füßen.

Matsch bleibt stehen. Der Staubwirbel zieht ab, was für Matsch ein

Zeichen ist, daß die Seele an jenen überfüllten, geheimnisvollen Ort (die Andere Domäne) fliegt, an dem alle verstorbenen Lebewesen enden, bis auf ihre Artgenossen und Menschen. Es bedecken bereits so viele Fliegen den Leichnam, daß er wieder lebendig zu sein scheint. Ein gräßliches, sirrendes, klebriges Bündel. Matsch bläst an einer Stelle die Fliegen weg und ist von dem Neugeborenengeruch, der selbst durch den Todesgestank hindurch wahrnehmbar ist, so gerührt, daß sie mit den Füßen Sand über die erbärmliche Gestalt häuft, ehe sie weiterzieht.

Sie ist jetzt schon stundenlang unterwegs. Ihr Schatten schiebt sich vor ihr her, Sand verstopft ihren Rüssel und bildet Krusten in den Winkeln ihres Munds und ihrer Augen, und sie hat Durst. Auf einmal hat sie entsetzlichen Durst.

Sie hebt den Rüssel, und unzählige Erinnerungen werden in ihr wach. Jede von ihnen läßt diesen Ort auf andere Weise erblühen, jede vermittelt eine besondere Stimmung und Atmosphäre. Gemeinsam ist all diesen Erinnerungen nur, daß der Geruch nach Wasser von einem zutageliegenden Felsen zu ihr herüberweht. Sie weicht trotz großer Bedenken von ihrem Kurs ab. Sie hat das Gefühl, sie könnte durch einen Umweg noch mehr Unheil auf sich ziehen. Dennoch rennt sie zu der Senke hinter dem Felsen, aus der während der fruchtbaren Jahreszeit Wasser quillt. Jetzt aber riecht sie bloß den pudrigen Impalakot, der sich dort angesammelt hat.

Mit dem rechten Vorderfuß gräbt sie in der Senke. Der Boden ist steinhart, und schon bald schmerzen ihre Zehen von den kräftigen Tritten, die nötig sind, um die Erde aufzubrechen. Ihr Fuß ist unter der Staubschicht schwarz vom Blut der Gemetzelten, und es bedrückt sie, daß sie selber nicht blutet, aber das Blut von Mitgliedern ihrer Adoptivfamilie an ihr klebt, denn dies scheint bezeichnend zu sein für ihr Verhältnis zu ihnen: unbestreitbare Distanz und zugleich unauflösliche Verbundenheit. Sie hätte den Sumpf sofort verlassen sollen, als Hagelkorn gesagt hat, Sie-Drängt fühle sich unwohl. Alle hätten fortgehen sollen, zumindest aber hätte sie selber gehen und Dattelbett zum Mitkommen überreden sollen. Bei diesen Gedanken werden ihre Tritte immer zorniger. Sandbrocken fallen zurück in das Loch, das sie gräbt, und sie holt sie mit dem Rüssel wieder heraus und schleudert sie, von einer fast menschlichen Brutalität überwältigt, mit voller Wucht gegen den Felsen.

Nach einer Weile ist sie zu erschöpft, um weiterzumachen, und sie senkt ihren Rüssel auf den Boden des Lochs. Die kühle Erde dort unten verströmt einen wunderbaren Geruch, den sie jedoch, benommen wie sie ist, erst nach einem Moment richtig deutet. Sie ist so dicht an der Wasserader, daß ein einziger Tritt genügt, um die letzte Erdschicht zu durchstoßen.

Das Wasser ist schlammig und kalt. Sie bohrt weiter, bis ein klarer Strom hervorsprudelt. Sie trinkt, duscht und bestäubt sich, dann steht sie da und empfindet das Wackeln ihres lahmen Beins, das wenigstens etwas Vertrautes, Berechenbares hat, als seltsam tröstlich.

»Dattelbett!« trompetet sie, obwohl Trompeten sinnlos ist, wenn selbst auf Infraschallrufe niemand reagiert. Trotzdem lauscht sie, den Blick gesenkt, die Ohren gespreizt, in Erwartung einer Erschütterung der Erde, die von einem weit entfernten Brummen künden könnte. Schließlich erreichen sie die Schreie der Kälber, und ihr wird klar, daß die Schreie aus ihrer Erinnerung stammen und sie das Gemetzel noch einmal durchlebt.

Sie trompetet und läuft im Kreis herum. Als sie bei der Szene ankommt, wo sie den Abhang hochklettert und immer wieder herunterrutscht, klettert sie den Felsen hoch, rutscht wieder herunter und schürft sich dabei so schlimm das Bein auf, daß sie in die Gegenwart zurückgebracht wird.

Sie findet sich auf Knien am Fuße des Felsens wieder. Über sich hört sie das Dröhnen eines Flugzeugs, und sie läßt sich auf die rechte Seite fallen und weint, wie lange, weiß sie nicht. Als ihr Atem wieder gleichmäßig geht, hat sich der Schatten des Felsens über sie geneigt, und eine Impala trinkt an dem Wasserloch, das Matsch gegraben hat. Wenige Zentimeter vor ihren Augen sieht sie einen flachen Stein, der wie durch Zauberkraft auf der Kante steht. Selbst im Licht der tiefstehenden Sonne bewahrt der Stein seinen blauen Schimmer, und Matsch muß an eins von Langschattens Zeichenliedern denken:

Sind's keine Beeren und ist es kein Fleck,
Schützt Blaues das Kalb und das Spitzkopfgeschlecht.

Schluck einen Stein, einen blauen, und du
Hast für zwei Tage vor Angreifern Ruh'.

Also schluckt sie den Stein hinunter, rappelt sich hoch und macht sich
auf den Rückweg dorthin, woher sie gekommen ist.

Ihr Verstand ist plötzlich wieder klar, der Bann hat sich gelöst. Sie
begreift nun, daß das wahre Ziel ihres Marsches nicht darin bestand,
den Sie-Berg zu erreichen, sondern darin, den blauen Stein zu finden.
Dank des Schutzes, den ihr der Stein bietet, kann sie zum Blutsumpf
zurückkehren und die heilige Pflicht erfüllen, die von ihr verlangt, die
gemetzelten Mitglieder ihrer Familie zu betrauern. Das Fahrzeug und
seine Menschen werden verschwunden sein, und (das hat sie bisher
noch nicht bedacht) die überlebenden Sie-Schs werden entweder
bereits am Sumpf sein oder noch vor Morgengrauen dort eintreffen.
Dattelbett wird dort sein, sofern sie noch am Leben ist. »Bitte mach,
daß sie am Leben ist«, betet Matsch laut. Sie ist davon überzeugt, daß
sie sowohl während des Gemetzels selbst als auch beim späteren
Durchleben der Erinnerung die Leichen von allen, die am Sumpf
gestorben sind, gesehen hat, aber sie hat nicht gesehen, ob jemand verwundet wurde, und wenn ja, wer, und auch nicht, ob alle Überlebenden, nachdem sie die offene Steppe erreicht hatten, in dieselbe Richtung geflohen sind. Wäre sie bei Verstand gewesen, hätte sie sofort
nach Kothaufen und Blutstropfen Ausschau gehalten und wäre diesen
Spuren gefolgt. Andererseits wäre ihr, wenn sie bei Verstand gewesen
wäre, der Schutz des blauen Steins nicht zuteil geworden.

Sie folgt nun ihren eigenen Spuren, setzt ihre Füße in die Vertiefun-
gen, die nicht vom Staub verwischt worden sind. Weil der Wind sich
gelegt hat, verweht der Staub nicht mehr, und obwohl ihr lahmes Bein
zittert, kommt sie schnell voran, und so sieht sie schon bald zwischen
den Exkrementen von Geiern das traurige Häufchen aus Fell und Knochen, das früher einmal das Affenjunge war. Sie läuft immer weiter, in
die spitzer werdenden Schatten hinein und der Länge nach durch sie
hindurch. Wie immer nach dem Tod einer Matriarchin – und wenn
man Sie-Schaut mitzählt, sind heute drei Matriarchinnen gestorben –
geht die Sonne blutrot unter. Matsch kann kaum hinschauen, so leidenschaftlich rot sind die Strahlen. Sie heftet ihren Blick auf den Boden

und gräbt gelegentlich mit den Stoßzähnen ein Stück Wurzel aus, um es zu essen. Sie zählt ihre Schritte, denn dazu ist sie auch in der Lage, wenn sie mit ihren Gedanken woanders ist, und nach jedem zweihundersten sendet sie ein Infraschallbrummen aus. Zweimal glaubt sie irrtümlich, sie werde jeden Moment eine Vision haben. Ihr schlimmes Bein schmerzt. Ihre Haut kribbelt unangenehm, denn sie spürt, wie immer mehr Schatten ausgeatmet wird.* Der blaue Stein kann sie zwar vor äußeren Gefahren schützen, aber nicht vor ihren eigenen Gedanken, deshalb muß sie gelegentlich den Kopf schütteln, einerseits, um ein erneutes Durchleben des Gemetzels zu unterdrücken, und andererseits, um sich klarzumachen, daß es wirklich geschehen ist. Als sie an den sterblichen Überresten des Zebras vorbeikommt, dessen Blick sie getroffen hat, bevor sein Auge ausgehackt wurde, fragt sie sich, wie lange der Augapfel des Zebras ihr Bild in den Eingeweiden des Geiers wohl noch bewahrt hat.

Auf dem gesamten Rückweg hat sie außer ihrem eigenen keinen Kot von Siejenigen gesehen und kein einziges Brummen gehört. Aber das hat nichts zu bedeuten. Wenn ihre Familie sich in eine andere Richtung zurückgezogen hat, wie es offenbar der Fall ist, dann wird sie ihren Kot hier nicht finden, und wenn sie keine Signale aussenden, dann vielleicht deshalb, weil sie bereits mit der stillen Trauer begonnen haben. Sie selber hat schon vor Stunden aufgehört, Rufe auszusenden, aus der unsinnigen Angst heraus, sie könnte Hyänen anlocken. Erst als sie die Hyänen auf der Böschung am Sumpfufer herumschleichen sieht, weiß sie, daß schon jemand vor ihr eingetroffen sein muß. Denn wenn so viele Hyänen oben in der Steppe sind, obwohl überall am Ufer des Sumpfs Leichen liegen, dann müssen dort unten mindestens zwei große Kühe sein.

Sie bleibt stehen. Sie könnte einen Hilferuf ausstoßen, aber ihre Angst ist ihr peinlich, ja sogar lästig, denn sie spürt eine ungewohnte Tollkühnheit in sich. Beherzt geht sie weiter, mit dem Gedanken im

* Auf diese Weise breitet sich die Dunkelheit aus.

Kopf, daß sie sich durch die Reihen der Hyänen genau so hindurchbewegen wird wie zuvor durch die Gewehrkugeln und Menschen – als sei sie unverletzbar, nur Beobachterin in einer fremden Erinnerung.

Ein Luftzug weht vom Sumpf herauf und trägt einen süßlichen Verwesungsgeruch zu ihr. Als die Hyänen sich umschauen, ist Matsch schon fast bei ihnen. In ihrem Hals pulsiert das Blut. »Hast für zwei Tage vor Angreifern Ruh'«, brummt sie zu sich, und die Hyänen weichen zurück.

Sie geht zum Abhang und schaut hinunter. Da sind sie, zwischen den dampfenden Leibern der Toten. Genauso still wie die Toten. Eine gewaltige Erleichterung durchströmt sie, aber statt nach unten zu eilen, um die anderen zu begrüßen, bleibt sie, wo sie ist, um im Schein des Mondlichts auszumachen, wer wer ist.

Hagelkorn – das ist Hagelkorn, dort im Flachen, beim Kadaver von Sie-Drängt. Und an seiner Seite steht Sumpf. Dicht neben den beiden Bullenkälbern, dort wo Sie-Schreckt umgefallen ist, steht ... wer? Sie-Schreit? Nein, Sie-Schnaubt. Und das Kalb am Ufer muß Knick sein, das einzige junge Kalb, das überlebt hat. Also muß die Kuh neben ihm Sie-Schützt sein. Ja, das ergibt Sinn, denn die beiden stehen bei der Leiche von Sie-Schwafelt. Hinter ihnen ist Sie-Schreit, die gerade einen Hinterfuß über den Kopf von Sie-Schaut gleiten läßt.

Das sind alle. Richtig? Hagelkorn, Sumpf, Sie-Schnaubt, Sie-Schützt, Knick, Sie-Schreit. Sie läuft die Böschung entlang, späht mit wachsender Beklemmung durch die Dunkelheit, dann knickt ihr lahmes Bein weg und sie rutscht zum Ufer hinunter.

Sie-Schützt ist als erste bei ihr und zieht sie, begleitet von unverständlichen Trompetenlauten, auf die Beine. Matsch berührt die klebrige Temporinspur unter der linken Augenhöhle der älteren Kuh. In der Höhle ist kein Auge mehr, sondern statt dessen eine Masse, die nach Blut und Hyänenkot riecht. »Dein Auge«, sagt sie, aber ihre Stimme wird vom lauten Rufen der anderen übertönt. Sie-Schnaubt brüllt: »Matsch« (nicht »Sie-Schmollt«, wie Matsch später zu ihrer Freude bewußt wird) und: »Lobet die Sie!« Zwischen Matschs Vorderbeinen rutscht Knick mit schwingendem Rüssel auf den Knien herum. Sie-Schreit wirft ihren Kopf zurück, und im Mondschein verleiht das Weiße in ihren Augen ihr das Aussehen einer Wahnsinnigen.

Und dann verstummen alle auf einmal, so als sei eine Gewehrsalve abgefeuert worden. Aber es nichts dergleichen, nichts, was von außen kommt. Sie haben plötzlich alle denselben Gedanken. Die Toten.

Niemand spricht oder bewegt sich, aber als die Geier zu grunzen beginnen, ertönt eine wohlklingende Stimme: »Sie sind alle ins Ewige Uferlose Wasser gefallen.«

Es ist Hagelkorn, der – was Matsch erst jetzt auffällt – den Sumpf nicht verlassen hat. Außerdem wird ihr klar, daß er der letzte Überlebende der Sie-Ds ist. Und daß er recht hat: Es war der Absturz der Toten, den sie gespürt hat. Ihr Schwindelgefühl, das spritzende Eintauchen.

»Deine Familie ist nun wieder vereint«, sagt Sie-Schnaubt in einem liebevollen Tonfall, den Matsch bei ihr noch nie gehört hat. Matsch stellt fest, daß Sie-Schnaubt die größte der drei großen Kühe ist. Und folglich die neue Matriarchin. Die unbekümmerte, respektlose, wollüstige Sie-Schnaubt ist plötzlich die Matriarchin!

Sie-Schnaubt dreht sich wieder zu Matsch um. Da sie nichts sagt, spricht Matsch. »Ich hatte gehofft, sie wäre bei euch.«

»Woher weißt du, woran ich gedacht habe?« sagt Sie-Schnaubt, und Matsch weiß, daß die eigentliche Frage lautet, ob Matsch ihre Gedanken hören kann? Denn wenn das der Fall ist – wenn überhaupt irgendeine von ihnen die Gedanken einer anderen hören kann –, dann ist Dattelbett, die Gedankenrednerin der Familie, tot.

Matsch schluckt. Ihre Kehle fühlt sich an, als steckten Steine darin. »Ich wußte es nicht, Matriarchin.«

»Oh, das ertrage ich nicht!« kreischt Sie-Schreit. »Nach allem, was wir durchgemacht haben – und jetzt auch noch die Vorstellung, daß Dattelbett irgendwo liegt – «

»So ein Quatsch!« brüllt Sie-Schützt. »Dattelbett wird noch vor Morgengrauen wieder hier sein.« Energisch wie immer schaut sie in die Runde. Sie ist eine untersetzte Kuh mit bulligen Stoßzähnen und erschreckend unverwüstlich. Als ihr erstgeborenes Kalb kurz nach der Geburt starb, legte sie ein paar Palmwedel über die Leiche und befahl den anderen in barschem Tonfall, mit ihrem Gejammere aufzuhören. »Was geschehen ist, ist geschehen!« trompetete sie. »Sie-Schützt will essen!« Und nun, erst vor wenigen Stunden, ist ihre Tochter Sie-Schwafelt massakriert worden, und sie selber hat ihr linkes Auge verloren, aber dennoch stampft sie mit dem Fuß auf und röhrt: »Wieso immer gleich das Schlimmste annehmen?«

Als niemand antwortet, bellt sie: »Dattelbett ist doch nicht blöd!«

Normalerweise läßt sich wenigstens eine der übrigen Kühe von ihrem Optimismus anstecken. Aber nicht heute Abend. Dattelbett ist ganz bestimmt nicht blöd, aber sie ist noch sehr klein.

Oben in der Steppe kichern die Hyänen. Die Geier kreisen, und das gelegentliche leise Schlagen ihrer Flügel klingt ganz ähnlich wie das Schlagen der Ohren von Siejenigen. Matsch und Sie-Schnaubt schauen sich weiterhin an, und es ist nur gut, daß niemand Matschs Gedanken hören kann, denn sie denkt: »Ich liebe sie am meisten. Niemand von euch liebt sie so sehr wie ich.« Die Nutzlosigkeit ihrer Liebe quält sie derartig, daß sie mit dem Gedanken spielt, hinaus in die Steppe zu laufen und allein nach Dattelbett zu suchen. Was natürlich der pure Wahnsinn wäre. Sie stolpert rückwärts ins Wasser, unbeholfen und spritzend, und als sie gegen den Leichnam von Sie-Schreckt stößt, läßt sie einen Hinterfuß über den Schädel gleiten, so als wolle sie den Geist erlösen, ihn der ewigen Vergessenheit überantworten, in die er bereits eingegangen ist. Aber Matsch ist noch nicht in der Lage, sich ihre Adoptivmutter anzuschauen – das Loch an der Stelle, wo ihr Gesicht war.

Sieben

Eine Gewehrkugel aus der Salve, durch die Sie-Döst getötet wurde, traf Dattelbett über dem rechten Auge. Statt des erwarteten durchdringenden Schmerzes spürte sie einen harten Schlag. Ich bin von einem Stein getroffen worden, dachte sie. Sie berührte das Einschußloch, das sich wie eine Beule anfühlte. Sie rannte ans Ufer, dann die Böschung hinauf. Als sie oben angekommen war und blinzelnd durch das hinabrinnende Blut schaute, hielt sie irrtümlich ein paar wegfliegende Staubwolken für fliehende Mitglieder ihrer Familie. Sie rannte ihnen stundenlang hinterher, kilometerweit, trompetete ihre Namen und flehte sie an, auf sie zu warten. Sie antworteten, jedenfalls bildete sie sich das ein, aber dennoch verlangsamten sie ihr Tempo nicht. Sie liefen außerordentlich schnell und bogen mehrmals abrupt und vollkommen synchron nach rechts oder links ab, so wie ein Schwarm Vögel. Der Staub verwischte ihre Spuren und schluckte ihren Geruch. Als Dattelbett schließlich auf dem blendendweißen Sandboden eines ausgetrockneten Sees auf die Knie sank, ergoß sich riesengroß ihr Schatten hinter ihr.

Als sie im Morgengrauen erwacht, hat sie furchtbaren Hunger und Durst. Ein stechender, pulsierender Schmerz durchzieht ihre rechte Schädelhälfte. Aus dem linken Auge sieht sie über sich verschwommenen die Silhouetten von Geiern kreisen. Sie stemmt sich auf die Füße, und der Schmerz rollt in ihrem Kopf herum wie ein Stein.

Die Haut auf ihrem Rücken und an ihrer linken Seite ist von der Sonne verbrannt. Sie berührt ihre Wunde, erkennt das Loch jetzt als Loch und riecht auch das Schießpulver. Sie riecht ihr Blut, das süßliche, feuchte Blut in der Wunde, und die säuerliche Blutkruste auf ihrem Gesicht.

Flache Nebelschwaden ziehen über die Pfanne. Gegen die Sonne erspäht sie zwei dunkle Umrisse, und sie vermutet, daß es männliche Gnus sind, die ihre Territorien bewachen, bis ihre Gefährtinnen zurückkehren. Aber es könnten auch Hyänen sein, die in diesen ungewöhnlichen Zeiten tagsüber auf die Jagd gehen. Vielleicht hat sich an diesen beiden Stellen auch bloß der Nebel zusammengeballt. Zum ersten Mal wird ihr bewußt, wie sehr sie sich immer auf Matschs scharfen Blick verlassen hat.

Sie geht bis an den Rand der Pfanne und stellt die Vorderfüße auf einen flachen Felsabsatz. Seit dem Beginn der Dürre hat sie Versuche mit Infraschallrufen angestellt und zwei Theorien entwickelt. Die eine lautet, daß die Übertragungsqualität besser wird, wenn man auf einem Felsen steht. Die andere lautet, daß in lang andauernden Dürrezeiten der Boden so stark austrocknet, daß das Brummen von undurchdringlichen Erdmauern abgeblockt wird.

Wie auch immer, ihr bleibt nichts anderes übrig, als zu versuchen, Kontakt aufzunehmen. Sie ruft nach Matsch und nach ihrer Mutter. Als sie keine Antwort bekommt, ruft sie nacheinander alle Sie-Sechs. Immer noch keine Antwort. Entweder gelangt das Brummen nicht bis zu ihnen oder …

Oder alle sind tot. In diesem Fall wäre sie gestern stundenlang einem Trugbild gefolgt. Sie ruft sich ins Gedächtnis, daß sie nur Sie-Schreckt und Sie-Schnappt hat zu Boden gehen sehen, sonst niemanden. Wer weiß, wie viele von den übrigen überlebt haben? Womöglich alle, sagt sie sich, während sie die beiden, die mit Sicherheit tot sind, beweint (tränenlos, denn sie darf keine Flüssigkeit vergeuden). Alle anderen haben womöglich überlebt.

Aber wo sind sie? Wo ist sie selber? Dieser Ort ist ihr völlig fremd, sie erkennt keine vertrauten Geruchskombinationen oder Geräusche. Sie riecht kein Wasser. Sogar am tiefsten Punkt der Pfanne, dort, wo sie geschlafen hat, hat sie keins gerochen. Sie wird jemanden um Rat bitten müssen. Aber nicht die Geier, diese gemeinen Lügner. Sie geht auf den nächstgelegenen der beiden dunklen Umrisse zu und schnüffelt unterwegs an dem verdorrten Gras. Wenn es eine Hyäne ist, wird sie ihr nicht helfen, sie aber auch nicht angreifen, da die Sonne inzwischen aufgegangen ist und Dattelbett sich ihr furchtlos nähert.

Während sie nach wie vor bloß eine schimmernde, unkenntliche Gestalt wahrnimmt, gibt diese sich plötzlich zu erkennen, indem sie schnaubend aufsteht. Dattelbett bleibt abrupt stehen, in respektvoller Entfernung, und denkt: »Ich grüße dich, Bulle Ideal.«*

Keine Reaktion.

»Entschuldige bitte die Störung«, denkt sie, und geht näher an ihn heran, »aber kannst du mir vielleicht sagen, in welcher Richtung der Sie-Berg liegt?«

Er hebt die Schnauze.

»Der Ideal-Berg«, berichtigt sie sich.

Schweigen.

Sie beschließt, an sein Mitleid zu appellieren, falls er zu solch einem Gefühl fähig ist.

»Ich bin sehr durstig«, denkt sie. »Kannst du mir den Weg zur nächsten Wasserquelle zeigen?«

Er schüttelt den Kopf, was sie eher als Warnung denn als Weigerung auffaßt, obwohl es sein kann, daß er wirklich keine Ahnung hat, wo Wasser ist, denn Gnus können mehrere hundert Tage ohne Wasser auskommen.

»Ich bin verwundet«, denkt sie. Das wird ihr Geruch ihm schon verraten haben, aber sie will deutlich zu verstehen geben, daß sie nicht die Absicht hat, ihm sein Fleckchen Buschland streitig zu machen. »Ich bin von meiner Familie getrennt worden«, denkt sie, und ihre Kehle zieht sich vor Selbstmitleid zusammen.

Er schwenkt seine dicken Hörner. Dann geht er auf sie los, in dem linkischen, steifbeinigen Gang der Gnus.

Sie weicht nicht zurück. Er ist keine Gefahr für sie. Als er so nah herangekommen ist, daß sie seinen fauligen Atem riechen kann, bleibt er stehen und betrachtet sie von oben bis unten. Sie weiß, daß er versucht, das Ausmaß ihrer Eitelkeit einzuschätzen. Die Gnus glauben, alle Wesen bestimmten ihre relativen Körpermaße selber. Größer zu sein als andere finden sie dünkelhaft. Kleiner zu sein hingegen zeugt von

---

* Wenn eine Gedankenrednerin ein Mitglied einer anderen Art anspricht, benutzt sie die Höflichkeitsform »Bulle« oder »Kuh« (vergleichbar mit Herr oder Frau), gefolgt von dem Namen, mit dem dieses Lebewesen seinesgleichen bezeichnet.

übertriebener Bescheidenheit und ist daher genauso selbstgefällig. Das perfekte, das ideale Körpermaß ist das der Gnus.

»Groß und häßlich«, urteilt er. Wie ein Irrer hüpft er auf der Stelle und schüttelt so wild den Kopf, daß der Speichel fliegt. »Häßlich«, grunzt er, »Häßlich, häßlich ...«

Ihre Wunde pocht. Halb blind vor Schmerzen dreht sie sich um und geht weg. Sie achtet darauf, nicht auf seinen Kot zu treten, und stößt dann ein bitteres Lachen aus, weil ihr klar wird, daß solche Pingeligkeit unter den gegebenen Umständen verrückt ist. Sie mag verrückt sein, aber er und seine ganze Spezies sind vollkommen irre. Das gilt ihrer Ansicht nach für die meisten gefallenen Arten. Die Menschen, die gefallene Siejenige sind. Die Schlangen, die gefallene Mangusten sind. Gnus sind gefallene Warzenschweine, deshalb haben sie diese überdimensionierten Köpfe und machen soviel Aufhebens um die Frage der Körpergröße.

Im perlmuttfarbenen Nebel leuchten die zahllosen Steine und Knochen zu ihren Füßen unnatürlich hell. Sie denkt an den weißen Knochen, daran, wie tragisch es wäre, wenn zwischen all dem Gefunkel die rettende Rippe läge und sie blind daran vorbeiliefe. Allerdings ist die Wahrscheinlichkeit, daß der Knochen hier liegt, nicht sehr hoch.

Hagelkorn hat gesagt, der weiße Knochen werde fast immer in der Nähe eines Kreises aus Felsen oder Termitenhügeln fallen gelassen, oder westlich von einer Bergkette, und hier gibt es weder Berge noch Felsblöcke, zumindest kann sie keine sehen. Und die Knochen, die sie aufhebt, sind auch nicht besonders weiß. Von nahem betrachtet sind sie eher grau. Und kühl ... Die Sonne brennt noch nicht so glühendheiß, wie ihr verbrannter Rücken sie glauben macht.

Sie füllt ihren Rüssel mit Sand, den sie sich über den Rücken und zwischen die Beine wirft. Dies ist längste Dürre seit mindestens fünfundsechzig Jahren. Es ist eine Strafe, denkt sie. Oder aber eine Prüfung. Dann fällt ihr Sie-Drängts letzte Rede ein, und sie denkt: »Alles ist nur Erinnerung.« Diesen Gedanken findet sie noch schlimmer als die anderen beiden, denn dadurch wird alles unausweichlich, und sie sagt mit lauter Stimme (an die Sie gewandt, die ihre Worte schon kennt, die – womöglich mit Bedauern – an Ereignisse zurückdenkt, die Sie sich einmal in einer übermütigen oder gehässigen Laune vorgestellt hat): »Ich muß Wasser finden.«

Der Vormittag ist schon halb verstrichen, als sie endlich wieder einem anderen Lebewesen begegnet. Es riecht wie ein Sekretär. Diese Wesen stehen zwar in dem Ruf, überheblich und unnahbar zu sein, aber die beiden einzigen Sekretäre, mit denen sie je gesprochen hat, waren freundlich, wenn auch wenig mitteilsam.

Sie eilt auf ihn zu. Sie ist immer noch zu weit entfernt, um riechen zu können, welches Geschlecht er hat, als er sich zu ihr umdreht.

»Ich grüße dich, du Hoheitsvolles«, denkt sie.

Der Vogel stolziert im Kreis herum.

»Ich hätte eine Bitte an dich«, denkt sie.

Falls der Vogel als Antwort etwas denkt, so hört sie es nicht. Ein Lebewesen, das nichts sagt, muß ungefähr in ihre Richtung schauen, damit sie seine Gedanken hören kann. Sie läuft jetzt langsamer, bleibt aber erst stehen, als sie so dicht bei ihm ist, daß sie seine erstaunlich langen Schwanzfedern berühren könnte. Der Sekretär ist männlichen Geschlechts.

»Hallo, Bulle Hoheitsvoll«, denkt sie.

Er hockt inzwischen reglos auf einem Steinhaufen. Sie verkneift es sich, an dem Haufen zu schnüffeln, wittert aber vage den Kot von Nagern. Sie hat schreckliche Schmerzen, und ihre trockene Kehle fühlt sich an wie mit Dornen gespickt. Dennoch durchzuckt sie ein Gefühl der Freude, denn noch nie ist sie einem Sekretär so nahe gewesen. Er hat wirklich etwas Hoheitsvolles an sich, denkt sie (besonders deutlich, damit er es auch hört). Er »macht seinem Namen alle Ehre …«, wie man so sagt. Sie würde diese Vögel allerdings nicht »Tretfliegen« nennen (dies denkt sie nur bei sich). Die anderen Siejenigen gehen davon aus, daß die Angewohnheit, beim Gehen mit den Füßen nach hinten auszuschlagen, Herablassung ausdrücken soll, Dattelbett hingegen hält es bloß für eine Methode, auf der Suche nach Insekten im Boden zu scharren.

Die rechte Klaue des Vogels schnellt nach unten und taucht mit einer braunen Schlange in den Krallen wieder auf. Nachdem der Vogel sie ein gutes Dutzend Mal gegen die Steine geknallt hat, hört die Schlange endlich auf, sich zu winden. Er dreht den Kopf weit herum und schaut zu Dattelbett hoch. »Das wäre mir deinetwegen beinahe mißglückt«, denkt er.

»Entschuldige vielmals«, denkt Dattelbett. Die Schlange ist eine Puffotter, genau wie die Schlangen, die in den letzten Jahren zwei Kälber der Sie-Sechs getötet haben. »Weißt du eventuell«, denkt sie, »wo es hier in der Nähe Wasser gibt?«

»Durchaus.« Er reckt würdevoll den Hals.

»Und wo?«

»Wo was?«

»Wo ist das Wasser.«

»Das Wasser ist da, wo es immer ist.«

»Ich kenne mich in dieser Gegend nicht aus.«

»Das ändert nichts daran, daß das Wasser ist, wo es ist.« Er breitet die Flügel aus, rennt im Zickzack los, schleift dabei die Otter über den Boden und zieht einen sich windenden Schlauch aus braunem Staub hinter sich her, dessen Ähnlichkeit mit der Otter Dattelbett nicht entgeht.

Sie läuft in die entgegengesetzte Richtung und hält den Rüssel dicht am Boden, aber sie stößt nur auf die entmutigenden Gerüche von altem Kot, altem Urin, alten Knochen und totem Fleisch. Inzwischen ist der Wind stärker geworden. Jedes Mal, wenn sie sich mit Staub besprüht, wird das meiste davon weggeblasen, ehe es ihre Haut berührt. Bald wird die Hitze unerträglich sein. Bereits jetzt brennen die Reiherfedern, die von Zeit zu Zeit auf ihrem Rücken landen, so heiß wie Flammenzungen. Wo kann sie Schutz finden? Zum ersten Mal in ihrem Leben ist auf ihr Gedächtnis kein Verlaß. Irgendwie ist sie hierhergelangt, und normalerweise bräuchte sie bloß die zurückgelegte Strecke im Geiste erneut abzulaufen und dann auf demselben Weg zurückzugehen, aber ihre Erinnerung an den gestrigen Tag ist genauso verschwommen wie ihr Blick, und genauso unzuverlässig.

Sie streift ziellos umher, denn es ist kein Geruch da, der sie leiten könnte. Der Kot stammt von Straußen, Hyänen, Leoparden, Warzenschweinen, Giraffen und Goldschakalen. Und natürlich von Geiern. Ihre eigenen Haufen, auf die sie ab und zu stößt, lassen keine Richtung erkennen. Statt eines geraden Pfads markieren sie Schleifen, so als sei sie den ganzen Weg lang getorkelt. Der Kot der anderen Geschöpfe ist nicht immer alt, und manchmal wittert sie zwischen den Kadavern auch Leben – hauptsächlich Hyänen und Gnus. Immer, wenn sie auf felsigen Untergrund stößt, sendet sie Infraschallrufe an Matsch und ihre Mutter, und in jedem ausgetrockneten Flußbett gräbt sie nach Wasser. Einmal findet sie dabei ein paar Knollen, deren saftiges Fleisch wenigstens den schlimmsten Durst lindert. An einen heißeren Tag als diesen kann sie sich nicht erinnern. Wider Willen durchlebt sie erneut die heißesten Tage ihres Lebens und stellt sich Schatten vor, wo keiner ist, oder versucht, aus nicht vorhandenen Pfützen zu trinken. Während sie in einer Erinnerung über glühendheißen Boden läuft, tritt sie fast auf echte Flammen, die dort, wo Reste von verdorrtem Gras ihnen Nahrung bieten, unter dünnen Rauchschwaden flackern. Über dem Rauch segeln schwarze Milane durch die Luft, die jedoch ihre Hilferufe ignorieren. Einmal glaubt sie, eine flache Hügelkette zu sehen, aber wie sich herausstellt, sind es bloß Staubwolken, verursacht von einer Schar Geierperlhühner. Sie legen ihre winzigen Köpfe schief und gackern »Hau ab!«, und albernerweise fürchtet Dattelbett sich vor ihnen.

Ihr Schädel pocht inzwischen unablässig, und ihr wird klar, daß sie sich um die Wunde kümmern muß, wenn sie keine Entzündung riskieren will. Sie braucht einen Umschlag, entweder aus Warzenschweinurin und Fieberbaumrinde (so wie der, den Sie-Schützt auf Hagelkorns Fuß gelegt hat) oder aus Hyänenkot und Fieberbaumrinde. Dies sind die beiden einzigen Mittel zur Behandlung von Schußwunden, wie jede Medizinkuh weiß.

Auch Dattelbett weiß es. Bei den Großen Regenversammlungen waren für sie die spannendsten Momente immer dann gekommen, wenn jemand erkrankte oder verwundet wurde und die Medizinkühe aus sämtlichen Familien – Sie-Schützt, Sie-Heilt-und-Heilt, Sie-Rettet, Sie-Kuriert und all die anderen – sich um den Patienten versammelten und darüber berieten, was zu tun sei. Ehe sie begriff, daß solche Neugier nicht geschätzt wurde, fragte sie die Kühe immer, warum sie eine bestimmte Behandlungsmethode einer anderen vorzogen, oder warum sie die übliche Zusammensetzung einer Mixtur veränderten, und die Antwort lautete stets »Weil es so besser wirkt« oder etwas in dem Sinne. Selbst als sie noch ein ganz junges Kalb war, fand Dattelbett diese Auskunft kaum befriedigender als die Floskel »Also sprach die

Sie«. Zu ihrer größten Enttäuschung interessierte sich niemand, noch nicht einmal die ehrwürdige Sie-Lindert, für die genaue Wirkungsweise der Mittel.

Dattelbett dagegen interessiert sich brennend dafür. Schon auf ihrer zweiten Großen Regenversammlung schlug sie den Kühen mögliche Erklärungen vor: Der Kot erstickt den Eiter; die hohlen Stöckchen verschlingen das Fieber. Die Medizinkühe lauschten ihr scheinbar interessiert, aber kein einziges Mal blitzte so etwas wie Enthusiasmus in ihren Augen auf, und schließlich begriff Dattelbett, daß sie Angst hatten. Man darf sich nicht anmaßen, zuviel über die Heilmittel nachzudenken, sie genau erforschen zu wollen. Denn dadurch könnte man ihre Wirksamkeit beeinträchtigen und die Sie beleidigen. Aber wieso sollte die Sie beleidigt sein? Dattelbett hat diese Frage nie gestellt, da ihr durchaus bewußt ist, daß schon die Angst der Kühe von gewissen Glaubenszweifeln zeugt, die sie nur ungern wahrhaben, geschweige denn zugeben wollen.

Jedenfalls weiß Dattelbett, was sie für ihre Wunde braucht. Aber wo soll sie in dieser wüsten Gegend einen Fieberbaum finden?

Sie dreht sich witternd im Kreis. Sie unterdrückt den Drang zu blinzeln, damit ihre Augen feucht werden und sie wenigstens kurzfristig besser sehen kann. (Sie wünschte, es gäbe eine Medizin gegen schwache Augen. Irgendeine Flüssigkeit, die, anders als Tränen, haften bleibt. Ein durchsichtiger Schleim oder ein Gelee, mit dem man die Augäpfel bestreicht.)

In allen Richtungen das gleiche trostlose Bild. Überall nur Büsche, Steine, Feuer.

Feuer.

Warzenschweinurin und Hyänenkot brennen die Wunde aus, darin besteht ihre Wirkung. Warum das Ausbrennen hilft, weiß Dattelbett auch nicht, es sei denn, die Vermutung, die sie damals den Medizinkühen gegenüber geäußert hat, trifft zu: »Weil das Böse dadurch verglüht.« Aber müßte ein glimmender Stock oder ein heißer Stein dann nicht dieselbe Wirkung haben?

Sie rennt zu einer der rauchenden, schwelenden Stellen. Einen Stock kann sie nirgendwo entdecken. Es liegen viele Steine und Felsbrocken herum, aber wie kann sie es schaffen, einen davon aufzuheben, ohne ihren Rüssel zu versengen? Sie bräuchte als Schutz ein grünes Blatt oder einen Palmwedel.

Blinzelnd und witternd untersucht sie die Umgebung. Der Schmerz hämmert in ihrem Kopf, und ihre Gedanken sind wirr. »Wasser«, denkt sie ins Leere hinein, und ein paar Geier kommen herbeigeflogen, landen hinter ihr und krächzen: »Wasser! Wasser!« Kaum aber dreht Dattelbett sich zu ihnen um, breiten sie die Flügel aus und erheben sich mit erstaunlicher Anmut in die Luft.

Hinter ihren Augen wütet ein Tornado. Sie taumelt ein paar Schritte vorwärts und sinkt am Rande der knisternden Flammen auf die Knie. Wie lange verharrt sie so? Eine Minute? Eine Stunde? Daß überhaupt Zeit verstrichen ist, merkt sie bloß an den Krämpfen in ihren Gliedern. Als sie wieder klar genug denken kann, um den Rauch in ihrem Kopf von dem Rauch draußen zu unterscheiden, klemmt sie ihren Rüssel unters Kinn, preßt die Ohren an den Schädel und hält ihr Gesicht über eine spitze Flamme.

Vielleicht weil sie den Schmerz erwartet hat, ist er nicht so schlimm wie befürchtet. Sie spürt, jetzt endlich, das Stechen, das sie beim Eindringen der Kugel hätte spüren sollen – und dann wird der Schmerz kühl und erträglich. Erst als sie riecht, wie ihre Haut verbrennt, hebt sie den Kopf. Sie rappelt sich hoch und geht weg. Sie findet eine Stelle, wo weder Steine noch Knochen liegen, und sinkt dort wieder zu Boden.

Das Brennen saugt all ihre anderen Qualen auf, sogar den Durst. Es läßt alles verglühen, und obwohl sie es nicht schafft aufzustehen, fühlt sie sich doch erholt.

Sie murmelt ein Dankeslied:

Hab Dank für einen Glauben, der nicht wankt
Und Schutz vor Furcht mir gibt;
Der mich befreit von Todesangst
Und doch das Leben liebt.

Der alle Zweifel, alle Mühe
Mir nimmt und in der Not nicht fällt,
Der steht zur Sie, der Kuh der Kühe,
Zum Rüssel, der uns hält.

Dann verliert sie das Bewußtsein.

Als sie aufwacht, sieht sie dicht vor ihren Augen einen Haufen ihres eigenen Kots, dessen süßlicher, vertrauter Geruch so appetitlich ist, daß sie ihn essen würde, wenn sie genug Willenskraft aufbringen könnte, um sich zu bewegen. Auf kurze Entfernungen ist ihr Sehvermögen phantastisch, und sie betrachtet die Fliegen, die über die Kotklumpen krabbeln: Flügel wie Scheiben aus blauem Licht; grüne Kugelaugen. Wie aufgeregt sie sind! Sie scheinen mit den Nerven am Ende zu sein, verzweifelt über den Verlust von etwas Unentbehrlichem, das sie in den Kotklumpen wiederzufinden hoffen, und obwohl sie sich gegenseitig nicht zu beachten scheinen, erzeugen sie doch ein gemeinsames Summen, das den Eindruck eines einzigen vieläugigen, vielflügeligen, rastlosen Geschöpfs hervorruft.

Wie mag dieses Geschöpf sich selbst nennen? Gedankenrednerinnen und Insekten unterhalten sich nicht miteinander, also hat es keinen Zweck zu fragen. Und trotzdem fragt sie ... sie denkt: »Zu welcher Rasse von Flecken gehört ihr?« Das Summen scheint sich zu dem Wort »Unentbehrlich« zu verdichten.

»Unentbehrlich«, denkt sie, belustigt, weil alle Geschöpfe so pompöse Namen haben und sie sich (da es unmöglich ist, daß die Fliegen ihr geantwortet haben) diesen Namen selbst ausgedacht haben muß. Sie entscheidet, daß das Geschöpf weiblich ist. »Ich grüße dich, Kuh Unentbehrlich«, denkt sie.

Die Fliegen steigen alle gleichzeitig in die Luft und lassen sich dann auf dem Klumpen nieder, der ihrem rechten Auge am nächsten ist. Sie hat den Eindruck, die Fliegen sind nicht in der Lage, sie als Ganzes zu erfassen, und nehmen ihr Auge daher als eigenständiges Geschöpf wahr, welches sie Das Schimmern nennen. Merkwürdig ist nur, daß zwar ihr Verstand ihr dies alles erzählt, sie aber das Summen als Inspiration braucht. Sie hört keine Worte, sondern Schwingungen, die durch das Einschußloch in ihren Kopf dringen und dort für sie verständlich werden. »In welchem Sinne«, denkt sie, »bist du unentbehrlich?«

»Ich umspanne die Domäne.«

»Du umspannst die Domäne«, wiederholt sie verwundert. Dann aber stellt sie es sich bildlich vor. Eine Fliege summt zur nächsten, die summt ihrerseits zur nächsten, die wiederum zur nächsten summt und so weiter, und jedes Summen spinnt einen zarten Faden in einem Geflecht, bis dieses Flechtwerk sich als ein einziges, glitzerndes Gebrumm über die ganze Welt erstreckt. »Wie wunderbar«, denkt sie und vergißt dabei, daß sie wahrscheinlich mit sich selber spricht.

»Ich umspanne die Domäne«, sagt das Summen erneut.

»Ja, ich verstehe.«

»Ich habe den Überblick.«

»Über die gesamte Domäne«, ergänzt Dattelbett.

Die Fliegen zeigen darauf keine Reaktion. Dattelbett wird erneut ihr ungeheurer Durst bewußt. »Wo kann ich Wasser finden?« denkt sie.

»Da lang.«

Sie hebt den Kopf. »Wo lang?«

»Da lang.«

Die Fliegen schauen alle in unterschiedliche Richtungen.

Entmutigt läßt sie den Kopf hängen und verfällt in einen Wachtraum, in dem sie durch die Luft fliegt. Die Landschaft ist bis in die Einzelheiten zu erkennen, aber farblos. Seltsam runde Berge, die wie riesige Eier aussehen, ziehen rechts und links an ihr vorbei, und aus irgendeinem Grund kann sie gleichzeitig nach beiden Seiten schauen. Alles ist sehr groß und überdeutlich. Unter ihr hastet ein Geschöpf entlang, das einem riesigen Insekt ähnelt, und in diesem Moment wird ihr klar, daß sie mit den Augen einer Fliege sieht, damit sie zu einer Wasserquelle geführt werden kann.

Sie sollte lieber gut achtgeben. Und auf die Relationen achten. Was für eine Fliege eine große Entfernung bedeutet, ist für sie ein Klacks. An den Schatten erkennt sie, daß die Sonne rechts hinter ihr steht. Sie schwebt an einer Kette jener runden Berge vorbei, bei denen es sich um Kiesel handeln muß, dann über eine Reihe dunkler, gesprenkelter Scheiben in der Größe von Seen. Rinderkot? Zu ihrer Linken kommt ein Steilabbruch in Sicht ... nein, es ist ein Knochen, ein Oberschenkelknochen. Brustkorb und Schädel liegen ein Stück weiter. Von was für einem Geschöpf stammen sie? Von einem Zebrafohlen? Es fällt schwer, Dinge zu erkennen, wenn sie tausendfach vergrößert sind.

Risse im Boden tun sich wie Schluchten auf, eine Horde buckliger Insekten gleicht einer weidenden Büffelherde. Eine Wand aus ineinander verwobenen Baumstämmen ist entweder ein Busch oder ein

Haufen trockenes Gestrüpp. Sie kommt an Termitenhügeln vorbei, die hoch in den Himmel ragen. Dann ist für eine Weile nichts als nackter Erdboden zu sehen. Jedes Sandkorn ist ein zitternder Kiesel. Der Boden fällt ab, und Dattelbett gleitet über eine Wabe aus fliederfarbenen Felsblöcken, hinter denen sich eine weiße Sandfläche erstreckt.

Dann ist der Traum zu Ende.

Sie steht auf und wird wieder ihrer Leiden gewahr. Jetzt, da sie sich vom Boden erhoben hat, kann sie die Fliegen nicht mehr sehen, und es kommt ihr unfaßbar vor, daß sie mit ihnen kommuniziert hat. Dennoch bricht sie in die Richtung auf, in die der Traum sie gewiesen hat. Sie dreht sich, bis sie die Sonne im Rücken hat, schwenkt dann ein wenig nach links, und schon nach wenigen Minuten trifft sie auf den Schenkelknochen, den Schädel und den Brustkorb des Zebrafohlens. Von da an rennt sie. Sie läuft vorbei an Termitenhügeln, dann über einen Wall aus fliederfarbenen Steinen, bis sie das Bett eines ausgetrockneten Flusses erreicht, wo sie euphorisch zu graben beginnt.

Acht

Im Sumpf ist es nicht sicher. Menschen kehren oft noch einmal an den Ort eines Gemetzels zurück, um versehentlich liegengebliebene Füße oder Schwänze zu holen oder sich einfach am Anblick des Schlachtfelds zu weiden. Manchmal zerteilen sie einen Leichnam und tragen die Stücke weg, vermutlich in der Absicht, sie anderswo zu essen, aber in den meisten Fällen machen sie an Ort und Stelle ein Feuer, und ihre lärmenden Feste dauern oft mehrere Tage.

Die Stoßzähne nehmen sie immer gleich mit. Wo die Stoßzähne hingebracht werden und was die Menschen damit (und auch mit den Füßen und Schwänzen) wollen, weiß keiner genau. Sturm sagt, er habe einmal zwei menschliche Leichname gesehen, deren Hälse und Vorderbeine mit schmalen Streifen aus Elfenbein umringt waren, und er nimmt an, daß diese Streifen die Sehnsucht nach der Zeit ausdrücken sollen, als die Menschen noch Siejenige waren. Wie die meisten glaubt er außerdem, daß die Menschen Stoßzähne pulverisieren und den Elfenbeinpuder inhalieren, um ihren dürftigen Geruchssinn zu stärken.

Die Menschen, die das Gemetzel im Sumpf veranstaltet haben, haben jedes kleinste bißchen Elfenbein mitgenommen, sogar die Stoßzähne der Kälber, aber Schwänze und Füße haben sie nicht angerührt. Eine Greueltat weniger, aber ein Grund mehr, sich Sorgen zu machen. Selbst wenn diese Menschen nicht zurückkehren, könnten andere Mitglieder ihrer Familie kommen. Trotzdem weigert sich Sie-Schnaubt, den Sumpf zu verlassen.

»Ihr könnt ja gehen«, sagt sie am Morgen danach grollend zu Sie-Schreit. »Ich warte auf meine Tochter.«

»Wenn sie kommen wollte, wäre sie schon hier«, protestiert Sie-Schreit und hat damit nicht ganz unrecht. »Sie wird nicht mehr kommen, nicht Dattelbett, dazu ist sie viel zu klug. Sie wird nicht annehmen, daß wir noch hier sind.« Sie wirft Sumpf besorgte Blicke zu. »Ich bin sicher, Sie-Schreckt hätte nicht gewollt, daß wir unser Leben aufs Spiel setzen. Und meine arme Mutter auch nicht, das könnt ihr mir glauben.«

Mit den Hinterbeinen scharrt Sie-Schnaubt noch mehr Sand über die kopflose Leiche von Sie-Druckst-und-Druckst. Durch die Bewegung wackelt ihr Hinterteil so provozierend und erotisch, daß der kleine Knick versucht, ihren Oberschenkel zu besteigen. Sie schüttelt ihn ab. »Deine arme Mutter weilt nicht mehr unter uns«, sagt sie. »Sie-Schreckt weilt nicht mehr unter uns. Ich bin die Matriarchin, und als Matriarchin rate ich euch« – sie schwenkt herum und schaut Sie-Schreit an –, »zu tun, was ihr wollt.«

»Also wirklich!« brüllt Sie-Schützt entgeistert. Die beiden anderen großen Kühe beachten sie nicht.

»Willst du mich etwa verstoßen?« kreischt Sie-Schreit.

»Ich sage nur, daß du frei bist und gehen kannst, wohin du willst.«

Aber natürlich ist Sie-Schreit keineswegs frei, und es ist eine Schande, daß Sie-Schnaubt so etwas sagt. »Sie ist völlig von Sinnen vor Kummer«, denkt Matsch, um sich dieses Verhalten zu erklären. Aber sie denkt auch, daß Sie-Schnaubt und Sie-Schreit nicht Schwestern, sondern Tante und Nichte sind, und Tanten und Nichten trennen sich manchmal und gründen mit ihren jeweiligen Kälbern und jüngeren Schwestern eine eigene Familie. Allerdings ist diese Familie schon sehr zusammengeschrumpft, und wenn Sie-Schreit weggeht, dürfte Sumpf der einzige sein, der sich ihr anschließt, denn wer sonst würde sich schon für Sie-Schreit entscheiden? Und selbst Sumpf – Matsch schaut zu ihm hinüber und beobachtet, wie er dort mit Hagelkorn, dem er seit gestern Abend nicht von der Seite gewichen ist, im blutbraunen, seichten Wasser steht – selbst Sumpf würde sich vielleicht von seiner Mutter abwenden.

Zum ersten Mal erlebt Matsch, daß Sie-Schreit sprachlos ist. Sie schüttelt ihren häßlichen Kopf, und das Klatschen ihrer Ohren erinnert unangenehm an das Geräusch eines herannahenden Hubschraubers.

Sie-Schnaubt schlendert gemächlich davon.

»Du bist ein Vielfraß!« kreischt Sie-Schreit schließlich.

Sie-Schnaubt geht unbeirrt weiter.

»Wenn ich ein solcher Vielfraß wäre wie du«, ruft Sie-Schreit, »dann wäre ich die größte Kuh!« Sie dreht sich abrupt um und stolziert in entgegengesetzter Richtung von dannen. Beide wiegen sich in den Hüften. Sie-Schnaubt wirkt lässig und vornehm, Sie-Schreit sieht aus, als habe sie Verdauungsprobleme.

Der Tag schleppt sich voran. Wie immer, wenn es eine Phase der Qual oder des Wartens zu ertragen gilt, tritt die Sonne in einen Zustand erhöhter Wachsamkeit ein und zieht langsamer über den Himmel, daher ist es noch früher Nachmittag, als es eigentlich schon dämmern müßte. Matsch fühlt sich wie ausgelaugt vom vielen Weinen, vom Singen der Hymnen, von der Anstrengung, Sand über die Leichen zu werfen, und vom vergeblichen, aufreibenden Verjagen der Geier. Sie steht im Schatten von Sie-Schreit, die sich schnaufend an die Böschung gelehnt hat. Den ganzen Morgen klagt Sie-Schreit schon über Kurzatmigkeit, obwohl sie nicht atemloser wirkt als alle anderen. »Ich habe einen Anfall!« kreischt sie immer wieder, an Sumpf gewandt. Jetzt scheint sie tatsächlich Schmerzen zu haben, aber als wolle sie Sie-Schnaubt beweisen, daß sie die Heldenhaftere ist, geht sie nicht ins Wasser, bis Sie-Schützt ihr zubrüllt, sie riskiere Hitzeschlaf. Es ist so heiß, daß man den Todesgestank in rötlichen Schwaden von den Leichen aufsteigen sieht. Jede klaffende Wunde, jeder Blutpfuhl ist dicht bedeckt mit den schwarzen Stechfliegen, die aus der Asche geboren werden, und das bedeutet entweder, daß irgendwo außerhalb ihrer Riechweite Menschen Fleisch verbrennen, oder daß in der Savanne Grasfeuer wüten.

Trotz des beißenden Geruchs und der Gefahr haben sie den Sumpf nicht für sich allein. Gnus, Gazellen, Büffel, Flußpferde, Zebras und Scharen von Pavianen irren am Ufer herum und rempeln die Krokodile an, die immer wieder nach ihnen und nach herabstoßenden Vögeln schnappen. Nur Siejenige und Flußpferde sind vor diesen Angriffen sicher, und die Flußpferde stellen ihre Immunität zur Schau, indem sie an den zackigen Rückgraten der Krokodile knabbern. Die Krokodile gleiten unter die Wasseroberfläche. Daß sie sich an den Kadavern gütlich tun, verrät nur ein leichtes Schaukeln der Beine, die wie Baumstämme aus dem Wasser ragen. Auf den Beinen thronen Geier. Ein paar davon sitzen auch in den Mulden der Gesichter, so als wären es Nester. Die Geier stecken ihre blutfarbenen Schädel tief in die Bäuche der

Toten und tauchen mit blutigen Darmschlingen im Schnabel wieder auf, die sie mit einem kräftigen Kopfruck herausreißen.

Matsch und Sie-Schnaubt haben sich von diesem unsäglichen Anblick abgewandt und weiden weiter weg, in der Mitte des Sumpfs, an einem Riedgrasgebüsch. Die beiden haben die tiefsten Stimmen, deshalb watet alle paar Stunden eine von ihnen aufs feste Land zurück, um Infraschallbotschaften auszusenden, zuerst an Dattelbett, dann an Sturm, an Langschatten und schließlich noch an die drei Matriarchinnen, von denen bekannt ist, daß auch sie ihre Familien manchmal in diesen Sumpf führen. Nach jedem Ruf hören alle auf zu weiden und lauschen auf eine Antwort. Es kommt keine.

Die Familie ist ungewöhnlich weit verstreut. Sie-Schützt und Knick bleiben im flachen Wasser, und sobald sich Geier auf den Leichen der kleinen Kälber niederlassen, läuft Sie-Schützt mit platschenden Schritten ans Ufer und scheucht sie weg. Sie-Schreit weidet allein am Südrand des Sumpfs und schickt von dort aus wehklagende Schreie zu Sumpf hinüber. Einmal versucht sie, ihn mit sich ins tiefere Wasser zu ziehen, aber er macht sich energisch von ihr los und trompetet: »Ich bin doch kein Neugeborenes!« Diese Heftigkeit, und erst recht die Empörung, sind so untypisch für ihn, daß seine Mutter wimmernd zurückweicht.

Sumpf hat nur Hagelkorn im Sinn, der seinerseits nicht vom Kadaver seiner Tante Sie-Drängt weicht. Die Geier und Krokodile läßt Hagelkorn allerdings gewähren; es geht ihm nicht unbedingt darum, die sterblichen Überreste zu beschützen. Er trinkt und duscht und gestattet Sumpf, ihn zu streicheln und die Fliegen von seinem Gesicht zu wischen, aber wenn jemand ihn zum Essen auffordert, behauptet er, er sei nicht hungrig. Zweimal bringt Matsch ihm ein Büschel Gras, aber er gibt es an Sumpf weiter, der sagt: »Na schön, wenn du meinst«, und es mit ergebener Miene aufißt. Als sie Hagelkorn das zweite Büschel anbietet, gegen Ende des Nachmittags, traut Matsch sich zu sagen: »Es muß einen Grund geben, warum du verschont wurdest.«

Hagelkorn schaut sie an. Zwischen ihnen recken sich die Schatten über den Sumpf. »Sicher hast du recht«, antwortet er höflich. »Aber ich kann mir nicht vorstellen, welcher das sein könnte.«

»Jetzt vielleicht noch nicht. Aber eines Tages wirst du es verstehen.« Obwohl sie das wirklich glaubt, ist ihr bewußt, wie schwach es klingt.

Sumpf seufzt. »Nur in Momenten der Glückseligkeit«, sagt er, »wird uns klar, warum manchmal schlimme Dinge geschehen müssen.«

Wieder eine seiner abwegigen Bemerkungen, und jetzt muß auch Matsch seufzen.

Hagelkorn schaut zum Ufer. Alle anderen sind jetzt dort; sie stehen zwischen den Toten. Matsch betrachtet Hagelkorns ausgemergeltes junges Gesicht und spürt Mitleid in sich aufwallen, spürt, daß sie ihn bald bemitleiden wird. Im Augenblick aber muß sie solche Gefühle aufsparen und in Gedanken ganz bei Dattelbett sein, um ihr Beistand zu leisten. Für Hagelkorn kann sie bestenfalls eine vage Anteilnahme aufbringen. »Falls ich getötet werde«, hatte Dattelbett gesagt, »mit wem wirst du dich dann unterhalten?« Mit ihm, denkt Matsch, aber sie kann es sich trotzdem nicht vorstellen. Hagelkorn ist nicht Dattelbett, genau wie Sie-Schreckt nicht Matschs leibliche Mutter war und Matsch nicht Sie-Schreckts totes Neugeborenes.

৵�

Sie wandern nicht wie üblich in einer Reihe, mit der Matriarchin vorn und der zweitgrößten Kuh als Schlußlicht. Sie-Schnaubt gibt zwar den Kurs an, aber nur Sie-Schützt und Knick folgen ihr. Sie-Schreit, die eigentlich ganz am Ende sein sollte, läuft etwa zwanzig Meter links von Sie-Schnaubt. Sie bleibt absichtlich auf einer Höhe mit ihr, so als wolle sie entweder den Eindruck erwecken, sie habe ebensoviel zu sagen, oder aber sie laufe rein zufällig in die gleiche Richtung. Ab und zu wendet sie sich nach hinten, um den Geruch von Sumpf und Hagelkorn aufzuschnappen. Die beiden jungen Bullen zuckeln hinterdrein. Immer, wenn sie außer Sicht- oder Riechweite geraten, ruft Sie-Schreit »Halt!«, und Sie-Schnaubt gehorcht, aber nur wegen Hagelkorn (der immer noch beunruhigend dünn ist, und dessen Wunde weiterhin eitert). Auf diese Weise wird das Tempo bestimmt, und auch die Häufigkeit der Infraschallbotschaften, denn bei jedem Halt rufen Sie-Schnaubt oder Matsch nach Dattelbett. Wenn etwas Eßbares in der Nähe ist, nutzen sie die Pausen außerdem zum Weiden.

Matsch läuft rechts neben Sie-Schützt und Knick, in etwa gleich großem Abstand wie Sie-Schreit auf der linken Seite, und das ist ungefähr doppelt so weit entfernt wie normalerweise. Die Familie ruft sie jetzt wieder bei ihrem Kuh-Namen, Sie-Schmollt, und obwohl sie begreift, daß es unvermeidlich ist, fühlt sie sich jedesmal mißachtet, wenn sie angesprochen wird.

Die drei großen Kühe sind sowieso keine sehr reizvolle Gesellschaft. Die großspurige Begeisterung von Sie-Schützt – die in guten Zeiten herzerwärmend sein kann – wirkt hier draußen geradezu grotesk. Matsch findet Sie-Schützt richtig widerlich. Der Gestank ihres Augenpfropfens (eine Mischung aus weichgekauter Fieberbaumrinde und Hyänenkot) ist noch das geringste. Die Medizinkuh ißt dauernd den Kot anderer Grasfresser – »Dürrefrüchte« nennt sie ihn – und ermahnt zudem den Rest der Familie, es ihr gleichzutun. Sobald jemanden das Verlangen nach Salz überkommt, macht sie Reklame für das Trinken von Urin: Sie könnten ganz auf Umwege zu den Salzlecken verzichten, wenn sie die flüssigen Ausscheidungen der anderen tränken. »Nehmt euch ein Beispiel an Sie-Schützt!« brüllt sie und schiebt den Rüssel unter Knicks Bauch, um von seinem Urin zu trinken, woraufhin das kleine Kalb auf seinen zarten Beinchen hin und her schwankt und die Augen rollt, bis man das Weiße sieht.

Nicht weniger enervierend sind Sie-Schnaubt und Sie-Schreit, die ständig übereinander herziehen. Zwar ist es oft Sie-Schreit, die anfängt, aber muß Sie-Schnaubt unbedingt mitmachen? Sollte sie es nicht besser wissen? Obwohl Matsch Sie-Schreit verachtet, weil sie von ihr verachtet wird, empfindet sie doch keine Schadenfreude, wenn Sie-Schnaubt sich über die schrullige Kuh lustig macht oder sie beleidigt. Hätte Matsch auch nur ein bißchen Autorität, sie würde Sie-Schnaubt bitten, nachsichtiger zu sein. Sie-Schaut ist das schließlich auch gelungen.

Matsch ist verblüfft, wie viele Qualitäten, die eine gute Matriarchin auszeichnen, Sie-Schnaubt fehlen. »Macht, was ihr wollt«, lautet ihre häufigste Anordnung, und sie spricht nicht viel mit den anderen, abgesehen von Hagelkorn. Um den scharwenzelt sie unablässig herum. Im Blutsumpf brachte sie ihn durch ihre Schmeicheleien sogar dazu, seine Nachtwachen bei der Leiche von Sie-Drängt aufzugeben. Das war am Morgen des fünften Tages nach dem Gemetzel. Am Morgen des vierzehnten Tages, als sie endlich eingesehen hatte, daß Dattelbett nicht wiederkommen würde, überredete sie ihn mit süßen Worten, sich an der Suche zu beteiligen, denn sie fürchtete, er könne sich zu Tode hungern, wenn er allein blieb. Jetzt lobt sie ihn jeden Abend, wenn Sie-Schützt seinen Breiumschlag erneuert, für sein Durchhaltevermögen und erzählt ihm ruhmreiche Geschichten über seine toten Verwandten. Sie klingt dabei wie eine Mutter, die ihr Kalb tröstet, und zugleich wie ein Bulle, der eine aufgeregte, brünstige Kuh verführen will. Das allein ist schon merkwürdig, noch merkwürdiger aber ist es, solche Nettigkeiten aus dem Munde einer so eitlen Kuh zu hören. Komplimente bewegen sich prinzipiell in die Richtung von Sie-Schnaubt. Wenn sie die entgegengesetzte Richtung einschlagen, ist es, als ob Wasser bergauf fließen würde. Nach und nach verstummen dann die anderen und hören verwundert zu. Was Hagelkorn betrifft, der sagt im förmlichen Tonfall »Danke, werte Matriarchin«, oder »Ich fühle mich sehr geehrt, Matriarchin« oder macht irgendeine ähnliche höfliche Bemerkung.

In der Regel folgt dann ein Moment des Friedens, in dem sie alle über das Ausmaß des erlittenen Verlusts und zugleich über das Rätsel ihrer eigenen Unversehrtheit nachsinnen. Jedenfalls empfindet Matsch es so. In diesen Augenblicken – wenn die Luft kühler geworden ist und der Staub nicht mehr über die Steppe tobt – überkommt sie auch die heitere Gewißheit, daß Dattelbett am Leben ist. Und mit Hilfe von Sie-Schnaubt werden sie sie auch finden. Wer hätte gedacht, daß die selbstverliebte Sie-Schnaubt so an ihrer Tochter hängt? Matsch fragt sich, ob Dattelbett selber davon überhaupt eine Ahnung hat. Und wer hätte ihr diese Zielstrebigkeit zugetraut? In den letzten sechs Tagen hat Sie-Schnaubt Dattelbett fünfmal gewittert, und das grenzt schon fast an ein Wunder, wenn man bedenkt, wie flüchtig und leicht zu verfälschen Dattelbetts Geruch ist, ganz abgesehen davon, daß der Wind jeden Geruch abschwächt. Einmal fand Sie-Schnaubt einen Ball von unverdaulichen Palmenfasern, den Dattelbett ausgespuckt hatte. Zweimal entdeckte sie Kot von ihr, und zweimal witterte sie ihr Blut. Als sie auf einem umgestürzten Baumstamm den ersten Blutstropfen fand, sagte Sie-Schnaubt: »Sie ist verwundet«, und Sie-Schützt dröhnte: »Nicht der Rede wert!« Ihre Stimmen, die eine erschrocken, die andere hoffnungsvoll, umrissen präzise die engen Grenzen der unter diesen Umständen angemessenen Gefühle. Nicht Verzweiflung, noch nicht. Aber auch noch nicht Erleichterung.

Nach Matschs Meinung sind die Unzulänglichkeiten der Matriarchin in Anbetracht ihres feinen Rüssels verzeihlich. Sie setzt große Hoffnung in sie, was das Auffinden nicht nur von Dattelbett, sondern auch von trinkbarem Wasser angeht. Sie-Schreit stolziert immer wieder zu einer Stelle in einem trockenen Flußbett, wo die Familie einst, vor zwei oder drei Jahrzehnten, ein Wasserloch ausgehoben hat. Beim Graben gibt sie hektische, selbstgefällige Laute von sich, grunzt aufgebracht und ruft schließlich Sumpf zu, sie sei außer Atem, worauf er seufzend zu ihr hinüberschlendert und ein paar Erdklumpen für sie lostritt, während sein Rüssel auf Hagelkorn gerichtet bleibt. Schließlich tröpfelt vielleicht irgend etwas aus der Erde – eine faulige, schleimige Brühe, irgendein Schlickzeug, das Sie-Schreit sich hocherfreut auf den Rücken klatscht, so als hätte sie die ganze Zeit bloß ein Schlammbad im Sinn gehabt. »Bedient euch!« trällert sie den anderen zu. Aber warum sollten sie. Sie haben inzwischen selber Wasserlöcher gegraben, an einer Stelle, zu der Sie-Schnaubt sie geführt hat. Schließlich schiebt auch Sie-Schreit ihren warzigen, schleimbedeckten Rüssel in eins von diesen Löchern, um zu trinken. Beschämt und eingeschnappt verpaßt sie dann Sumpf oder dem kleinen Knick oder gar Hagelkorn einen Klaps und bedenkt den Mißhandelten anschließend mit überschwenglichen Zärtlichkeiten, welche Sumpf und Hagelkorn klaglos ertragen, vor denen Knick jedoch quiekend flüchtet.

Wenn die Familie dann nicht weiterzieht, erleidet Sie-Schreit üblicherweise einen ihrer Anfälle und zieht sich behaglich in ihr Selbstmitleid zurück. Ohne Sie-Schnaubt (die derweil grast oder Infraschallrufe aussendet und immer wieder versucht, Dattelbetts Witterung aufzunehmen) zu beachten, beschwert Sie-Schreit sich über sie, so als wäre sie gar nicht anwesend. Ein Zank droht, der bei Einbruch der Dämmerung unausweichlich wird. Es ist traurig, daß Sie-Schreit diesen Moment friedlichen Beisammenseins jedesmal stören muß. Es fängt mit einem Rüsselschnalzen an. Dann tippt sie sich mit dem Rüssel an den Kopf. Schließlich sagt sie etwas im Sinne von: »Meine arme Mutter hätte niemals –« oder: »Aber was ich denke, interessiert ja sowieso niemanden –«

Es ist später Nachmittag, der sechzehnte Tag. Alle wirken mutlos, außer Hagelkorn, aber der ist so höflich und unergründlich, wer weiß, wie er sich fühlt? Sie haben immer noch keine andere Siejenigenfamilie getroffen. Statt dessen haben sie seit sieben Tagen täglich einen Siejenigen-Kadaver entdeckt. Heute am frühen Morgen stießen sie auf den Schauplatz eines Gemetzels: fünf verstümmelte Kuhleichen der Zweiten Sie-Sch-und-Schs, die enge Verwandte sind – waren.

Am späten Vormittag zogen sie weiter, bereits erschöpft vom Begraben der Toten, vom Trauern und Weinen. Sie waren noch nicht weit gegangen, als Sie-Schnaubt plötzlich kehrtmachte und sie denselben Weg zurückführte. Etliche Kilometer weiter überlegte sie es sich erneut anders und schlug wieder den ursprünglichen Kurs ein. »Du hast die Orientierung verloren!« rief Sie-Schreit. Von da an jammerte sie still vor sich hin – nun ja, nicht ganz still. Ihre verdrießliche Stimme schien Risse in die steinharte Hitze zu sprengen, um die Qualen des Tages hinauszulassen.

Der Tag hielt kein Glück bereit, keine Erlösung. Kurz vor Mittag kamen sie an einen Maschendrahtzaun und mußten südwärts daran entlanggehen, bis sie ein Loch in den Maschen fanden. Auf dem Weg zurück trafen sie auf einen mißmutigen einäugigen Gnubullen, und als wüßte er, daß sein Gebrechen ein böses Omen war, trottete er neben ihnen her und grunzte »häßlich, häßlich«, bis Sie-Schützt ihn wegjagte. Kurz darauf flog ein Flugzeug tief über sie hinweg und zwang sie, hinter einen Felsen zu flüchten, wo Knick beinahe auf eine Kobra getreten wäre. Trotz des Windes und der heftigen Staubwirbel hingen die Kuhfliegen in dicken Trauben an ihrer Haut. Matschs lahmes Bein schmerzte. Hagelkorns Fuß schwoll zur Größe eines Ballons an. Als Sie-Schützt mit einem Dorn in die Blase stach, floß ein faul riechender grüner Brei heraus, wie ihn die Medizinkuh trotz all ihrer Prahlerei offenbar noch nie gesehen hatte. Knicks klapprige Knie knickten immer wieder ein. Um ihn in Bewegung zu halten, mußte Sie-Schützt ihren Rüssel zwischen seine Hinterbeine stecken und ihn halb tragen, halb vorwärts schieben.

Zu all dem kam noch der Vorfall mit dem weißen Knochen hinzu.

Am Tag, an dem sie den Sumpf verließen, erkundigte sich Sie-Schützt, ob sie die Augen nach der »weißen Trophäe« offen halten sollten, und Sie-Schnaubt antwortete leichthin: »Wenn ihr wollt.« Daraus schlossen sie, daß Sie-Schnaubt selber nicht danach Ausschau halten würde.

Das war ein Irrtum. Sobald sie sich einem Kreis aus Felsblöcken oder Termitenhügeln nähern, sucht Sie-Schnaubt genau so eifrig wie die anderen nach etwas Weißem. Sie hat sogar erklärt, ihre extravagante Formation sei bei dieser Suche von Vorteil, denn weil sie so weit verstreut laufen, decken sie ein größeres Gebiet ab. Immer wieder schweift jemand vom Kurs ab, und dann warten die anderen gespannt, bis das Zeichen kommt – nein, wieder nichts.

Sofern Sie-Schreit nicht selbst diejenige ist, die etwas entdeckt zu haben glaubt, sondern zu den Beobachtern gehört, läßt sie daraufhin nicht wie die anderen enttäuscht den Rüssel sinken, sondern schreit hämisch »Ha!« Ist sie dagegen diejenige, die sich geirrt hat, dann schiebt sie es auf das Licht oder auf die Staubwirbel. Einmal behauptete sie sogar, sie sei nicht weggelaufen, weil sie glaubte, den weißen Knochen gesehen zu haben, sondern weil sie überzeugt war, sie hätte Dattelbett gewittert. Sie besaß doch tatsächlich die Frechheit, das zu behaupten.

An diesem Tag nun watschelt sie plötzlich mitten am Nachmittag in Richtung einer Gruppe von Felsblöcken davon. Auf halbem Wege bleibt sie stehen und hebt etwas auf. »Ich hab sie gefunden!« trompetet sie. »Die weiße Trophäe!« Die Felsen bilden keinen Kreis, und Berge im Osten sind auch nicht zu sehen, aber der kleine Knochen, den sie hochhält, ist tatsächlich sehr weiß. Alle eilen zu ihr. Sie schluchzt, das Temporin strömt ihr übers Gesicht, sie schwenkt die Rippe über ihrem Kopf und kreischt: »Ich habe sie entdeckt! Ich bin diejenige, die sie entdeckt hat!«

»Zeig mal her«, sagt Sie-Schnaubt.

»Sei vorsichtig!« wimmert Sie-Schreit. Als sie ihren Rüssel senkt, sieht Matsch, daß es nicht die Rippe einer Siejenigen ist, sondern die eines Nashorns.

Sie-Schnaubt hat das bereits gerochen. Sie zieht ihren Rüssel zurück und murmelt angewidert, an Sie-Schützt gewandt: »Was ist los mit ihr?«

»Wieso?« heult Sie-Schreit.

Hagelkorn und Sumpf sind inzwischen auch angekommen. »Mutter«, sagt Sumpf seufzend, »der Knochen stammt eindeutig von einem Graus.«

»Gar nicht wahr!« winselt Sie-Schreit.

»Ein vollkommen verständlicher Irrtum«, murmelt Hagelkorn.

Sie-Schreit hält sich die Rippe vor ihre nassen Augen. Sie beschnuppert sie gründlich. Die niederschmetternde Erkenntnis, daß sie doch von einem Nashorn stammt, durchzuckt ihr Gesicht. Dennoch klemmt sie sich den Knochen unters Kinn und sagt mit völlig unbegründetem und daher fast glorreichem Stolz: »Ihr wollt ja bloß nicht glauben, daß ich den weißen Knochen gefunden habe. Ihr verachtet mich.«

»Dieses Gerede kommt vom Salzmangel!« brüllt Sie-Schützt. »Ein paar Schlückchen Pisse, und du wirst so nüchtern wie Stein!«

»Du spinnst ja!« ruft Sie-Schreit.

Sie-Schnaubt, die sich aufs Wittern konzentriert, geht langsam weg.

»War das nicht aufregend?« trompetet Sie-Schützt fröhlich, zerrt Knick auf die Beine und schaut die anderen mit ihrem gesunden Auge strahlend an. »Kommt ihr?«

Niemand reagiert. Sumpf hat ein paar Wurzeln ausgerissen und bietet sie Hagelkorn an. Hagelkorn betrachtet Sie-Schreit, und sein Gesichtsausdruck – mitleidig, grüblerisch – läßt Matsch vermuten, daß er an eine andere, ähnlich erbarmungswürdige Kuh denkt. Wie schrecklich muß es für ihn sein, denkt Matsch, auf den Abschaum dieser Familie angewiesen zu sein, wohl oder übel die seltsame Zuneigung eines in ihn vernarrten Bullen ertragen und sich mit seinem eiternden Fuß an der Suche nach einem Kalb beteiligen zu müssen, das er kaum kannte. Und all das, während er, mit erschütternder Duldsamkeit, den Verlust seiner gesamten Familie betrauert. Er wird uns verlassen, sobald er kräftig genug ist, denkt Matsch, und dabei durchzuckt sie ein Hoffnungsfunke, als wäre sie diejenige, die gehen wird. Aber wenn sie sein knochiges Hinterteil betrachtet und seinen kranken Fuß, dann wird sein Weggang unvorstellbar, und sie verzagt, ist aber zugleich erleichtert … Dieses unehrenhafte Gefühl kann sie nicht leugnen.

Sie wirft Sand auf ihre Haut und will gerade weitergehen, als sich etwas Weißes in ihr Blickfeld drängt. Sie wirbelt herum. Hinter den Felsen bläht sich eine Staubwolke.

Sie-Schreit rennt zu der Stelle. »Er weist in diese Richtung!« trompetet sie und zeigt hinter sich. »Der Sichere Ort liegt dort hinten!«

Sie-Schnaubt bleibt stehen, dreht sich aber nicht um. Sie-Schützt dreht sich ganz langsam um. Knick sinkt auf die Knie. Sie-Schreit ergreift den Knochen und hält ihn hoch, damit alle sehen können, wie er gelandet war. »Soll ich ihn noch einmal hochwerfen?«

Was geht bloß in ihrem Kopf vor? »Jawohl, das mache ich!« ruft sie begeistert. Sie dreht sich tolpatschig im Kreis, als sei sie berauscht,* kreischt: »Ich glaube an die Kraft des weißen Knochens! Ich glaube!« und schleudert den Knochen von sich. Er schießt direkt auf die Matriarchin zu und trifft sie hart am Bauch.

Sie-Schreit stößt einen Jauchzer aus. Matsch ringt nach Atem. Sie-Schreit wirft ihr einen wütenden Blick zu. Aber ihre Wut schlägt schnell in Erschrecken um, und sie ringt ebenfalls nach Atem.

Während das Blut aus der Wunde tropft, wendet sich Sie-Schnaubt zu Sie-Schreit um. »Ich trage ein Neugeborenes im Leib«, brummt sie.

»Ja, natürlich«, sagt Sie-Schreit und fängt an zu weinen. »Ich ... ich weiß auch nicht ... es ist so schwer für mich ...« Sie schluchzt mit offenem Mund, wie ein Kalb. »Sumpf!« jammert sie und fuchtelt wild in seine Richtung.

Sumpf duckt sich und geht außer Reichweite.

»Nur eine Fleischwunde!« trompetet Sie-Schützt nach einer kurzen Untersuchung der Verletzung.

Die Matriarchin wedelt mit den Ohren, was äußerst bedrohlich ist, denn sie wird nur selten wütend. Knick zieht sich hastig unter den Bauch von Sie-Schützt zurück. Sie-Schreit wird still. Mit dem frivolen Hüftschwung einer brünstigen Kuh, die sich einem Bullen darbietet, kehrt Sie-Schnaubt dem Knochen den Rücken. Sie hebt einen Hinterfuß und stampft hart auf. Matsch muß daran denken, wie Sie-Drängt den Leichnam ihres Neugeborenen zerquetscht hat, und stößt einen gequälten Laut aus, der ihr von Sie-Schreit einen Blick einträgt, in dem sowohl Verachtung als auch Wehmut liegen. »Es war doch bloß die Rippe von einem Graus, du dummes Ding«, scheint sie sagen zu wollen, und: »Vielleicht war es doch der weiße Knochen. Vielleicht doch.«

Den Rest des Nachmittags über spürt Matsch ein Rumpeln und

---

* Manche Früchte (zum Beispiel die der Doum-Palme) fangen im Magen zu gären an und können, wenn man sie in Mengen zu sich nimmt, einen Rausch hervorrufen.

Ziehen in ihrem Bauch und wird den Gedanken nicht los, daß da drinnen tatsächlich etwas lebt. Die unbestimmte Zärtlichkeit, die bei diesem Gedanken in ihr aufwallt, erschreckt sie zutiefst. Wenn sie auch nur die Vorstellung von ihrem Neugeborenen liebt, so scheint es ihr, ist sie zum Gebären verdammt. Und wenn sie gebärt und das Kalb am Leben bleibt, wird sie für immer bei dieser Familie bleiben müssen. Zwei einzelne Kühe (sie denkt an sich selber und Dattelbett) haben eine reelle Überlebenschance, das redet sie sich jedenfalls ein. Ein Kalb jedoch, das nur von zwei jungen Kühen beschützt wird, hat keine Chance. Matsch will nicht etwa, daß ihr Kalb stirbt, sie wünscht sich nur, daß es nicht geboren wird.

Sie sagt Sie-Schützt nichts von ihren Krämpfen, denn vermutlich würde die Behandlung die Einnahme von irgend etwas Ekelhaftem mit sich bringen. Kaum hat Sie-Schnaubt am Ende des Tags zur Rast gerufen, legt sich Matsch neben das Krotondickicht, von dessen unappetitlichen Zweigen sie die Nacht über fressen werden. Ihr üblicher Rhythmus – von der Dämmerung bis lange nach Einbruch der Dunkelheit stetig zu essen und dann etwa fünf Stunden zu schlafen – läßt sich unterwegs nicht einhalten. Sie essen im Gehen, und sie trinken, wann immer sich eine Gelegenheit dazu bietet. In dieser sengenden Hitze wäre es viel leichter und sicherer, in der Nacht zu wandern, aber Sie-Schnaubt will nicht riskieren, eine Spur von Dattelbett zu verpassen, und in der Nacht verströmt der Boden die verwirrenden Gerüche des vergrabenen Lebens: Welse und Reptilien, der schwere Duft wiedererwachenden Lebens in sonnenverbrannten Wurzeln.* Bei Sonnenuntergang sind alle heißhungrig. Den größten Teil der Nacht suchen sie nach Nahrung und schlafen sehr wenig, abgesehen von Knick, der sowohl tagsüber als auch nachts immer wieder in kurze Dämmerzustände verfällt.

Sie-Schnaubt entdeckt in einer Sandmulde, unter einem Gitter aus abgefallenen Dornbuschzweigen, Wasser. Matsch erhebt sich zum Trinken, legt sich dann jedoch wieder hin und sagt, ihr lahmes Bein brauche eine Ruhepause, was auch stimmt. Es hört ihr sowieso niemand zu. Sie-Schützt untersucht Hagelkorns Fuß. Neben ihm scharrt

---

* Bekannt als Unterdüfte, lauern diese Gerüche unter dem kräftigen Aroma von Kot, lebenden Tieren und sogar von Gemetzeln.

Sie-Schnaubt nach Graswurzeln und murmelt Schmeicheleien: »Du bist das geduldigste Bullenkalb auf der ganzen Domäne. Jedes andere Bullenkalb in deinem Zustand wäre schon längst zu einem wütenden Scheusal geworden...« Direkt hinter ihm, das Gesicht von ihm abgewandt, scharrt auch Sumpf in der Erde, allerdings weniger energisch und unter häufigem Stöhnen. Von dort, wo Matsch liegt, sieht es so aus, als wären die beiden Bullen an den Schwänzen verbunden – der größere, dickere Sumpf wirkt wie der aufgeblähte Schatten von Hagelkorn.

Vor der Dürre hatte Matsch Sumpf gefragt: »Findest du die Aussicht, die Familie zu verlassen, erschreckend?« Er hatte sie so lange angeschaut, daß sie schon dachte, sie hätte ihn mit ihrer Frage beleidigt, aber schließlich hatte er geantwortet: »Im Gegenteil, ich finde sie äußerst verlockend.«

»Warum gehst du dann nicht?« wollte sie wissen.

Wieder ein langer, ausdrucksloser Blick. Matsch nahm an, er überlege, ob er seiner Mutter die Schuld geben solle, denn Sie-Schreit erzählt ihm und allen anderen ständig, er sei noch zu vertrauensselig und verträumt, um schon allein zurechtzukommen.

Sie hatte sich erneut geirrt. »Ich warte auf den richtigen Augenblick«, sagte er. Und dann fügte er hinzu: »Der richtige Augenblick ist immer so offensichtlich wie der Sonnenaufgang.«

Jetzt beobachtet Matsch im Mondlicht sein lustloses Scharren und fragt sich, ob der richtige Augenblick nicht die Ankunft von Hagelkorn gewesen ist. Vielleicht hat Sumpf von einer Visionärin oder im Traum von einem Bullenkalb erfahren, das eines Tages auftauchen und ihn in seinen Bann ziehen würde. Immer wieder wendet er sich nach hinten und schnuppert, so als sei der ekelerregende Geruch von Hagelkorns Fuß für ihn unwiderstehlich.

Einmal schnappt Sie-Schreit nach seinem ausgestreckten Rüssel und schiebt sich die Spitze in den Mund. Er zieht ihn wieder heraus. Über diese Kränkung hinwegsehend sagt sie mit lauter Stimme: »Ich bin ja so stolz auf dich, weil du bei Hagelkorn bleibst und dich in Gefahr begibst.«

Sie-Schnaubt sieht sie entgeistert an.

Sie-Schreit nutzt die Stille. »Es gibt kein großzügigeres Bullenkalb als dich. Auch kein attraktiveres. Und kein redegewandteres. Das sagen alle.«

Sumpf seufzt.

Sie-Schreit streicht ihm mit dem Rüssel über den Kopf. »Ich wollte immer nur, daß du in Sicherheit bist. Wir könnten bereits auf dem Weg zum Sicheren Ort sein – «

Bei diesen Worten schnaubt Sie-Schnaubt empört. Sie-Schreit gerät ins Stocken – sie weiß, sie ist zu weit gegangen –, aber dann spricht sie trotzdem weiter, als könne sie das untrügliche Gedächtnis der anderen davon überzeugen, daß ihr Irrtum in Wirklichkeit eine gescheiterte Heldentat gewesen ist. »Na«, grummelt sie, »der weiße Knochen ist jedenfalls hin.«

Ein erneutes Schnauben von Sie-Schnaubt, aber erstaunlicherweise nichts weiter. Sie-Schreit schnieft ein paarmal hektisch. Jetzt wird sie endlich still sein, denkt Matsch. Bestimmt. Und so scheint es auch – sie bricht sich einen Zweig vom Gestrüpp ab, und sogar die Dunkelheit scheint aufzuatmen ... aber dann sagt sie zu Sumpf: »Wenn hier einer geduldig ist, dann bist du es.«

Matsch stöhnt.

Sie-Schreit wirbelt zu ihr herum. »Was weißt du denn schon?« faucht sie. »Läufst ständig weg, stößt alle vor den Kopf, was weißt du denn schon von dieser Familie?« Sie dreht sich zu Hagelkorn um. Mit ausgesuchter Höflichkeit flötet sie: »Ich möchte dich nicht beleidigen, Hagelkorn, aber du läufst nicht aus freien Stücken hinter uns her. Sumpf dagegen hat die Wahl, und er hat sich entschieden, auf dich aufzupassen, obwohl deine Wunde die Fleischfresser anlockt. Deinetwegen begibt er sich freiwillig in Gefahr.«

»Ich bin ihm sehr dankbar«, sagt Hagelkorn ruhig. »Ich bin euch allen sehr dankbar.«

»Mutter«, stöhnt Sumpf.

Sie-Schreit gibt ihm einen Klaps. »Wer soll denn für dich eintreten, wenn ich es nicht tue?« trompetet sie.

Östlich von ihnen befinden sich ein paar Felsblöcke, und der hohe Ton ihrer Stimme hallt von dort aus beharrlich wider. Als das Echo abebbt, brummt Sie-Schnaubt ungerührt: »Sumpf ist ein Feigling.«

»Schäm dich!« ruft Sie-Schreit.

Sie-Schnaubt schaut Sumpf an. »Das bist du«, sagt sie, als wäre es ihr vollkommen gleichgültig.

»Schäm dich!«

Immer noch an Sumpf gewandt, den sie noch nie ernsthaft getadelt hat, sagt Sie-Schnaubt: »Du hast dich vor dem Gemetzel nicht in die V-Formation eingereiht. Du bist mit den Neugeborenen in die Mitte gegangen.«

»Mich hatte ein lähmender Schrecken gepackt«, sagt er in selbstgefälligem Ton.

»Das ist ja nicht auszuhalten!« trompetet Sie-Schreit. Sie sagt giftig zu Sie-Schnaubt: »Du hast kein Recht, mein Kalb zu verleumden. Ich bin fast eine Invalidin, meine Haut ist ganz rissig, ich habe nämlich sehr empfindliche Haut, ich sollte nicht halb soviel in der Sonne sein wie ich es bin, ach, übrigens« – sie schwenkt kurz den Rüssel zu Sie-Schützt hinüber –, »ich brauche einen Breiumschlag für meine Beine. Aber ich tue, was von mir verlangt wird. Ich latsche in diesem Ödland herum, um dein Kalb zu suchen« – sie fährt wieder zu Sie-Schnaubt herum –, »obwohl sie …«

»Obwohl sie was?« fragt Matsch.

»Tot ist«, murmelt Sie-Schreit. »Wir wissen doch alle, daß sie tot ist.«

»Nein!« trompetet Sie-Schützt.

»Wie soll sie denn ganz allein da draußen überlebt haben?« fragt Sie-Schreit. »Noch dazu verwundet?«

»Ein paar Tropfen Blut, das besagt gar nichts!« brüllt Sie-Schützt. »Dattelbett geht es gut! Du hast doch ihre Kothaufen gesehen! Sie-Schützt wird dir sagen, warum sie überlebt hat. Weil sie intelligent ist!«

Matsch streckt den Rüssel nach Sie-Schreit aus. »Kannst du etwa – ?« brummt sie, und ihr Herz klopft wild in ihrer Brust, »kannst du irgend jemandes Gedanken hören?«

»Nein. Nein.« Es klingt gereizt. »Keine Spur.«

Heute Nacht sind die Unterdüfte besonders intensiv, und während Matsch sie einsaugt, beruhigt sich ihr Bauch. Das Neugeborene ist entweder verwelkt oder es schläft. Oder, was noch wahrscheinlicher ist, die Unterdüfte haben es eingelullt. Wie alle anderen wartet auch Matsch auf die Reaktion von Sie-Schnaubt. Die Matriarchin schnüffelt

mit tiefen, gierigen Atemzügen, während Sie-Schreit nervös herum-
zappelt, seufzt und schließlich brummt: »Ich wäre heilfroh, wenn ich
Unrecht hätte. Ihr wißt genau, wie gern ich Dattelbett habe.«

Sie-Schnaubt wittert weiter. Sternenlicht gleitet über ihren schlen-
kernden Rüssel und sammelt sich in der Krümmung ihrer Stoßzähne,
deren Form und Schimmer dem Neumond gleichen. Der Himmel ist
mit Sternen übersät. Es ist eine »Erinnerungsnacht«, eine Nacht, in der
der Himmel sich besinnt, sich jede Kuh, die je dort geweilt hat, jedes
Leuchten ins Gedächtnis zurückruft und wie in einem wunderbaren
Traum neu erstrahlen läßt. Hier unten sind jetzt Hasen aufgetaucht.
Ihre Augen hüpfen wie Funken umher. Matschs Blick wird trüb, und
zwischen den Augen spürt sie ein Brennen. Jeden Moment wird sich
ihr drittes Auge öffnen.

In der Vision sieht sie einen Ort wie diesen, aber es ist nicht dieser.
Staub bläst vorbei, und trockene Grasballen wehen nach Westen.
Matschs drittes Auge bewegt sich in die entgegengesetzte Richtung,
über steinigen Boden und Gestrüpp bis hin zu einer sandigen Fläche,
wo eine spindeldürre Impala auf einen Fieberbaum zustakst. Ein männlicher Pavian baumelt an einem Ast des Baums, läßt sich fallen und
hopst dann hinüber zu einer Gruppe seiner Artgenossen. Es sind mindestens zwanzig, alle abgemagert und verkommen. Sie sitzen verstreut
auf der Sandfläche, zu Füßen jedes großen Männchens befindet sich ein
Wasserloch. Eine Pavianmutter mit einem Jungen vor dem Bauch nähert
sich einem der Löcher, und das Männchen, das es bewacht, fletscht die
Zähne. Die Mutter setzt sich hin. Beim Loch nebenan knabbert ein riesiges Männchen am Gesicht eines toten Impalakalbs, das er am Nacken
gepackt hat und hin und herschwenkt, während er kaut. Die Gliedma-
ßen des Kalbs schlenkern wie Ranken durch die Luft. Der Pavian schaut
mit zusammengekniffenen Augen zu einem Schlammloch hinüber. In
der Mitte des Pfuhls dreht sich ein Krokodil um die eigene Achse. Nach
einer Weile hält es inne, öffnet sein Maul, und heraus quillt ein Haufen
frisch geschlüpfter Krokodiljunger. Sie schwimmen zappelnd auf die
andere Seite des Tümpels, wo das erste von ihnen flugs von einem anderen Maul gepackt wird, dem einer riesigen Eidechse. Ehe die Eidechse
das Junge umdreht, damit sie es mit dem Kopf zuerst hinunterschlingen
kann, schnappt das winzige Maul des Jungen noch nach einer Fliege.

Matschs drittes Auge wandert weiter, an einem rennenden Strauß vorbei, am Fuße eines Berghangs entlang bis zu ein paar umgestürzten Akazien. Ein Stückchen hinter den Stämmen liegt eine Kuh auf dem Boden.

Es ist Sie-Schreit. Ihr Schädel ist zerschmettert, ihr Leib aufgequollen. Ihre Stoßzähne und Füße sind noch da, obwohl sie schon seit einiger Zeit tot zu sein scheint. Eine Hyäne erscheint auf der Bildfläche und reißt am Fleisch des Rumpfs. Unter einem Hautlappen strömt ein Schwall von Maden hervor. Die Hyäne frißt sie gierig auf. Als sich ein Ohrengeier auf Sie-Schreits Rüssel niederläßt, schließt sich Matschs drittes Auge langsam. Zuletzt sieht sie, wie der Geier dem Schädel eine schleimige Beute entreißt.

Neun

Langschatten ist besorgt. Der hartnäckige Schmerz in seinem rechten Ohr, die Oryxantilope, die an der Salzlecke aufgetaucht ist, das unbekannte Siejenigen-Skelett, der Ring aus verlassenen menschlichen Nestern – all dies verhieß, daß es ein unglückseliger Tag werden würde. Kein entsetzlicher, so bedrohlich waren die Zeichen nicht; ihre Botschaften summierten sich vielmehr zu dem Rat: »Unternimm so wenig wie möglich.« Oder, wie seine verstorbene Tante Sie-Bockt zu sagen pflegte: »Wer nicht wagt, der nicht verliert.«

Seit er vor einundzwanzig Tagen aus dem Gebiet nahe des Steilabbruchs fortgegangen ist, hat er nur aus schlammigen Sickerlöchern getrunken, obwohl die Zeichen an allen Tagen eher günstig waren. Wieso ist er dann an einem Tag, an dem die Zeichen nicht günstig sind, auf ein riesiges Wasserloch gestoßen, noch dazu an einer Stelle, wo es nie Wasser gegeben hat? Er ist um die Dornbäume herumgelaufen und hat in windabgewandter Richtung eine runde, glitzernde Fläche erblickt. Eine Grantgazelle stand mit gesenktem Kopf am Ufer, trank aber nicht. Fasziniert von ihrem Spiegelbild, dachte Langschatten. Oder vom Wasser, weil es so plötzlich, auf geradezu unheimliche Weise, hierhergekommen ist.

Als sie Langschatten witterte, trottete sie schnaufend weg, und er ging vorsichtig zu dem Teich. Da auf der Wasseroberfläche Federn und Exkremente von anderen Lebewesen schwammen, die offenbar auch hier getrunken hatten, konnte der Teich zumindest nicht ganz neu sein. Angesichts seiner Größe vermutete Langschatten, daß er von Menschen gegraben worden war. Dennoch roch es in der Umgebung nicht nach Menschen. Und warum wimmelte es an dem Teich nicht von anderen Lebewesen?

Er hat getrunken, geduscht, sich mit Erde bestäubt, schmackhafte Graswurzeln am Rand des Teiches gegessen, sich an einem Stamm das

Hinterteil gescheuert, eine zweite Dusche und ein Schlammbad genommen (er ließ sich dabei viel Zeit, denn Verwirrung und Argwohn machten ihn vorsichtig) und dann angefangen, die Dornbäume abzuessen.

Jetzt, am späten Nachmittag, ist er immer noch beim Essen, und sein Argwohn ist nicht vergangen, aber er gestattet sich mehrmals, in eine Erinnerung an den gestrigen Tag einzutauchen, um nach dem deutlichen Zeichen zu suchen, das er übersehen haben muß. Er kann es nicht entdecken. Oder vielleicht kann er es nur nicht deuten. Hat Sturm womöglich recht gehabt, als er sagte, es gäbe vielleicht unendlich viele Zeichen? Ist womöglich alles ein Zeichen? Er hört, wie hoch über ihm ein großer Vogel mit den Flügeln schlägt, und denkt: »Auch das könnte ein Zeichen sein.« Ihm wird ganz übel bei der Vorstellung, daß alles nur zu dem Zweck existiert, auf etwas anderes hinzuweisen.

Bei seiner Suche nach dem weißen Knochen hat er weite Strecken zurückgelegt, ohne je den Horizont zu erreichen, und in ihm regt sich die Befürchtung, daß man, selbst wenn man hundert Jahre lang geradeaus ginge, nicht am Rand der Welt ankäme. »Die unendliche Domäne«, muß er oft denken, und es klingt wie ein Vers, eine alte Weisheit, aber es ist blasphemisch. Er befürchtet, durch diesen Gedanken jetzt einen Fluch auf sich gezogen zu haben, und er schwenkt seinen Rüssel dreimal nach links, dreimal nach rechts, sinkt auf die Knie und bellt:

Aus voller Kehle tönt mein Dank,
Froh stimm' ich darin ein,
Die Sie zu preisen, Schöpferin
Der Zeichen groß und klein.

Aus Dunkelheit erschafft sie Licht
Und aus dem Boden Gras.
Ihr Segen keine Grenzen kennt
Und unser Dank kein Maß.

Wir knien in Ihrem Angesicht,
Im Schutze Ihrer Macht,
Stark ist Ihr Zahn, und gnädig hält
Sie über uns stets Wacht.

Derart aufgewühlt ist er, daß er nicht bemerkt, wie sich die Sie-B-und-Bs gegen den Wind nähern. Erst als sie direkt hinter ihm stehen, trompetet Sie-Brüstet-sich, die neue Matriarchin: »Ich hab's euch doch gesagt! Er hört uns nicht!«

Die Begrüßungen fallen wesentlich herzlicher aus, als es normalerweise zwischen einem Bullen und seinen Verwandten üblich ist. Langschatten hat seine Geburtsfamilie zuletzt bei der Großen Regenversammlung im vergangenen Jahr getroffen, und seit Beginn der Dürre hat er nicht einmal von ihnen gehört. Er erzählt ihnen, daß er auf den Kadaver von Sie-Belabert-und-Belabert gestoßen ist, und sie erzählen ihm unter Tränen, daß ein einzelner Mensch mit einem Miniaturgewehr sie umgebracht hat. Er singt: »Wohin gehen die Stoßzähne?«, und da die letzte Zeile (»Und so treiben sie dann heiter, aller Inselsorgen ledig, auf dem Uferlosen Wasser«) relativ optimistisch klingt, gehen die Begrüßungen wieder los und das Absondern von Kot. »Ihr habt euch gar nicht verändert«, sagt er freudestrahlend. Das stimmt nicht, und er weiß es auch. Die Kühe sind viel zu mager, und die Kälber riechen kränklich. Er meint damit in Wirklichkeit, daß sie nicht tot sind.

Als die Begrüßung vorbei ist, brummt Sie-Brüstet-sich: »Laßt uns in der angemessenen Reihenfolge trinken.« Die großen Kühe gehen zuerst, während die jüngeren die Kälber – die drei, die noch so klein sind, daß sie im Wasserloch untergehen könnten – vom Ufer fernhalten. Dann trinken die Heranwachsenden, und die großen Kühe passen auf die Kälber auf, und als die Heranwachsenden fertig sind, saugen die großen Kühe ihre Rüssel erneut voll Wasser und spritzen es in die Kehlen der Kälber und über deren Körper. Langschatten widmet sich wieder den Dornbäumen. Er wartet, bis sich seine Familie zu ihm gesellt, um dann Sie-Blufft, seine Adoptivmutter, in deren wachen, lebhaft schimmernden Augen er den Wunsch nach Zuwendung erkennt, zu fragen: »Was führt euch hierher?«

»Was führt dich denn hierher?« entgegnet sie ausweichend.

»Das große Wasserloch«, gibt Sie-Brüstet-sich ihm zur Antwort. »Was denn sonst?«

Der hohe Baum, dem er etliche Stöße versetzt hat, bricht, fällt zu Boden und wirbelt eine Staubwolke auf. »Ihr wart schon mal hier«, sagt Langschatten.

»Keineswegs«, sagt Sie-Brüstet-sich. Sie bricht einen Ast von dem Baum ab.

»Woher wußtet ihr denn von dem Wasserloch?«

Die Matriarchin stellt die Ohren auf. Erinnerungen an die vielen Momente, in denen sie sich auf diese Weise in Positur geworfen hat, flackern in Langschatten auf, und er stellt sich innerlich auf eine selbstherrliche Antwort ein, aber sie sagt bloß: »Man hat uns davon erzählt.«

»Wer?«

»Mir-Mir.«

»Mir-Mir?«

»Mir-Mir, die Schnelläuferin«, sagt sie und läßt ihn dabei nicht aus den Augen, »hat es Sie-Blökt erzählt.«

Sie-Blökt ist die Gedankenrednerin der Familie und seine Spielgefährtin aus der Zeit, als sie noch Kälber waren. Sie hat nur einen Stoßzahn und war deshalb bis zu dem Tag, an dem sie zum ersten Mal in die Brunst kam, verschüchtert und schweigsam. An jenem Morgen aber schwoll ihr Quieken zu einem so mächtigen Gebrüll an, daß seitdem alle Kühe der Sie-B-und-Bs ein Pfeifen in den Ohren haben. Langschatten dreht sich zu ihr um und sieht, daß sie ihn mustert.

»Du hast noch nie eine Schnelläuferin namens Mir-Mir getroffen?« röhrt sie.

»Nein.«

»Er sagt die Wahrheit«, erklärt sie Sie-Brüstet-sich.

»Mir-Mir ist eine notorische Lügnerin«, verkündet Sie-Brüstet-sich. »Das wußte ich gleich, schon als ich sie zum ersten Mal roch.«

»Sie hat uns die Wahrheit über dieses Wasserloch gesagt.«

»Die Wahrheit darüber, wo wir es finden«, murmelt Sie-Brütet. »Aber sind wir hier auch sicher? Warum sind wir die einzigen hier?«

»Wenn dies eine Falle der Hinterbeiner wäre«, sagt Sie-Bessert, die ernsthafte junge Medizinkuh, »würden überall Knochen und Kadaver herumliegen.«

»Hinterbeiner sind bekannt dafür, daß sie ihre Spuren beseitigen«, sagt Sie-Brütet finster.

Sie-Bettelt, eine Feinriecherin, sagt mit ihrer schrillen Stimme: »Es stinkt in der Umgebung nirgends nach Hinterbeinern. Und es gibt auch keine warnenden Hinweise, denn sonst wäre der Kenner der Zeichen nicht hier.« Sie tritt in Langschattens Blickfeld und schaut ihn flehend an. »Stimmt's?«

»Ja«, brummt er, kommt sich dabei jedoch wie ein Lügner vor. Zu Sie-Blökt sagt er: »Was ist mit dieser Schnelläuferin? Wie kommt ihr auf die Idee, ich sei ihr schon mal begegnet?«

»Sie hat es behauptet. Sie sagte, dass ihr beide euch begegnet seid, während du dich bei den Sie-Rs aufgehalten hast, und dass ihr euch mit Hilfe der Gedankenrednerin der Sie-Rs unterhalten habt.«

»Ich habe mich nie bei den Sie-Rs aufgehalten.«

»Hab ich's euch nicht gesagt?« brummt Sie-Brüstet-sich. Sie wendet sich an Sie-Brodelt, die ehemalige Matriarchin: »Mutter, habe ich nicht gleich gesagt, daß unser Langschatten sich niemals mit diesen gräßlichen Sie-Rs abgeben würde?«

»Tja, ähm –« stammelt die alte Kuh, und kleine Stücke Baumrinde fallen ihr dabei aus dem Mund. »Kann schon sein … ich weiß nicht … ähm … du …«

»Worüber soll ich denn mit dieser Mir-Mir gesprochen haben?« fragt Langschatten Sie-Blökt.

Sie-Blökt verströmt plötzlich den Geruch von Angst. Ohne Langschatten anzuschauen röhrt sie: »Sie sagte, du hast ihr unsere Neugeborenen versprochen. Sie sagte, dass ihr eine Abmachung getroffen habt und es sich lohnt, das Leben der Neugeborenen zu opfern, weil sie als Gegenleistung…« Sie verstummt, als Sie-Brüstet-sich ihr einen Klaps versetzt.

»Ihr die Neugeborenen versprochen!« Langschatten ist entsetzt.

»Natürlich habe ich ihr nicht geglaubt«, sagt Sie-Brüstet-sich. »Ich habe zu ihr gesagt: ›Das ist völlig unmöglich!‹«

»Wie käme ich auch dazu, irgendwem eure Neugeborenen zu versprechen?« Er starrt das kleinste der drei jungen Kälber an. Es ist ein dünnes Kuhkalb, das zaghaft und nervös wirkt. »Das Leben von Unschuldigen!« trompetet er. Er wirbelt zu Sie-Blökt herum. »Was hat sie als Gegenleistung angeboten?«

»Beruhige dich«, sagt Sie-Bessert, so als würde sie mit einem Kalb sprechen. »Du jagst den Kleinen Angst ein.«

Sie hat recht. Die Kleinste hat sich schon zwischen den Hinterbeinen ihrer Mutter versteckt, und Langschatten muß daran denken, wie es war, als Matsch ihn zum ersten Mal erblickte. Hinter Mutter und Kalb sieht er, daß zwei Strauße zum Wasserloch gekommen sind, aber nicht trinken, und ihn überfällt eine diffuse Unruhe. Er gewinnt den Eindruck, als seien die bösen Omen hier so allgegenwärtig, daß sie nicht mehr zu erkennen sind. »Haltet euch an diesem Ort nicht lange auf«, sagt er.

»Ich glaube, ich weiß, was für uns das beste ist«, entgegnet Sie-Brüstet-sich schnippisch. »Übrigens«, fährt sie in freundlicherem Ton fort, »haben wir gar nicht vor, uns hier lange aufzuhalten. Wir haben gehört, daß es weiter im Norden grüne Weiden gibt.«

»Wer hat euch das erzählt?«

»Es gab Gerüchte«, sagt Sie-Blufft heimlichtuerisch.

»Die Schnelläuferin?« trompetet Langschatten. Er schaut zur Matriarchin hinüber, die wiederum Sie-Brütet anschaut.

»Ein ausgeplaudertes Geheimnis ist kein Geheimnis mehr«, murmelt Sie-Brütet. »Also sprach die Sie.«

»Wem könnte er es denn schon weitererzählen?« sagt Sie-Brüstet-sich. Sie dreht sich zu Langschatten um und sagt: »Mir-Mir weiß, wo der Sichere Ort ist.«

»Wie bitte?«

»Es gibt auf der Domäne ein Gebiet, das der Sichere Ort genannt wird.«

»Ich weiß.«

Sie-Brüstet-sich nickt. »Das hatte ich schon vermutet«, sagt sie. »Nachdem wir eine Weile nichts von dir gehört hatten, dachte ich mir: Er wird auf der Suche sein.«

»Nach dem weißen Knochen!« sagt ein Bullenkalb begeistert.

Langschatten berührt den Kleinen an der Flanke. »Benutz den Ausdruck Dalang-Knochen. Er verliert seine Kraft, wenn man ihn beim Namen nennt.« Zu Sie-Brüstet-sich sagt er: »Weiß diese Mir-Mir auch über den Dalang-Knochen Bescheid?«

»Bestimmt nicht. Sie hat ihn Sie-Blökt gegenüber kein einziges Mal erwähnt. Wir haben durch Sie-Lacht aus der Familie der Sie-L-und-Ls von ihm erfahren. Wie Mir-Mir von dem Sicheren Ort erfahren hat, nun ja ... also, sie weiß alles mögliche. Wo Weiden sind, wo Wasser ist – «

»Aber sie lügt, Matriarchin!« trompetet Langschatten, beleidigt, weil jemandem, der ihn verleumdet hat, überhaupt noch Glauben geschenkt wird.

»Ich bin überrascht«, sagt Sie-Brüstet-sich, »daß du noch nicht von Mir-Mir gehört hast. Nein« – sie nimmt seinen Einwand vorweg – »ich bin überzeugt, daß du die Wahrheit sagst. Es ist bloß so, daß sie bekanntermaßen seit der letzten Großen Regenversammlung etlichen Familien jeweils für eine Weile gefolgt ist.«

»Wie sonderbar«, sagt er.

»O ja, sie ist ziemlich sonderbar. Nicht nur, daß sie die Territoriumsgrenzen mißachtet, sie giert auch nach dem Fleisch von neugeborenen Siejenigen. Allein könnte sie ein Neugeborenes nicht überwältigen, denn sie ist nicht besonders kräftig. Sie sagt zu der Gedankenrednerin: Gebt mit das Neugeborene, dann verrate ich euch, wo grüne Weiden sind, wo der Sichere Ort ist. Sie verlangt immer die Bullenkälber. Sie scheint zu glauben, daß uns neugeborene Bullen nicht soviel wert sind wie neugeborene Kuhkälber.«

»Aber ihr habt ihr kein Neugeborenes gegeben«, sagt Langschatten.

Sie-Blufft lächelt ihn an. »Nein«, sagt sie, »aber wir haben ihr auch nicht gesagt, daß wir es niemals tun werden.«

»Das ist ja ekelhaft!«

Sie-Blufft schiebt sich ein paar Zweige in den Mund. »Das ist Taktik, mein Lieber.«

Langschatten spürt, wie der rauhe Rüssel von Sie-Brodelt über seine Haut streicht. Er verrenkt den Kopf, und sie kommt mit dem Gesicht ganz dicht an seines heran. Ihre altersschwachen, blutunterlaufenen Augen glänzen feucht. »Glaub nicht«, grummelt sie. »Ich … wir … all die …«

»Sie will sagen«, dröhnt Sie-Blökt, »dass wir in furchtbaren Zeiten leben und alles tun müssen, um durchzukommen. Natürlich würden wir Mir-Mir niemals eines unserer Neugeborenen geben, aber wir lassen sie in dem Glauben, dass wir es uns vielleicht anders überlegen, wenn sie sich als unsere Verbündete erweist.«

»Es ist nur zu ihrem Vorteil«, sagt Sie-Bessert, »uns den Weg zu weicher Nahrung, die die Neugeborenen essen können, zu weisen. So bleiben sie wohlauf.«

»Und es ist ebenfalls nur zu ihrem Vorteil«, sagt Sie-Brütet mürrisch, »uns zu sagen, wo wir hingehen sollen, weil sie dann weiß, wo sie uns finden kann.«

»Unsere Hoffnung ist«, fährt Sie-Blökt fort, »dass wir auf den ... den Dalang-Knochen stossen und dann ohne fremde Hilfe an den Sicheren Ort gelangen können und nichts mehr mit Mir-Mir zu tun haben müssen.« Sie klappt die Ohren auf. »Hast du einen Vorschlag, wo wir suchen sollten?«

»Sturm gab mir den Rat, in die kahlsten Gebiete und in die Berge zu gehen und nach einem sehr hohen Schmausbaum zu suchen. Was hat man euch erzählt?«

»Nichts dergleichen. Die Sie-L-und-Ls sagten, er werde nordwestlich einer Bergkette in der Nähe eines gewundenen Flussbettes zu finden sein.«

Langschatten ist sprachlos vor Verblüffung. Nach einem Moment sagt er: »Sturm hatte seine Informationen direkt von den Verlorenen.«

Daraufhin bricht ein Tumult aus, alle fragen und spekulieren wild durcheinander. Nachdem sich die Aufregung gelegt hat, murmelt Sie-Brütet: »Wir sollten das Suchgebiet lieber ausdehnen.«

»Ich werde ihn finden«, sagt Sie-Brüstet-sich.

»Hast du uns wirklich alles gesagt, was du weißt?« erkundigt sich Sie-Blufft bei Langschatten.

»Verdammt noch mal, Mutter«, sagt er. Ständig läßt sie ihn ihr Mißtrauen spüren, noch dazu vor allen anderen, und das, so wird ihm jetzt klar, ist auch der Grund, warum er den Kontakt zu seiner Familie immer wieder abbricht. »Wieso sollte ich euch betrügen? Wenn ich mehr wüßte, wärt ihr die ersten, die es erfahren würden. Und wenn ich den Sicheren Ort finde, werdet ihr die ersten sein, die ich dort hinführe.«

»Die zweiten«, sagt Sie-Blökt, offenbar unbeabsichtigt, denn sie zuckt zusammen, und es scheint ihr peinlich zu sein, Langschattens Gedanken ausposaunt zu haben. Er hat tatsächlich gedacht, daß er zuerst zu Matsch gehen würde. Sie-Blökt fängt sich aber schnell wieder und fragt: »Welche Matsch? Aus welcher Familie?«

Die Frage ärgert ihn. Sie-Blökt nutzt die Gabe des Gedankenhörens zu ausgiebig, und er ist zwar gespannt, ob es irgendwelche Neuigkeiten über die Sie-Schs gibt, aber er will nicht, daß seine Familie – seine Adoptivmutter – erfährt, an welcher Matsch ihm so viel liegt. Sie sollen noch nicht einmal wissen, daß es überhaupt jemanden außerhalb seiner ehemaligen Familie gibt, an dem ihm so viel liegt. Aber das kann er jetzt wohl nicht mehr verheimlichen. »Ich werde euch zum Sicheren Ort führen«, knurrt er. »Ihr habt mein Wort.«

»Ich halte es für wahrscheinlicher«, brummt Sie-Brüstet-sich, »daß ich *dich* dorthin führen werde.«

Langschatten schaut sie an und überlegt, ob er es über sich bringen wird, die ungeheuerliche Frage zu stellen.

»Was ist?« sagt sie.

Er atmet tief durch. »Hat irgendeine Familie der Schnelläuferin ein Neugeborenes gegeben?«

Sie-Brüstet-sich dreht ihm den Rücken zu und sagt rasch: »Mir-Mir behauptet, die Sie-Rs hätten ihr ein verletztes Kalb gegeben. Als Gegenleistung hätte sie ihnen den Weg zu einer mit grünem Gras überwucherten Insel gewiesen.«

»Nein!«

»Zuzutrauen wäre es ihnen. Die Kühe dieser Herde haben einen schlechten Charakter.«

»Aber solch eine Insel gibt es nicht.«

»Sei dir da nicht so sicher. Mir-Mir kennt die Domäne fast ebenso gut wie ich.«

Er findet die Bewunderung für die Gepardin, die in ihrer Stimme mitschwingt, unerträglich. »Wie kommst du dazu, ihr zu trauen?« trompetet er.

»Mich kann sie nicht täuschen«, brummt Sie-Blufft.

»Wo und wann habt ihr sie zuletzt gesehen?«

»Vor vier Tagen«, sagt Sie-Brüstet-sich, während sie die Erde von den Wurzeln des Busches schüttelt, den sie gerade ausgerissen hat. »Bei dem breiten Strolchnetz, südöstlich von hier.«

Er betrachtet das Wasserloch. Die Strauße sind verschwunden, und eine Schar Flughühner hüpft unschlüssig am Ufer herum. Langschatten ist froh, daß Matsch beim Blutsumpf ist, wo das Wasser nie vollständig verschwindet und wo die Zeichen seit über zwanzig Jahren günstig sind. Wäre er nicht auf der Suche nach dem weißen Knochen, würde er ebenfalls dort sein. Und ab jetzt wird er auch auf den Geruch dieser widerlichen Gepardin achten. Er versucht sich vorzustellen, wie sich die alte, tattrige Sie-Schaut (er glaubt, sie sei immer noch die Matriarchin) mit Mir-Mir streitet. Wenn man bedenkt, wie wohlgenährt die Sie-Schs sind, kann man davon ausgehen, daß Mir-Mir früher oder später auch bei ihnen herumlungern wird. Er schaut zu Sie-Blökt – er will sie gerade fragen, welche Familien die Gepardin bisher belästigt hat – und stellt fest, daß sie ihn mit offenem Mund anstarrt. Ihn überkommt ein Gefühl, als stehe er neben sich und beobachte sich selber, und er weiß daher, daß er einen Moment durchlebt, der schon vor Tagen oder Stunden von einer Visionärin mit angesehen wurde. Er weiß auch, daß es ein unheilvoller Moment ist. Später wird er sogar glauben, er habe gewußt, was Sie-Blökt sagen würde. Nämlich: »ACH LANGSCHATTEN! DIE SIE-SCHS SIND TOT.«

Inzwischen sind fünf Stunden vergangen, und Langschatten hat schon den halben Weg zum Blutsumpf zurückgelegt. Er hat sich geweigert, über Nacht bei seinen Verwandten zu bleiben, und ist mit der Bemerkung »Ich habe eine Verpflichtung zu erfüllen« aufgebrochen.

Es ist Vollmond. Im fahlen Licht flattern die Vögel wie sonst bei Sonnenuntergang, und es sind Schatten zu sehen, nach deren Länge zu urteilen früher Nachmittag sein müßte. Langschatten fand diese Strolchnächte schon immer beunruhigend. Jetzt erkennt er, wie grotesk sie sind, wie sinnentleert. Windschiefe Büsche, Termitenhügel, Knochen, Kadaver werden beleuchtet, aber ihr Anblick verrät ihm nichts. Sein Glaube an die Zeichen ist plötzlich wie ausgelöscht. Und das, nachdem er sich dreißig Jahre lang bemüht hat, bei allem, was er tat, im Einklang mit einer Welt zu bleiben, die vor mystischen Offenbarungen förmlich zu vibrieren schien ... Was hat diese ungeheure Täuschung aufrechterhalten? Er weiß es nicht mehr. Es verblüfft ihn, daß er vor wenigen Stunden noch daran geglaubt hat. Aber wenn innerhalb von Sekunden eine ganze Herde von Kühen durch eine einzige Gewehrsalve ausgelöscht werden kann, dann sollte es ihn nicht überraschen, daß vier Worte ausreichen, um sein ganzes Glaubenssystem auszulöschen (das allerdings, wie er sich ins Gedächtnis ruft, bereits ins Wanken geraten war).

Alle? hatte er gefragt, und Sie-Blökt sagte, ja, den Sie-L-und-Ls zufolge sind alle Sie-Schs bei dem Massaker umgekommen, ebenso wie alle Sie-Ds. Mir-Mir zufolge konnten jedoch einige von den Sie-Schs fliehen, und Langschatten neigt dazu, dieser Version der Geschehnisse zu glauben, denn in einer Zeit wie dieser sollte man vermutlich den Lügnern vertrauen und den Vertrauenswürdigen mit Argwohn begegnen.

Den Glauben an die Omen zu verlieren bedeutet natürlich, auch den Glauben an die Sie zu verlieren, denn sie hat die Omen geschaffen. Dennoch betet Langschatten, nur für den Fall, daß diese Zeit gerade nach etwas so Absurdem wie einem glaubenslosen Gebet verlangt. »Bitte mach, daß Matsch noch lebt«, sagt er. »Mach, daß sie lebt.«

Er unterbricht das Gebet nur, um Infraschallrufe an die Sie-Schs auszusenden – an jede einzelne von ihnen, da er nicht weiß, wer überlebt haben könnte –, und irgendwann klingt sein Beten wie eine Beschwörungsformel, die notwendig ist, damit ihm der nächtliche Lärm nichts anhaben kann. Er nimmt es einfach als weitere unerklärliche Tatsache hin, daß sein Geruchssinn feiner geworden ist. Er ist fest davon überzeugt, trotz des Gestanks der zahllosen verfaulenden Leichen auf der Steppe die Katastrophe am Blutsumpf riechen zu können. Wenn Matsch am Leben und nicht weiter als einen Tagesmarsch von ihm entfernt ist, wird er sie wittern.

Wie alle Kühe sondert sie drei verschiedene Düfte ab. Einen normalen Siejenigenduft, einen Deliriumduft und einen Glanzduft. Weil sie erst einmal in die Brunst gekommen ist, hat er nur eine einzige Erinnerung an ihren Delirium- und ihren Glanz-Duft, aber er hat sich beide so oft ins Gedächtnis gerufen, daß er sich fragt, ob die Erinnerung nicht durch zu häufige Vergegenwärtigungen entstellt worden ist. Heute nacht versucht er angestrengt, nicht an diese Düfte zu denken. Sie würden ihn anstiften, die Paarung erneut zu durchleben, und selbst wenn er sich das jetzt antun wollte, so hätte er doch nicht die Zeit dafür.

Die Düfte dringen dennoch zu ihm durch, aber merkwürdigerweise überwältigen sie ihn nicht. Sie bleiben hinter den tatsächlichen Gerüchen der Nacht zurück, sogar hinter den Erinnerungen, die jene Gerüche wachrufen, so daß die Erinnerung an seine Paarung mit Matsch nicht einmal seine Gebete stört. Abgeschwächt wie sie ist, ähnelt sie eher dem Bericht eines anderen über jenen Tag. Langschatten löste sich damals bei den ersten Tönen ihres Delirium-Gesangs sofort vom Hinterteil der abscheulichen Sie-Winselt, die er im Bann einer peinlichen Leidenschaft zu besteigen versucht hatte.

Das Lied war aus südwestlicher Richtung gekommen. Vom Krächzerteich, wie er bald feststellte. Zwischen ihm und dem Teich lag ein Morastgebiet, das während des Kleinen Regens zum Langen Wasser werden würde. An jenem Tag regnete es heftig, und die Tropfen verwandelten die Oberfläche des Morasts in ein Feld von lauter kleinen Eruptionen, die ihn anzufeuern schienen. Beim Laufen stieß sein geschwollener Penis immer wieder klatschend gegen den Boden, und der Gedanke, etwas zu erleben, das Matschs lebenslanger Beeinträchtigung ähnelte – das Mitschleppen eines hinderlichen, störrischen Glieds –, bewegte ihn tief. Er stellte sich vor, wie sie mit ihrem erbärmlichen, unkontrollierten Gang vor den erregten Bullen, die schon in ihrer Nähe waren, weglief, und dieser Gedanke machte ihn so wütend, daß er während des restlichen Wegs Infraschalldrohungen ausstieß, was zur Folge hatte, daß Matsch, als er beim Teich ankam, allein war, und die drei Bullen, die in einiger Entfernung von ihr warteten, sich noch weiter zurückzogen.

»Weichzähne!« röhrte er mit ungeheurer Erleichterung, weil er keinen Bullen entdecken konnte, der größer war als er.

Mittlerweile umringten ihn die großen Kühe der Sie-Sechs und trompeteten wie wild im Chor: »Großer Gräber! Echter Gräber!«, denn das tun die Kühe immer, wenn endlich ein Bulle erscheint, den sie für kräftig genug halten. Ein Rest von Vernunft erinnerte ihn an das Zeremoniell: Er mußte innehalten und jede der großen Kühe an seinen Schläfendrüsen und an seinem Penis riechen lassen. Das tat er, und als auch die letzte von ihnen zufriedengestellt war, sangen sie alle:

Bist du reif und auch bereit? Ja! Ja!
Strömt dein Duft erwartungsvoll? Ja! Ja!
Dann geh' und grab' den Tunnel, wo
Ein Neugeborenes wohnen soll! Ja! Ja!

Matsch beobachtete ihn inzwischen über ihre Schulter hinweg. Er näherte sich ihr behutsam. Er wollte nicht, daß sie weglief, nicht mal in neckischem Spiel.

»Ich bin der größte Bulle von allen«, murmelte er. Sie bewegte sich nicht. »Du leuchtest«, sagte er. »Du bist so prall wie ein Wasserfels. Du bist wie der blaue Schein, der im Morgengrauen die Sonne umgibt.«

Schließlich war er nah genug an sie herangekommen, um mit ausgestrecktem Rüssel ihre Vulva betasten zu können. Er streichelte sie, bis sie urinierte, und noch ehe er seinen Mund mit ihrem Saft benetzt hatte, wußte er, daß im Augenblick seiner ersten Berührung ihr Glanz begonnen hatte.

Hätte sie gescheut, dann hätte er sie in Ruhe gelassen und gewartet, bis sie bereit war, aber sie blieb reglos und zu seiner Überraschung stumm (die meisten Kühen brabbeln im Glanz laszive Ermunterungen). Also schob er seinen Kopf auf ihren Rücken, erhob sich auf die Hinterbeine und begann zu graben.

Dieser Teil der Erinnerung ist so plastisch, daß seine Beine zittern und er stehenbleibt und voller Unbehagen denkt, er müsse wohl eine Schattenerinnerung* haben.

Wenn man lange genug lebt, wird das Gedächtnis immer durchlässiger. Davor gibt es eine Phase von zehn bis fünfzehn Jahren, in der alte Erinnerungen fast ausschließlich Schattenerinnerungen sind. Sturm sagte einmal zu ihm, daß dies eine segensreiche Zeit sei, weil man die Möglichkeit habe, mit einer gewissen Unvoreingenommenheit auf sein Leben zurückzublicken. »Das kann man nicht«, meinte er, »wenn man jedesmal, sobald man in eine Erinnerung eintaucht, mittendrin steckt und jeden einzelnen Moment neu erlebt. Anders ausgedrückt, man hat nie die Gelegenheit, neben sich zu stehen.«

»Was spielt das schon für eine Rolle?« fragte Langschatten. »Früher oder später vergißt man sowieso alles.«

»Mit einer Ausnahme«, sagte Sturm. »Man kann nicht vergessen, wer man ist. Das ist das einzige, was man am Ende mitnehmen kann,

* Eine Schattenerinnerung ist keine vollständige Vergegenwärtigung, sondern wirft, ähnlich wie die meisten Erinnerungen von Menschen, nur ein Schlaglicht auf die entscheidenden Aspekte.

und wenn es einem fehlt, zerfällt man und wird zu Schlick auf dem Grund des Ewigen Uferlosen Wassers. Daran glaube ich fest.«

Und mit seiner unmelodiösen Baßstimme sang er:

Getragen tausend Jahre lang
Vom einzigen Gedanken,
Der Leib und Seele
Einen kann.

Es kommt durchaus vor, daß auch Siejenige, die noch unter Fünfzig sind, gelegentlich Schattenerinnerungen haben, und die Betreffenden gelten sogar als frühzeitig gereift und glücklich. Aber wer will noch beurteilen, was Glück ist? Langschatten braucht man nicht zu fragen. Daß er in seinem Alter eine Schattenerinnerung hat, kommt ihm eher wie ein Auswuchs des gegenwärtigen Chaos vor, in dem die scharfen Trennlinien, die früher die Dinge voneinander abgrenzten, ebenfalls nur noch Schatten sind. Sogar er selber trägt zu diesem Chaos bei. Man braucht sich ihn doch nur anzuschauen! Außer sich vor Sorge um das Schicksal einer verkrüppelten Kuh, die weder seine leibliche Mutter noch seine Matriarchin ist.

Wenn Matsch einverstanden wäre, würde er sich fürs ganze Leben mit ihr verbinden, so wie die Schakale es machen. Er würde sie aus ihrer Familie herausholen, und sie würden gemeinsam mit dem Neugeborenen eine eigene kleine Herde bilden. Was soll man davon halten? Bis heute glaubte er, ein solch groteskes Begehren müsse den Segen der Sie haben, und er schwelgte in berauschenden Erklärungen. Die liebste war ihm, Matschs Kälbertunnel beherberge die Tochter der Sie höchstselbst, »das liebliche Kalb, schön wie das Licht«, das, wie das Lied prophezeit, die Schreie der Nacht zum Schweigen bringen und die Hinterbeiner in die Flucht schlagen wird, und er selber sei auserwählt, für die Sicherheit dieses heiligen Neugeborenen zu sorgen. Der Gedanke versetzt ihm jetzt einen Stich. Nicht etwa, daß er Matsch weniger liebt, weil er nicht mehr weiß, warum er sie liebt. In Wahrheit ist seine Liebe für sie eine der wenigen unausweichlichen Gewißheiten, die ihm geblieben sind.

Er ist nicht mehr weit vom Blutsumpf entfernt und hört schon das Blöken, Winseln und Bellen der Geschöpfe dort. Der Morgen dämmert. Ein massiger Bulle erscheint auf der Böschung und rennt ihm entgegen. Die schwarze Silhouette des Bullen wirkt vor der dunstigen roten Sonne wie eine Warnung, wie der Geist des einzigen Überlebenden eines längst vergessenen Blutbads.

Es ist Sturm.

»Ich habe gerochen, daß du kommst«, brummt er, außer Atem.

So viel zu Langschattens gutem Geruchssinn. Seit mehr als einer Stunde hat sein Rüssel nichts anderes als den Gestank des Gemetzels wahrgenommen.

Nachdem die beiden ihre Rüssel ineinander verschlungen und die Stoßzähne gegeneinandergeschlagen haben, steckt Langschatten respektvoll seine Rüsselspitze in Sturms Mund, der nach verfaulten Bakkenzähnen riecht. Damit ist das Begrüßungsritual beendet, und Sturm reißt seinen gewaltigen Kopf hoch und sagt: »Sei gewarnt, sie sind verstümmelt, ihre Gesichter sind praktisch nicht mehr vorhanden.«

»Ist die ganze Familie ausgelöscht?«

»Welche Familie meinst du?«

»Die Sie-Schs«, sagt Langschatten verblüfft. Dann begreift er und sagt beschämt, weil er sie vergessen hat: »Die Sie-Ds kannte ich kaum.«

»Die Sie-Ds. Ja. Drei von ihnen sind umgekommen. Es waren die letzten drei. Sie haben das Gemetzel am Strolchnetz überlebt, bloß um hier zugrunde zu gehen.«

»Welches Gemetzel? Welches Strolchnetz?«

»Ah –«, sagt Sturm stöhnend. Er schwenkt den Rüssel von Nordosten nach Südwesten. »Sechs Tagesmärsche von hier ist ein Netz. Es ist von Leichnamen gesäumt, hauptsächlich Irre und Rippen. Überall Tote, so weit der Rüssel reicht. Alle verdurstet. Aber die Sie-Ds wurden von Hinterbeinern getötet, die ganze Familie, mit Ausnahme der drei, die an diesen unseligen Ort geflohen sind.« Sein Atem geht rasselnd.

»Was ist mit den Sie-Schs?« sagt Langschatten. »Hat von ihnen jemand überlebt? Ist von ihnen noch jemand hier?«

»Nein, nein. Nach ihrem Kot zu urteilen, sind sie vor acht Tagen aufgebrochen. Ich habe sie um vier Tage verpaßt.«

»Wen? Wer sind die Überlebenden?«

»Sie-Schnaubt.« Das sagt er mit einem bewundernden Unterton.

»Wer noch?«

»Laß mich überlegen.« Er berührt mit dem Rüssel das Temporin, das durch eine tiefe Furche an seiner rechten Schläfe fließt. Langschatten schaut an ihm vorbei zur gebogenen Linie des Horizonts und hat das Gefühl, als warte, in diesen Bogen gespannt, eine erschütternde Offenbarung auf ihn.

»Eine schlimme Zeit ist das«, murmelt Sturm. »Die alten Matriarchinnen sind entweder abgeschlachtet worden oder wirr im Kopf, und die neuen Matriarchinnen wissen nicht, wo die sicheren Wasserstellen sind.«

»Wer ist noch entkommen?« fragt Langschatten erneut.

»Wer entkommen ist? Diese Quenglerin, Sie-Schreit. Von ihr habe ich hier keine Knochen gefunden. Und Sie-Schützt, die Medizinkuh. Sie hat breite Hüften, ihre Knochen hätte ich gleich erkannt. Und ihr Neugeborenes. Wie heißt das Kalb noch gleich?«

»Knick«, sagt Langschatten. Mit einem Gefühl dumpfer Traurigkeit denkt er: Den alten Patriarchen läßt das Gedächtnis im Stich.

»Knick«, sagt Sturm. »Stimmt. Er hat auch überlebt.«

»Ist Matsch entkommen?«

»Matsch?«

»Die junge Kuh mit dem lahmen Hinterbein.«

Sturm schaut blinzelnd in die Ferne. Er wirkt plötzlich erschöpft und uralt. »Matsch«, murmelt er.

»Komm, gehen wir runter zum Ufer«, sagt Langschatten.

»Es ist schon ein Jammer«, brummt Sturm. »Wenn man diese Kühe so oft bestiegen hat wie ich, wenn man ihr Inneres so gut kennt wie den eigenen Mund ...«

Unwillkürlich sucht Langschatten mit den Augen die Umgebung nach Zeichen ab, die womöglich vor der Katastrophe gewarnt haben oder vor weiteren Gefahren warnen. Es sind aber bloß die Nachwirkungen zu sehen: plattgedrückte Büsche, die parallelen Spuren eines Fahrzeugs im Sand der Böschung. An der Rinde eines Fieberbaums leuchtet ein grellgrüner Streifen. Langschatten erschauert angesichts dieser unnatürlichen Farbe und des Gedankens, daß es sich um abgeschabte Fahrzeughaut handelt. Er rennt zum Rand des Abhangs und bleibt dort stehen, erstaunt über den Anblick so vieler Lebewesen – Flußpferde, Gnus, Zebras, Gazellen, Büffel, Paviane, etliche Vogelschwärme und, in der Mitte des Sumpfs, zwei kleine Familien von Siejenigen, deren Geruch er nicht wahrnimmt. Er wendet sich an Sturm. »Wer ist das?«

Sturm zieht gerade einen Ast von einem Fieberbaum zu sich herab. Er verdreht den Ast, der mit einem trockenen Knacken abbricht. »Das sind –«, sagt er. Er streift die verdorrten, von Ameisen zerfressenen Blätter ab und kratzt sich dann mit dem kahlen Ast im Ohr. »Die Sie-Ns! Und die Sie-N-und-Ns!«

Auf sein Gebrüll hin heben alle Kühe die Rüssel. Eine Feinriecherin (Langschatten vermutet, daß es Sie-Nervt ist) brummt: »Bleib bloß weg, Langschatten! Keine von uns ist im Delirium.«

»Das ist mir durchaus klar«, brummt Langschatten leicht beleidigt, weil sie offenbar annimmt, er würde Brunstgerüche nicht wittern. Und außerdem – wer kommt während einer Dürre schon in die Brunst oder in die Musth? Er versucht, an dem überfüllten Ufer die Kadaver zu entdecken. »Warum bist du noch hier?« fragt er Sturm. Erst jetzt ist ihm aufgefallen, wie merkwürdig es ist, daß der alte Bulle sich immer noch in diesem schaurigen Sumpf aufhält, obwohl er doch zahlreiche andere Wasserquellen kennen muß. Quellen in den Bergen beispielsweise. Dort sollte er ohnehin sein, um nach dem weißen Knochen zu suchen.

»Der Grund sind meine Backenzähne«, sagt Sturm. »Jedesmal, wenn ich darüber nachdenke, von den weichen Sprößlingen hier wegzugehen, sage ich mir: ›Einen Tag noch.‹« Er klopft Langschatten mit dem Ast aufs Hinterteil. »Komm mit, mein Lieber. Ich führe dich herum, dann kannst du dir selbst ein Bild von der Tragödie machen.«

Als sie den Abhang herunterkommen, zerstreut sich die Ansammlung unten am Sumpf. Sturm muß die armen Geschöpfe tyrannisiert haben, denkt Langschatten, aber er ist ihm dankbar dafür, denn am leeren Ufer sind die Überreste der Gemetzelten besser zu sehen. Mit einem Blick erkennt er Sie-Schaut. Ihr Körper ist mit Zweigen bedeckt, und einige ihrer Knochen sind von Fleischfressern herausgezerrt worden. Diese Knochen leuchten hell und verströmen einen ekelhaft süßlichen Gestank (Langschatten wittert ihren Oberschenkelknochen), der vom Geruch welkender Lilien nicht zu unterscheiden ist.

»Also hier«, brummt Sturm, »die hier … ähm … die hat immer über den Neugeborenen gestanden.« Sanft stupst er mit einem Vorderfuß den Schädel an. »Sie hat wunderbar geduftet … nach Milch …«

»Sie-Schwafelt«, sagt Langschatten. Er weint.

»Richtig, Sie-Schwafelt.« Die Stimme des alten Bullen ist brüchig. »So hieß sie. Die Tochter von Sie-Schützt.« Er zieht aus der Leiche einen Knochen heraus, der so dünn wie ein Dorn ist. »In ihr wuchs ein Neugeborenes. Ich selber habe den Tunnel gegraben, wenn ich mich recht entsinne.« Er hält den Knochen dicht vor Langschattens Auge und legt ihn dann vorsichtig wieder an seinen Platz zurück. Er hebt eins der Schulterblätter der großen Kuh hoch und wiegt es in der Krümmung seines Rüssels hin und her. Dann legt er es wieder hin und schnüffelt an der Wurzel ihres abgeschnittenen Rüssels.

Es scheint so, als habe er vor, sämtliche Überreste zu inspizieren und zu liebkosen. Bestimmt hat er das schon mindestens einmal getan, und bestimmt nimmt er an, daß Langschatten es auch tun will, aber Langschatten interessiert sich im Moment vor allem für das Schicksal von Matsch. Das erklärt er Sturm. Der fixiert ihn daraufhin mit scharfem Blick und brummt: »Dann geh doch weiter.«

Es dauert nicht lange. Er inspiziert alle Überreste am Ufer, bleibt bei den neugeborenen Zwillingen eine Weile stehen, um sie zu beweinen, geht dann ins Wasser und befühlt mit den Füßen die Knochen und Hautfetzen auf dem Sumpfboden. Danach watet er hinüber zu Sturm, der gerade ein paar Kriechpflanzen vertilgt.

»Sie ist entkommen«, sagt Sturm.

Langschatten antwortet nicht. Er ist wie benommen vor Erleichterung, aber auch vor Trauer, und die einzige Reaktion, die ihm angemessen erscheint, ist das unschlüssige Schwanken zwischen diesen beiden Gefühlen.

»Trink zuerst«, sagt Sturm. »Und iß.«

»Zuerst« heißt, ehe er zum Ufer zurückgeht, um die Toten gebührend zu betrauern. Langschatten rupft einen glitschigen, verhedderten Wurzelstrang aus, und als er ihn in den Mund schiebt, wird er von dem Gefühl gepackt, in die Erinnerung von jemand anderem eingetaucht zu sein, der hier wenige Stunden vor dem Gemetzel gegessen hat – die drückende Hitze, das glitzernde Wasser.

»Sie werden schon zurechtkommen«, sagt Sturm.

Langschatten wird zurück in die Gegenwart gerissen. »Weißt du, wohin sie gegangen sind?«

Sturm schüttelt den Kopf. »In dieser Gegend sind sie nicht. Das kann ich dir versichern. Aber gräme dich nicht. Sie-Schnaubt wird die Wasserquellen schon wittern.«

»Sie-Schnaubt?«

»Da Sie-Schaut und Sie-Schreckt tot sind, ist sie jetzt die Matriarchin.«

»Ach du meine Güte«, sagt Langschatten. Er malt sich aus, wie es ist, wenn eine so flatterhafte und gedankenlose Kuh wie Sie-Schnaubt die Verantwortung trägt. Seine Angst um Matsch flackert wieder auf.

Sturm beobachtet ihn. In freundlichem Tonfall sagt er: »Matsch ist noch ein Kalb, habe ich recht?«

»Nein, sie hat ihr erstes Delirium schon hinter sich. Ich habe sie bestiegen.«

»Aber jetzt ist sie nicht im Delirium.«

»Natürlich nicht.«

»Dennoch hast du vor, nach ihr zu suchen.«

»Ja.« Er schaut den alten Bullen erwartungsvoll an. Verbindet sie das nicht? Sind seine Gefühle für Matsch nicht eine verstärkte Version von Sturms Gefühlen für Sie-Schnaubt?

»Vielleicht bist du verrückt geworden«, sagt Sturm. »Dieser Zustand scheint neuerdings ansteckend zu sein.«

»Aber du liebst doch Sie-Schnaubt – «

»Was redest du da!« Er funkelt ihn über seine Stoßzähne hinweg an. »Für wen hältst du mich? Für ein nuckelndes Kalb?«

»Entschuldige bitte«, murmelt Langschatten.

»Warum suchst du nicht den weißen Knochen?«

»Aber das habe ich doch getan! Seit Beginn dieser Dürre bin ich unablässig auf der Suche. Ich versichere dir, Sturm, daß ich nicht untätig gewesen bin. Und ich werde auch nicht untätig sein, wenn ich von hier weggehe. Ich bin absolut in der Lage, gleichzeitig nach den überlebenden Sie-Sechs und nach dem Dalang-Knochen, wie ich ihn auf deine Empfehlung hin nenne, zu suchen. Das eine schließt das andere keineswegs aus. Und ich möchte betonen, daß es mein fester Vorsatz ist, in beiden Fällen Erfolg zu haben. Vermutlich sollte ich auch noch erwähnen, daß ich gerade von meiner Geburtsfamilie komme und meine Verwandten berichtet haben, die Sie-L-und-Ls hätten ihnen gesagt, man werde den Dalang-Knochen in der Nähe eines gewundenen Flußbettes nordwestlich von einer Bergkette finden.«

»Tatsächlich?«

»Ich gebe nur weiter, was mir erzählt wurde.«

Der finstere Blick weicht nur langsam aus Sturms Gesicht, aber schließlich rupft er einen Wurzelballen aus und brummt: »Vorausgesetzt, es gibt den Dalang-Knochen überhaupt.«

»Was meinst du damit?«

»Ich war auch nicht untätig, mein Lieber.« Er schiebt sich die Wurzeln in den Mund und quetscht sie bloß ein paarmal sanft mit den Zähnen zusammen, ehe er sie hinunterschluckt. »Man sollte doch meinen, daß inzwischen irgendein Gerücht, irgendeine Spur aufgetaucht wäre.« Er schaut in den Himmel. »Weißt du, die Finsternis ist angebrochen. Sie ist schon da.«

Obwohl Langschatten sehr groß ist, reicht er Sturm nicht einmal bis an die Schultern. Dennoch hat er das Gefühl, als sei er plötzlich riesengroß, als schwebe er hoch über Sturm in der blauen Luft.

»Was verraten dir die Zeichen?« fragt Sturm.

Diese Frage aus dem Mund des Bullen zu hören, der ihm geraten hat, sich nicht auf die Zeichen zu verlassen, überrascht ihn. »Ich habe jeden Glauben an sie verloren«, sagt Langschatten. Er schwankt auf den überlangen Säulen, in die seine Beine sich verwandelt zu haben scheinen. Für ihn ist es geradezu eine Offenbarung, daß der weiße Knochen selber ein Zeichen sein könnte. Natürlich ist er eins (sowohl ein gutes Omen als auch ein konkreter Wegweiser), aber bevor Sturm die Existenz des Knochens in Zweifel zog, hat Langschatten ihn nicht als etwas Übersinnliches betrachtet. Den Zeichen im allgemeinen hat er zwar abgeschworen, nicht jedoch dem weißen Knochen. Der, so glaubte er, war so verläßlich wie ein Pfad. Man stolpert über ihn, und schon wird man wohl oder übel von ihm geleitet.

»Den Glauben verloren?« sagt Sturm. Seine Stimme klingt erstaunt.

»Sie haben uns alle im Stich gelassen. Kein Zeichen hat uns vor den Gemetzeln gewarnt! Keins vor der Dürre! Vergiß sie, Sturm, denn was nützen uns Zeichen, wenn sie uns vor solchen Katastrophen nicht warnen?«

»Du meinst, kein dir bekanntes Zeichen hat vor diesen Katastrophen gewarnt«, sagt Sturm.

Langschatten reißt ein Büschel Riedgras ab. Gekränkt und entrüstet, in irgendeine luftlose Sphäre des Äthers entrückt, wackelt er mit den Ohren.

Sturm schließt die Augen. Einen Moment lang sieht es so aus, als schlafe er. Nachdem er die Augen wieder geöffnet hat, sagt er: »Den Zeichen ihre Bedeutung abzusprechen, bloß weil du sie nicht gut genug kennst, ist bestenfalls feige, schlimmstenfalls dumm. Man wirft ja mit der Schale nicht gleich die ganze Frucht weg.«

»Aber wie ...« sagt Langschatten, der inzwischen den Tränen nahe ist, »wie können wir überhaupt etwas mit letzter Sicherheit wissen?«

»Das können wir nicht.«

»Wie können wir uns dann unseren Glauben bewahren?«

»Glaube ist etwas anderes als Vertrauen in das eigene Wissen.«

Aus dem flachen Wasser dringt Lärm herüber. Ein Zebra, das Langschatten wiedererkennt, weil es ihm vor Jahren, als es noch ein Fohlen war, schon einmal am Rande einer Großen Regenversammlung aufgefallen ist, wo es sich wie wild im Kreis drehte, dreht sich jetzt wieder im Kreis und schlägt brutal nach hinten aus.

»Ein Anfall von Dürrekoller«, bemerkt Sturm.

»Vielleicht leide ich auch darunter«, sagt Langschatten versöhnlich, als Zeichen der Ehrerbietung und um seinen guten Ruf bei Sturm wiederherzustellen. Natürlich leidet er nicht darunter – er hat Matsch schon Jahre vor dieser Dürre geliebt –, aber der alte Bulle, das ist inzwischen klar, wird die Dauer und die Heftigkeit von Langschattens Wahnsinn, sofern es denn Wahnsinn ist, nicht begreifen, geschweige denn gutheißen.

Sturm gibt ein unverbindliches Grunzen von sich und hält den Rüssel in Richtung der Sie-Ns. Langschatten hält seinen Rüssel in dieselbe Richtung, obwohl er im Unterschied zu Sturm nicht gegen den Wind wittern kann.

Jetzt, in der Atmosphäre gemeinsam erlebter Verzweiflung, verläßt ihn das Gefühl, übernatürlich groß zu sein. Er sagt: »Wenn es den

Dalang-Knochen nicht gibt, welche Hoffnung bleibt uns denn dann noch?«

»Vielleicht gibt es ihn ja doch.«

»Aber du hast doch gesagt –«

»Erzähl mir nicht, was ich gesagt habe.« Er spricht mit sanfter Stimme. »Mir ist klar, was ich gesagt habe.« Sturm läßt den Rüssel fallen. Er trifft mit einem lauten Knall auf das Wasser, und Langschatten spürt, wie hinter ihnen am Ufer Dutzende von Tieren ruckartig die Köpfe drehen.

Zehn

Es sind die Matriarchinnen, die die Tage zählen – wie viele schon seit dem letzten Regen, wie viele noch, bis die schwarzen Beeren reif sind, wie viele, seit ein bestimmter Bulle in Musth oder eine Kuh in der Brunst war, und so weiter. Wie sie das machen, ist sogar ihnen selber rätselhaft. Jeder kann letztendlich die genaue Zahl nennen, indem er die einzelnen Tage rückwärts oder vorwärts abzählt. Die Matriarchin dagegen weiß sie sofort. Es ist keine erlernte Fähigkeit. Eine Kuh übernimmt die Führung der Familie, und wenn ein paar Stunden später jemand zum Beispiel den Abend erwähnt, an dem ein bestimmtes Kalb gestorben ist, denkt sie unwillkürlich: »Vor vier Jahren und siebenundvierzig Tagen.«

Dieses augenblickliche, genaue Erfassen der Zeit ist von allen Fähigkeiten, die Dattelbett nicht gegeben sind, diejenige, die in ihr den größten Neid erweckt. Als junges Kalb übte sie immer wieder, die Zahl der Tage mit Matriarchinnengeschwindigkeit zu ermitteln, aber alle Versuche blieben vergeblich. Nachdem sie eingesehen hatte, daß sie es nicht lernen konnte, entwickelte sie eine eigene Methode, die sie »Gruppieren« nennt, um wenigstens annähernd so schnell zu sein. Beim Gruppieren werden nicht die einzelnen Tage gezählt, sondern die vollen Monde, die alle dreißig Tage (plus-minus ein Tag) auftreten. Zwei Vollmonde, das heißt zwei Gruppen von dreißig Tagen, ergeben sechzig Tage. Drei Gruppen sind neunzig Tage. Man braucht diese Rechnung nur einmal aufzustellen, dann weiß man für alle Zeiten, wie viele Tage oder Jahre fünf Gruppen sind oder fünfunddreißig oder dreiundsiebzigeinhalb.

Jeden Morgen, wenn sie eine neue Kerbe in ihren linken Stoßzahn meißelt, fragt sie sich, ob die noch verbleibenden Tage ihres Lebens sich wohl zu den dreieinhalb Gruppen summieren werden, nach deren Abschluß sie genau dreizehn Jahre alt wäre. Aber sie macht sich keine große Hoffnung. Die Wunde über ihrem rechten Auge ist inzwischen verschorft, aber unter der Kruste spürt sie noch immer ein Brummen, das auch durch den Verzehr von Sagobaumrinde nur leicht gelindert wird. Beim Aufstehen wird ihr schwindlig, und mehrmals täglich verfällt sie in Halluzinationen – sie sieht seltsam berückende Bilder, die so klar sind, als schaue sie durch Matschs Augen, sie aber aufs äußerste beunruhigen. (Sie wandert zum Beispiel durch eine riesige Höhle, in der es taghell ist, und zu beiden Seiten gleiten erstaunlich ordentliche Stapel von fremdartigen Früchten an ihr vorbei – süß duftend und bunt, in strahlendem Rot, Orange und Gelb. Oder sie befindet sich auf einer Anhöhe, und aus frostigem Himmel schweben winzige weiße Blüten herab, die auf der Haut brennen und wie Sand auf der Erde liegenbleiben.)

Aber diese Beschwerden erschrecken sie nicht, denn sie sind nicht unbedingt tödlich. Was sie erschreckt, ist das Nachlassen ihres Gedächtnisses. Vor sechs Tagen huschte am Morgen eine blaue Eidechse an ihrem Gesicht vorüber. Sie konnte sie nicht einordnen, obwohl sie wußte, daß sie diese Art schon beobachtet und ihrem Eidechsen-Inventar hinzugefügt hatte. Seitdem sind die Hälfte ihrer Erinnerungen Schattenerinnerungen: zum Teil einwandfrei, stellenweise jedoch verblaßt oder lückenhaft.

Sie betet, obwohl sie nicht an die Macht von Gebeten glaubt und auch deren Prinzip nicht versteht. Wie können die Umstände eines vorherbestimmten Lebens durch Flehen verändert werden? Ihre Gebete sind folglich sehr zurückhaltend. Wenn sie betet, der Rest ihrer Familie möge in Sicherheit sein, dann denkt sie besonders an Matsch und ihre Mutter, erlaubt sich jedoch nicht, irgend jemanden hervorzuheben. Für sich selber bittet sie darum, daß sie nicht mehr erleiden muß, als sie ertragen kann, und daß, falls ihre Bestimmung im Überleben besteht, sie diese nicht durch Dummheit oder Unaufmerksamkeit vereitelt. Manchmal fügt sie noch die Hoffnung hinzu, das Schwinden ihres Gedächtnisses möge zum Stillstand kommen wie eine Blutung, oder sie möge auf eine Familie stoßen, deren Medizinkuh ein Gegenmittel kennt. »Ich würde zu gern meine eigene Familie noch einmal wiedersehen«, wirft sie an dieser Stelle ein. Anstatt sich zu wünschen, den weißen Knochen zu finden, malt sie sich im Geiste mit gebetsähnlichen Phrasen verschiedene Vorzüge des Sicheren Orts aus: »... denn in dem selig Reich sind Sümpfe, wo frisches, süßes Gras ...«

Sie pflegt in der Morgendämmerung zu beten, kurz nachdem sie aufgestanden ist. Ihre Gefühle sind so zwiespältig, daß sie sich nur zu beten traut, wenn sie taumelig und nicht ganz bei Sinnen ist, denn dann wird die Sie ihr diese Zudringlichkeit eher verzeihen können. Sobald der Schwindel nachläßt, sucht sie sich einen spitzen Stein und meißelt eine neue Kerbe in ihren Stoßzahn. Eine Kerbe für jeden Tag seit dem Gemetzel. Notwendig ist es noch nicht, nur eine Vorsichtsmaßnahme. Sie hat keine Ahnung, wie schnell ihr Gedächtnis schwindet, aber sie hat alte Kühe gekannt, die nicht mehr zu sagen vermochten, ob es eine Stunde oder ein Jahr her war, seit sie zuletzt mit ihr gesprochen hatten, und sie will vorsorgen, falls auch sie derart konfus werden sollte. Die Kerben sind für sie eine Art Sicherheitsnetz. Wenn auch das Zeitgedächtnis ihren Körper verläßt, so wird die verstrichene Zeit doch auf ihrem Stoßzahn festgehalten sein.

Am Morgen des sechsundzwanzigsten Tages kann sie keinen spitzen Stein finden. Jeder Stein, den sie aufhebt, ist so glatt und rund wie ein Ei. Sie befindet sich in einem Krotondickicht, neben einem riesigen, langgestreckten Felsen, dessen Oberfläche ungewöhnlich porös ist, und ihr kommt plötzlich der Gedanke, daß dies eine heilige Gegend sein muß. Erst hat sie das erstaunliche Ding gefunden, und jetzt trifft sie hier auf diesen seltsam porösen Felsen und diese runden Steine, die fast ebenso glatt sind wie das Ding. Irgend etwas hat sie hergelockt, denkt sie. Gestern nachmittag hatte sie auf der Ostseite des Felsens Rast gemacht, um sich kurz auszuruhen und zu essen, ehe sie sich wieder auf den Weg zu dem großen Wasserloch machte, das ihr Ziel war. Aber während sie ruhte, ließ sich eine freche Ginsterkatze gemütlich in der Krümmung ihres Rüssels nieder und erzählte ihr, unter dem Graben auf der anderen Seite des Felsens sei Wasser zu finden. Dattelbett schüttelte sie ab und erhob sich. Sie hatte bereits acht Löcher gegraben und war gerade zu dem Schluß gekommen, daß die Ginsterkatze sie beschwindelt hatte, als ein schlammiges Rinnsal aus der Erde drang.

Inzwischen war es Nacht geworden, und sie war so ausgedörrt, daß sie auf die Knie fiel und wie ein Kalb mit dem Mund trank.

Beim Trinken überfiel sie eine Halluzination. Sie hatte den Eindruck, als kniete sie auf einer Klippe. Unter ihr in der Dunkelheit schimmerte ein gewundenes Band, über das in zwei Reihen Lebewesen mit leuchtenden Augen hinwegglitten. Die Wesen in der einen Reihe hatten rote Augen, die in der anderen weiße; beide Reihen bewegten sich parallel zueinander, aber in entgegengesetzte Richtungen. Der scharfe Geruch von Löwinnen lag in der Luft und ängstigte Dattelbett so sehr, daß sie sich erhob. Die Halluzination verlosch im Wirbel eines Schwindelanfalls. Als der Anfall abflaute, erkannte sie, daß die Löwinnen nicht zur Halluzination gehörten, sondern hinter ihr auf dem Felsen lauerten.

Sie schwenkte herum und hob den Rüssel. Aus der Intensität des Geruchs schloß sie, daß es vier sein mußten. Der Mond war fast voll, und wo die Löwinnen waren, nahm Dattelbett eine tiefere Dunkelheit wahr, und den Glanz eines Auges.

»Was wollt ihr?« dachte sie.

Sie wollten sie fressen, das war klar, aber wie kamen sie darauf, daß sie es konnten? Am zweiten Tag nach dem Gemetzel hatte sie eine Horde Hyänen verscheucht, indem sie ihnen erzählte, ihr Blut sei giftig und das Gift wirke schon bei bloßer Berührung. Nicht weit weg hatte der Kadaver eines Löwen gelegen, und sie hatte auf die Schußwunde über ihrem Auge gezeigt und gedacht: »Kaum hatte er von meinem Blut geleckt, fiel er tot um.« Die Hyänen schauten sich an und kicherten nervös. Dattelbett fragte sie, wie sie sich sonst erklärten, daß sie – klein und allein wie sie war – überlebt hatte. Und wie die Hyänen sie so klein und allein vor sich stehen sahen, liefen sie davon. Anscheinend hatten sie die Geschichte weitererzählt, denn drei Tage später näherte sich ihr eine Abordnung ehrfurchtsvoller Gazellen, die gehört hatten, sie sei ein Racheengel, vom Gott ihrer Art ausgesandt, um alle Löwen, Hyänen und Wildhunde zu bestrafen, die es wagten, sie anzugreifen. Stimmte das? Sie sagte ja.

»Und wenn eine von uns dich berühren würde?« fragte die größte der Gazellen.

»Ich bin nur giftig für Geschöpfe, die mir etwas antun wollen«, antwortete sie und staunte, wie leicht ihr das Lügen fiel und wieviel Spaß es ihr machte.

Von da an hatte sie sich gefeit gefühlt, jedenfalls gegen Löwen, Hyänen und Wildhunde. Aber dann hatten die vier Löwinnen doch angegriffen. Sie hatten die Geschichte mit dem Racheengel noch nicht gehört, und sie fielen auch nicht darauf herein. Sie lächelten nur nachsichtig, so wie man über die abwegigen Behauptungen eines kleinen Kalbs lächelt.

Ein flaues Gefühl überkam sie. Sie dachte: »Gleich werde ich getötet.«

»Stimmt«, sagte die Anführerin.

»Es wird nicht weh tun«, sagte eine andere Löwin.

Die Anführerin sagte: »Wehr dich lieber gar nicht erst.«

Aber sie wehrte sich doch. Die Aufforderung, es nicht zu tun, war so bösartig, daß Dattelbett mit einem Schlag hellwach wurde, sich umdrehte und losrannte. Die Löwinnen sprangen vom Felsen herunter und verfolgten sie. Sie schlugen mit den Pranken nach Dattelbetts Hinterbeinen. Dattelbett drehte sich laut trompetend im Kreis. Ihr rechter Fuß traf auf einen Stein. Flugs hob sie ihn mit dem Rüssel auf. Trotz ihrer Angst spürte sie, wie unnatürlich kalt und glatt er war. Sie schwenkte ihn, und ein blasser Lichtstrahl strich über die Erde. Die Löwinnen wichen vor dem Licht zurück. Sie schwang den Stein erneut, und das Licht streifte ihre Gesichter.

»Kommt, wir verschwinden«, knurrte die Anführerin. Und während Dattelbett weiterhin trompetete und mit dem Stein fuchtelte, zogen ihre Feindinnen ab.

Sobald sie außer Riechweite waren, untersuchte Dattelbett ihre Waffe. Es war kein Stein. Es war zu kalt und zu ebenmäßig: auf einer Seite flach, auf der anderen gewölbt, ungefähr so groß wie ein Straußenei, aber schwerer und länger; es sah aus wie Hälfte eines langgezogenen Eis. Die gewölbte Seite schimmerte wie Schleim. Die flache Seite schimmerte wie Wasser, und wie im Wasser konnte sie sich auch darin sehen … jedenfalls wenn sie das Ding in einem bestimmten Winkel hielt und ihr das Mondlicht ins Auge schien. Ihr Abbild war derart ungetrübt, daß es ihr den Atem verschlug. Sie drehte das Ding herum und richtete es auf die Stelle, wo die Löwinnen gewesen waren. Wieder erschien der Lichtstrahl. Sie schwenkte das Ding in verschiedene

Richtungen, bis ihr klar wurde, daß der Strahl das Mondlicht war, das in das Ding hineinfiel und wieder heraussprang. Dann erst bemerkte sie den flüchtigen Fahrzeuggestank. Das Fahrzeug, in dem sich das Ding befunden hatte, mußte es verloren haben, dachte sie, denn wer würde solch einen Schatz absichtlich zurücklassen? Sie drehte das Ding um und hielt es wieder so, daß sie ihr Gesicht sehen konnte.

»Die Sie ist gütig«, sagte sie. »Die Sie ist groß.«

Beim Schlafen lag sie auf dem Ding. In ihren Träumen vergaß sie es, und auch als sie erwachte, dachte sie nicht mehr daran, bis sie während ihres morgendlichen Schwindelanfalls schmerzhaft mit dem Fuß auf die Kante zwischen der glatten und der gewölbten Seite trat. Entsetzt, daß die Erinnerung an das Ding auch nur für einen Moment aus ihrem Körper verschwinden konnte, hob sie es auf. Im Morgenlicht sah sie, daß die gewölbte Seite so unnatürlich blau wie ein Fahrzeug war. Es mußte also ein Teil des Fahrzeugs selber gewesen sein – vielleicht eine Art Gallenblase oder ein Knochenauswuchs –, und einen Augenblick lang war sie angeekelt, ließ das Ding jedoch nicht los. Sie schwenkte es hin und her, und ein verblüffend heller Blitzstrahl zuckte über den Felsen. Zufällig traf der Strahl ein Warzenschwein, das quiekend die Flucht ergriff. Sie blies den Staub von der flachen Seite des Dings und hielt es vor ihr Gesicht. Wieder verschlug ihr der Anblick ihres Spiegelbilds den Atem. Schau sich das einer an – da lief eine Zecke in der Hautfalte unter ihrem Auge entlang! Sie konnte die Zecke weder fühlen noch riechen, und doch war sie da. Dattelbett betrachtete sich eingehend: ihre Augenlider, die Adern in ihren Ohren, die zerfurchte Oberfläche ihrer verschorften Wunde. Noch nie hatte sie sich so deutlich gesehen, selbst im stillsten Wasser nicht. »Bist du mein Geisterzwilling?« fragte sie ihr Spiegelbild. Mit großer Umsicht legte sie das Ding auf einen Termitenhügel und machte sich auf die Suche nach einem spitzen Stein.

Aber sie kann keinen finden, obwohl sie eine ganze Weile sucht. Schließlich kehrt sie zu dem Ding zurück und hebt es auf. Es ist jetzt fast zu heiß, um es festzuhalten. Sie umklammert es mit dem Rüssel und betrachtet sich. »Es gibt in dieser Gegend keinen einzigen spitzen Stein«, sagt sie. Ihr Auge blinzelt. Der dunkle Kreis in der Mitte zieht sich zu einem Punkt zusammen, und sie hat das Gefühl, es geschieht, damit ihr Auge eine Idee aus seinem Innern hervorbringen kann. Und da ist sie schon, die Idee, sie springt vom Bild ihres Auges in ihr wirkliches Auge und von dort in ihren Kopf, wo sie jetzt hört: »Benutze das Ding.«

Natürlich, das ist es. Sie kann die scharfe Kante benutzen, an der sie sich den Fuß verletzt hat. Sie dreht das Ding so, daß sie die Kante über ihren Stoßzahn ziehen kann. Einmal vor, einmal zurück, schon hat sie ihre Kerbe. Tag sechsundzwanzig.

Sie hält sich das Ding vors Auge. Der dunkle Kreis schrumpft zusammen und zerrt eine weitere Idee aus der Tiefe ans Licht. »Oh!« haucht sie. Die Idee ist so gut, daß ihr Herz wie wild zu pochen beginnt. Sie nickt und wiederholt, was sie hört. Unwillkürlich spricht sie im förmlichen Tonfall.

So weit sie weiß, haben die Siejenigen nie daran gezweifelt, daß die Gestalten, die sie sehen, wenn sie ihr Spiegelbild im Wasser betrachten, tatsächlich sie selber sind. Affen und Raubkatzen zweifeln auch nicht daran. Von den anderen Wesen, die sich selber sehen können (viele können es nicht: Gnus, Büffel, Warzenschweine, Nashörner, Fluß-pferde und Zebras sehen bloß Wasser, wenn sie in einen stillen Tümpel schauen), denken die meisten, sie erblicken den Geist von jemandem, der ertrunken ist oder an dieser Stelle getötet wurde. Was Vögel denken, ist schwer zu sagen. Manche von den größeren – Hornvögel, Löffelreiher, Störche – lachen angeblich oder nehmen es übel, wenn man sagt: »Das bist du.« Sie behaupten, das Bild sei ein Fisch oder ein Schatten. Mit den Scharen von kleineren Vögeln läßt sich kaum reden, die sind viel zu flattrig und unaufmerksam. Die einsamen Segler – Adler und Habichte – stehen zwar im Ruf, nachdenklich zu sein, aber sie hal-ten Distanz. In den drei Jahren, die Dattelbett schon Gedankenredne-rin ist, hat sie nur mit zwei Habichten und einem einzigen Kampfadler beziehungsweise einer »Eminenz«, wie diese Art sich selber nennt, ge-sprochen. Und dieser Adler war kränklich und an den Boden gefesselt. Als Dattelbett ihn fragte, ob sie etwas für ihn tun könne, lautete die überraschende Antwort, sie könne ihm Gesellschaft leisten.

Vielleicht war er so ungewöhnlich mitteilsam, weil er dem Tode geweiht war. Er erklärte ihr, daß sie und ihre Artgenossen, wenn sie

Fleisch essen, ihren Appetit zügeln und mit den Ohren schlagen würden, vielleicht das Fliegen lernen könnten. Dann erzählte er ihr etwas über Hüter und Geisterzwillinge.

Jedesmal, wenn ein Kampfadler ausschlüpft, schlüpft gleichzeitig auch sein Geisterzwilling aus, dessen Schicksal das Schicksal des Adlers bestimmt. Der Geisterzwilling lebt unter Wasser und ernährt sich von Fischen und Kadavern, aber ansonsten sind die Ereignisse in seinem Leben identisch mit denen im Leben des Adlers. Wenn dem Zwilling etwas fehlt, fehlt es auch dem Adler. Wenn der Zwilling sich paart, paart sich auch der Adler, und so weiter. Wenn der Zwilling stirbt, stirbt auch der Adler. Bei starkem Wind oder Sturm kann man das Rufen des Zwillings hören, und er ist in Hunderten von Gewässern zu sehen, denn er wandert durch unterirdische Wasserläufe von See zu Fluß zu Tümpel. Es ist wichtig, seinen Geisterzwilling oft zu sehen. Ohne diese Kontakte verliert der Zwilling den Glauben an seine Existenz, wird schwach und unvorsichtig, und wenn er deshalb langsam verfällt, verfällt auch der Adler. Je deutlicher der Anblick, desto sicherer fühlt sich der Geisterzwilling und desto lebendiger ist er, und umgekehrt. Aus diesem Grund ist bei starkem Wind, wenn die Wasseroberflächen aufgewühlt sind, oder in der Trockenzeit, wenn das Wasser nicht da ist, das Leben des Adlers in Gefahr. »Ich habe meinen Hüter schon vier Tage nicht gesehen« – mit diesen Worten erklärte der kranke Adler, den Dattelbett traf, seinen Zustand.

Dattelbett kam nicht auf die Idee anzudeuten, daß das Bild im Wasser bloß den Adler selber zeigte. Es wäre taktlos und großspurig gewesen, und außerdem war sie sich ganz und gar nicht sicher, ob sein Spiegelbild nicht tatsächlich sein Hüter war. Oder ob ihr eigenes nicht vielleicht sie behütete. Nach dem Gespräch mit dem Adler betrachtete sie manchmal im Blutsumpf ihr Gesicht, nur für alle Fälle. Es ist ihr sogar der Gedanke gekommen, sie könne ihr Überleben, jedenfalls bis zu einem gewissen Grad, der Tatsache verdanken, daß sie wenige Stunden vor dem Gemetzel in dem flachen Wasser zwischen den Riedgrasschollen ihr Spiegelbild betrachtet hatte.

Und auch jetzt, da sie sich in dem Ding sehen kann, fühlt sie sich ... nun ja, nicht gesundet, ganz und gar nicht, aber doch gestärkt, das muß sie zugeben.

Sie betrachtet sich erneut, sieht ihr feuchtes Auge, das ihr ihren Durst bewußt macht, legt daraufhin das Ding ab, kniet sich vor das Loch, das sie gestern abend gegraben hat, und bohrt auf dem Grund herum, bis Wasser hervorsickert. Sie trinkt, steht auf, bekommt den üblichen Schwindelanfall, pudert sich mit Staub und ißt dann von dem Gestrüpp des Dickichts und den trockenen Grasballen, die zwischen den Büschen liegen. Am liebsten würde sie in Ruhe essen und dann schlafen, am liebsten würde sie tagsüber immer nur essen und schlafen und erst nachts, wenn die Sonne weg ist, weiterziehen. Aber seit dem Gemetzel hat sie Angst vor der Nacht. Jede verschwommene Form erscheint ihr wie ein Mensch, und wenn sie einen sicheren Platz gefunden hat, verläßt sie ihn nach Einbruch der Dunkelheit nicht mehr. Heute klettert sie, ehe sie aufbricht, auf den Felsen und sendet ihre Infraschallrufe aus. Es kommt keine Antwort. Es kommt nie eine Antwort. Sie wickelt das Ding in ihren Rüssel und brummt: »Die Sie ist nah«,* dann wandert sie los.

Um ihre gute Idee zu verwirklichen, muß sie die Aufmerksamkeit eines Kampfadlers erregen. Sie will das unterwegs versuchen, aber ihr oberstes Ziel ist es, das riesige Wasserloch zu erreichen, zu dem sie gestern schon unterwegs war, als dieser Ort sie zum Halten verführte. Eine Giraffengazelle hat ihr von dem Wasserloch erzählt und behauptet, in dessen Nähe frische Kotklumpen von Siejenigen gesehen zu haben. Diese Auskunft brachte Dattelbett zum Weinen. Seit fünfundzwanzig, jetzt schon sechsundzwanzig Tagen ist sie auf keinen einzigen Kotklumpen von ihresgleichen gestoßen. Alles, was sie findet, sind Knochen und Kadaver. Obwohl es unwahrscheinlich ist, daß die Siejenigen noch bei dem Wasserloch sind (die Giraffengazelle hatte verächtlich über die Nahrungsquellen in der Umgebung gesprochen und gesagt, das Loch selber spende zwar frisches Wasser, die Gegend wirke aber gespenstisch und wie ausgestorben), würde Dattelbett allein schon wegen des Kots den weiten Weg zehnmal auf sich nehmen. Nur um einen Beweis zu haben, daß sie nicht die letzte ihrer Art ist.

Das Land, durch das sie wandert, ist eine einzige große Brandfläche. Schwarze Erde, versengte schwarze Dornenbäume, schwarze Felsen

---

* Spruch, der beim Betreten oder Verlassen eines heiligen Orts aufgesagt wird.

und schwarze Asche, mit der sie sich bestäubt. Ohne ihr Tempo zu verlangsamen, schickt sie das Licht des Dings gen Himmel, wo es erwartungsgemäß Vögel anlockt. Leider keinen Adler, sondern nur Milane, die herabstoßen, »Was ist das?« schreien und wieder emporsteigen, noch ehe sie antworten kann. Kappengeier lassen sich keifend aus den Bäumen fallen, hüpfen vor ihr herum und bewegen ruckartig ihre obszönen Köpfe.

Sie nimmt einen Weg, den sie noch aus der Zeit kennt, als hier frisches Gras wuchs und Sie-Schaut die Familie zu einem Natronsee führte. Dattelbett und Matsch waren damals noch Kälber. Sie waren einander so zugetan, daß Dattelbett beim Laufen Matschs Schwanz festhielt, und sie »wir« anstatt »ich« sagten, wenn sie von sich sprachen – »Wir sind müde«, »Wir möchten«, »Wir können nicht« –, so als wären sie ein und dasselbe Kalb. Wenn Sie-Schreit Matsch einen Klaps versetzte, war Dattelbett diejenige, die aufschrie.

Die Brandspuren enden am See, der jetzt eine trockene Salzpfanne ist. Dattelbett legt das Ding hin, tritt einen Klumpen Salz los, zerkleinert ihn zu Körnern und hebt diese mit der Rüsselspitze auf. Während sie die Körner in ihren Mund schüttet, taucht sie in eine sehr klare Erinnerung an den Glanz des Wassers ein, das hier einst war, und an ihre erste Begegnung mit Flamingos, Tausenden von Flamingos. Weil sie damals davon ausging, daß kein großes Lebewesen eine solche Regenbogenfarbe haben kann, hielt sie die wirre Schar für ein exotisches Rohrdickicht und das näselnde Rufen der Vögel für ein Schwirren der Luft.

Wie kommt es, fragt sie sich jetzt, als sie aus der Erinnerung wieder auftaucht, daß sie manches noch ganz genau weiß, während anderes ihr nur verschwommen oder gar nicht im Gedächtnis geblieben ist? Nach welchen Kriterien wird die Auswahl getroffen? Einen Moment erneut zu durchleben, der sieben Jahre zurückliegt, ist der reine Luxus, auch wenn es ein wunderschöner Moment war, denn was sie jetzt braucht, ist eine Erinnerung an frühere Wanderstrecken, mit deren Hilfe sie sich orientieren könnte. Aber jedesmal, wenn sie versucht, solche Wanderungen im Geiste nachzuvollziehen, geraten ihre Gedanken ins Schleudern und enden im Nichts.

Sie beneidet die Vögel um ihre guten Augen und ihren Überblick. Sie wünschte, sie könnte einen von ihnen dazu überreden, für sie die

Gegend auszukundschaften, aber sie hat schon Mühe, sie dazu zu bringen, überhaupt mit ihr zu sprechen. Selbst die sonst so freundlichen Ziegenmelker bleiben auf Distanz. Dattelbett macht die Dürre dafür verantwortlich. Das Licht hat in diesen Zeiten einen düsteren Schein, und die Lebewesen zeigen nur wenig Barmherzigkeit. Sie hat sich damit abgefunden, für die Vögel, die sie nicht als Futter betrachten, eine unwillkommene Erscheinung zu sein.

Sie hatte sich damit abgefunden.

Jetzt hebt sie das Ding auf und hält es sich vors Gesicht. Ihre Haut ist schwarz von der Asche, die sie über sich geworfen hat. Inmitten der Schwärze wirkt ihr Auge gespenstisch. Sie dreht das Ding, und eine weiße Scheibe schnellt über die Steppe. Sie setzt ihren Weg fort und wirft immer wieder Licht gen Himmel.

⋌⋋

Sie wittert frisches Wasser, aber keinen frischen Kot und auch keine Lebewesen. Weit im Westen hört sie Gänse schreien, sonst ist alles still. Die Giraffengazelle hatte sie gewarnt, aber sie hatte ihr nicht so recht geglaubt, sie dachte, die Gazelle habe vielleicht nur bereut, ihr von einem so wertvollen Fund erzählt zu haben.

Es ist noch derselbe Tag, Mittagszeit, die Zeit, in der es normalerweise selbst an den fauligsten Wasserlöchern von Vögeln und Grasfressern wimmelt. Nur Menschen können einen Ort so vollständig leerfegen, und dennoch ist weit und breit keine Spur von ihrem Geruch zu entdecken. Sie setzt das Ding ab und schnuppert im Sand, der völlig frei ist von Kot, sogar von Geierkot. Der Sand riecht leicht nach Dattelpalmen. Wie kann das sein, wo doch gar keine Dattelpalmen in der Nähe sind? Sie hebt das Ding auf und befragt ihr Auge. Der Gedanke in seinem Innern scheint zu sagen, sie solle die Sache untersuchen, da sie nun schon den weiten Weg hierher gemacht habe.

Langsam bewegt sie sich vorwärts. Links weht dürres Gestrüpp über den Boden. Ein gutes Zeichen. Sie beschleunigt ihre Schritte. Das Wasserloch liegt hinter einem Haufen umgestürzter Dornbäume, und als sie sich nähert, weht ihr ein Hauch von altem Kot entgegen. Straußenkot, Affenkot. Kot von Siejenigen!

Sie eilt zur Quelle des ersehnten Geruchs. Da! Und da! Lauter dunkle, vertrocknete, zertrampelte Klumpen zwischen den Baumstämmen. Sie läßt das Ding fallen und schnuppert gierig. Der Kot stammt von den Sie-B-und-Bs. Von Sie-Brüstet-sich, Sie-Blufft, Sie-Blökt, noch einmal von Sie-Blufft. Eine liebenswerte Familie, die Sie-B-und-Bs, die Geburtsfamilie von Langschatten. Die Kotklumpen sind fliegenverseucht und von Käfern befallen, aber trotzdem ißt Dattelbett mehrere davon, denn sie will den Geschmack in der Kehle spüren.

Sie-Brütet, Sie-Bessert ... alles Kot von den Sie-B-und-Bs. Jeder Klumpen beschwört Erinnerungen an die betreffende Kuh, und trotz der Unheimlichkeit diese Orts versinkt Dattelbett selig in diesen Erinnerungen, die teils schattenhaft, teils klar sind. Sie geht im Zickzack zwischen den Stämmen hindurch. Als sie die andere Seite des Trümmerhaufens erreicht, stößt sie auf den Kot von Langschatten.

Sie hebt den Kopf, jetzt hellwach. Er war also hier. Sie betrachtet das glitzernde Wasserloch und denkt, wenn der Kenner der Zeichen an diesem Ort geweidet und getrunken hat, können keine schlechten Omen da sein – oder jedenfalls waren vor vier, fünf Tagen keine da. Sein Duft, sein ganz gewöhnlicher Bullenduft, vermittelt ihr das Gefühl völliger Geborgenheit. Sie ißt einen Klumpen von seinem Kot und erlebt eine klare, glückliche Erinnerung an ihre erste Begegnung mit ihm. Sie taucht aus dieser Erinnerung schluchzend wieder auf, den Klang seiner Stimme noch im Ohr, aber dann durchzuckt sie der Gedanke an das Ding und sie rennt eilig zurück, hebt es auf, läuft wieder auf die andere Seite der Baumstämme und bleibt dort stehen.

Die dunkle Oberfläche des Wasserlochs weist auf eine Tiefe hin, die vielleicht die Anwesenheit des Wassers trotz der Dürre erklärt: Eine unterirdische Quelle scheint es immer wieder aufzufüllen und die abwandernden oberen Schichten zu ersetzen. Sie klemmt sich das Ding unters Kinn und läuft los, witternd, die Ohren gespitzt. Der Boden ist auch hier frei von Kot, sogar frei von Stöckchen und auch von Rissen. Er verströmt einen fruchtigen Geruch, der nicht zu der Landschaft paßt. Das Wasser erscheint ihr wie eine Halluzination. Seit dem Morgen hat sie nicht mehr getrunken. Seit mehreren hundert Tagen hat sie kein so frisches Wasser gerochen. Am Rand des Lochs konferiert sie mit ihrem Bild in dem Ding, aber ihr Auge zeigt ihr bloß einen ratlosen Fragmich-nicht-Blick. Sie legt das Ding ab und trinkt, zuerst schlückchen-weise, dann in vollen Zügen. Sie duscht und bestäubt sich, an-schließend blickt sie blinzelnd in die Gegend und saugt die seltsam unpassenden Gerüche ein. Soll sie zum Essen und Schlafen hierbleiben oder lieber weiterziehen? Angenommen, sie zieht weiter, wohin soll sie dann gehen?

Sie hebt das Ding auf, richtet es auf den weißen Krater der Sonne, und fast augenblicklich kommen ein halbes Dutzend Madenhacker her-bei, flattern über ihr herum und schnattern in der simplen Sprache ihrer Art: »Das! Da! Was! Guck! Wo!«

»Haut ab!« trompetet sie, und die Vögel schwirren davon. Was soll sie mit solchen Schwachköpfen anfangen? Einen Adler anzulocken wäre ein Glücksfall, aber leider ist ihr das bis jetzt nicht gelungen, und sie wäre schon froh, würde sie überhaupt irgendeinem vernünftigen Wesen, mit dem sie reden kann, begegnen. Sie will herausfinden, ob sie hier sicher ist und warum nichts darauf hinweist, daß Langschatten oder eine von den Sie-B-und-Bs aus dem Wasserloch getrunken hat.

Ihr Magen knurrt. Selbst wenn sie beschließt weiterzuziehen — essen muß sie. Sie geht zu den Baumstämmen, klemmt das Ding in eine Astgabel und reißt einen Wurzelballen aus. Dornbaumwurzeln sind für sie ein notwendiges Übel – ihr Salzgehalt entkrampft den Magen, aber sie mag den Nachgeschmack nicht. Sie ißt nur davon, bis ihr Bauch sich beruhigt hat, dann schält sie einen Streifen Rinde ab, schiebt ihn aufgerollt in ihren Mund ... und hört ein Schmatzen. An diesem Ort scheint nichts normal zu sein, und so glaubt sie schon, die Geräusche dessen, was sie tut, hätten ihr Tun überholt und sie würde beim Kauen schon das Schlucken und beim Schlucken schon das Ab-reißen des nächsten Stücks Rinde hören und so weiter. Aber kurz dar-auf erreicht sie der Geruch eines schwarzen Nashorns. Sie blinzelt gegen den Wind und erblickt einen dunklen Klotz.

Dattelbett hat eine Schwäche für Nashörner, weil sie so schlechte Augen haben und so sagenhaft häßlich sind, und auch weil es nur noch so wenige von ihnen gibt. Als sie noch klein war, hielt sich immer min-destens eine schwarze Nashornmutter mit Kalb im Blutsumpf auf. In den letzten fünf Jahren aber ist keine einzige mehr aufgetaucht, weil die Menschen so viele von ihnen abgeschlachtet haben, und es ist schon sonderbar, ausgerechnet hier, in der Nähe des Wasserlochs, aber nicht am Wasserloch, eins anzutreffen – und das, obwohl nirgends eine Schlammsuhle zu sehen ist. Das Schmatzen wird unwahrscheinlich laut. Aus einem unerfindlichen Grund kann man Nashörner noch auf hundert Meter Entfernung kauen hören, und manchmal hat man den Eindruck, das Geräusch komme aus dem eigenen Mund. So geht es Dattelbett jetzt. Während sie losläuft, denkt Dattelbett an ihre Theorie, nach der die Laute von den »Stoßzähnen« des Nashorns übertragen werden, und zwar auf eine Weise, die mit der kuriosen Plazierung der Stoßzähne auf der Schnauze zusammenhängt. »Ich grüße dich, Bulle Unvergleichlich«, denkt sie, mit Nachdruck, um das Kauen zu übertönen. »Welche Ehre und Überraschung, in diesem Ödland auf ein Unvergleichliches zu treffen.«

Das Nashorn kommt schnaubend angerannt. Es ist nur noch ein paar Meter entfernt, als Dattelbett riecht, daß es gar kein Bulle ist. Noch eine Merkwürdigkeit: ein einzelnes Weibchen. Wie sie selber. »Verzeihung«, denkt sie, »ich meine Kuh Unvergleichlich.«

Das Nashorn wendet sich nach Westen und kreischt, als rede es zu jemandem, der weiter weg steht: »Hau ab! Verdufte! Bist du bekloppt? Bist du total bekloppt und durchgeknallt?«

»Natürlich nicht –«

»Dann mach, daß du wegkommst!« Sie stößt mit ihren Hörnern in die Luft. »Was willst du hier?« Sie trottet schnaufend im Kreis, und als sie Dattelbett das Gesicht zuwendet, quiekt sie: »Du mußt wirklich völlig bescheuert sein!«

»Ich bitte für mein Eindringen um Verzeihung«, denkt Dattelbett, legt die Ohren an und krümmt sich leicht, damit sie weniger bedrohlich wirkt. »Ich bin des Wassers wegen gekommen, und weil ich gehört habe, daß einige von meiner Art kürzlich hier gewesen sind.«

Die Nashornkuh bleibt stehen. Ihre kleinen Schweinsohren zucken.

»Ich wurde von meinen Angehörigen getrennt«, denkt Dattelbett.

Das Nashorn tritt dicht an Dattelbetts Vorderbeine heran. Dattelbett senkt den Rüssel und riecht großen Kummer. Sie weiß nicht, was über sie kommt – Mitleid, ein Gefühl der Einsamkeit oder einfach haltlose Neugier –, aber sie berührt den Rücken des Nashorns, die gekerbte Haut, die faltige Narbe einer alten Wunde. Das Nashorn hält still und läßt sich streicheln, was noch seltsamer ist als Dattelbetts Treiben, und während dieses erstaunlichen Kontakts grunzt das Nashorn plötzlich: »Die armen Ahnungslosen. Sie wurden getötet.«

Dattelbett hebt den Rüssel. »Wer wurde getötet?«

»Deine Artgenossen.« Sie tritt zurück und legt den Kopf schief. »Sie waren hier. Ja, ja, sie waren hier. Eine magere, kleine Herde von zehn oder fünfzehn, und sie wurden getötet.«

»Alle?«

»Alle? Ja, ja, ich glaube schon. Nun, vielleicht doch nicht alle. Ich weiß nicht genau. Aber so ist das an diesem Ort. Arglose, dämliche Schwachköpfe kommen her um zu trinken, und dann kommen gemeine, brutale Hinterbeiner, um sie abzuschlachten. Wieso gibt es deiner Meinung nach mitten im Nichts so ein riesiges Wasserloch? Was glaubst du wohl, wer es gegraben hat?«

Dattelbett schwankt, einer Ohnmacht nahe. »Aber es ist kein Blut da, kein Geruch von –«

»Sie verwischen ihre Spuren.« Die Nashornkuh senkt prustend den Kopf, plötzlich wieder verzagt. »Verschwinde von hier!« quiekt sie. Sie geht in die Hocke und versprüht hinter sich Urin. »Benimm dich doch nicht wie ein total verblödeter Volltrottel!«

Der scharfe Geruch des Urins reißt Dattelbett aus ihrer Benommenheit. »Wann?« denkt sie, und meint, wann wurden sie abgeschlachtet?

»Sofort! Auf der Stelle! Unverzüglich!«

»Aber du bist doch auch hier.«

»Ich kann nicht weg!«

»Warum nicht?« Dattelbett schluchzt.

Das Nashorn wird ruhig. »Sie haben mein Kalb getötet.«

»Nein!«

»Doch, doch, sie haben ihn getötet. Abgeschlachtet. Einfach umgebracht und mitgenommen.«

»Wie furchtbar!«

»Ich warte hier auf seinen Atem.«

Davon hat Dattelbett gehört. Nashörner glauben, daß nach zehn bis dreißig Tagen der Atem der Toten von dort zurückkehrt, wo ihr Geist hingegangen ist. Etwa eine Stunde lang schwebt er über der Stelle, an der der Tod eingetreten ist, und wenn ein weibliches Nashorn den Atem einsaugt, wird sie eines Tages ein Kalb gebären, in dem ein Teil des Geistes des Verstorbenen erhalten ist.

Dattelbett denkt: »Hast du keine Angst, daß die Hinterbeiner dich auch töten?« Aber sie denkt es so weit hinten im Kopf, daß das Nashorn es nicht hören kann. Es steht ihr nicht zu, die Rituale und Opfer in Frage zu stellen, mit deren Hilfe jemand versucht, schreckliche Verluste zu überwinden. »Danke für die Auskunft«, denkt sie im hörbaren Bereich. Sie nickt dem Nashorn kurz zu und macht sich auf den Weg zurück zum Wasserloch.

»Doch nicht da lang!« ruft ihr das Nashorn nach. »Du superdämlicher Hohlkopf, du.«

Am Wasserloch trinkt und duscht Dattelbett, dann holt sie das Ding. Sie betrachtet sich darin und sieht ein rotes, geistloses Auge. Das Auge eines superdämlichen Hohlkopfs. An welche Maßstäbe, an wessen Erfahrungen soll sie sich hier draußen halten? Sie bewirft sich mit Erde und folgt dem einzigen Rat, den sie bekommen hat: »Weg von hier.«

Möglich, daß sie diesen Landstrich schon einmal durchquert hat, aber sie erinnert sich nicht daran. Sie betet laut und hemmungslos. All diese Gemetzel wurden erdacht und werden jetzt erinnert von der Sie, die weder rachsüchtig noch verrückt ist – wenn sie es doch wäre, dann könnte man vielleicht mit ihr handeln, aber das glaubt Dattelbett nicht. Wenn die Eine, nach deren Bilde alle Siejenigen geschaffen wurden, verrückt ist, dann sind auch die Siejenigen bloß ein Haufen von Verrückten. Und das sind sie keineswegs, jedenfalls noch nicht. Dattelbett weigert sich zu glauben, daß die noch Lebenden, wie viele es auch sein mögen (ob Tausende oder ein Dutzend), alle verrückt sind. Aber zu viel Leid könnte sie eines Tages verrückt machen, und wenn das geschieht, wenn die besten Geschöpfe der Sie verrückt werden, dann wird auch die Sie sich verändern. Dann wird die Sie verrückt werden. Und das weiß die Sie natürlich. Dattelbett betet: »Im Namen der Barmherzigkeit, mach, daß Langschatten noch am Leben ist.« Aber ihre Hoffnung, bereits Geschehenes noch beeinflussen zu können, ist verschwindend gering.

Sie liebt Langschatten. Jetzt kann sie es zugeben. Sie kann sich eingestehen, daß sie sich gewünscht hat, er möge ihren ersten Kälbertunnel graben, und daß sie immer ein bißchen eifersüchtig war wegen seiner Bewunderung für Matsch, die sie allerdings durchaus verstehen konnte. Diese Bewunderung ist sogar einer der Gründe, warum sie ihn liebt. Als er damals bei der Großen Regenversammlung zu Matsch sagte: »Wir sind gleich«, da dachte Dattelbett: »Nein, *wir* sind gleich, du und ich«, und wunderte sich, daß ein so guter Beobachter wie Langschatten so blind dafür sein konnte, wer ihm ähnelte. Genau wie Dattelbett ist er wißbegierig, wählerisch und schlank. Beide sammeln und ordnen sie Informationen und Fakten, um die sich sonst niemand schert. Beide haben sie eine Vorliebe für die Sprache der alten Zeit … Sie mag die altmodischen Beugungen, er die geschraubte Ausdrucksweise. Beide lieben sie auf unnatürliche Weise. Der Gedanke, er könne tot sein, ist doppelt erschreckend – einerseits, weil sie ihn liebt, andererseits, weil sein großes Wissen ihn hätte beschützen sollen. Wenn selbst der Kenner der Zeichen überrumpelt werden kann, wer ist dann noch sicher?

Ein starker Wind entfacht den Staub. Sie läuft direkt in das Gestöber hinein, schließt wegen der aufstiebenden Sandkörner die Augen und läßt sich nur von Gerüchen und Geräuschen leiten, denn ihre Wanderung ist richtungslos, ziellos. Wenn sie Nahrung findet, ißt sie. Wurzeln, Zweige – alles schmeckt nach Staub. Sie trompetet Gebete, murmelt vor sich hin und fühlt sich uralt und wirr im Kopf. Sie singt Hymnen:

Wenn du nicht glaubst, wirst du nicht sehen,
Schaust auf Ihr Werk und gehst doch fehl,
Die Sie allein kann sich verstehen,
Und daraus macht sie keinen Hehl.

Und:

Ein Kalb der Hoffnung wird Sie senden,
Und diese Tochter wird die Macht
Der Hinterbeiner bald beenden,
Sie schicken in die ew'ge Nacht.

Sie vergißt immer wieder, daß sie das Ding bei sich trägt, bis sie es zum Essen beiseite legen muß. Jedesmal denkt sie gereizt: »Ich darf auf keinen Fall weitergehen, ohne es mitzunehmen«, und das tut sie auch nicht, obwohl sie sich hinterher nie daran erinnern kann, es wieder aufgehoben zu haben. Sie wandelt durch unterschiedliche Halluzinationen: das Innere einer Höhle, gerade weiße Wände, grüner Steinboden, so schimmernd und glatt wie ein stiller Teich, im Dach der Höhle winzige Sonnen, die ein kühles, weißes Licht spenden. Eine andere Wand, doppelt so hoch und dreimal so breit wie Dattelbett, steht auf einem Netz aus silbernen Stäben. Auf dieser Wand entfaltet sich Leben, zuckend und blitzend, als handle es sich um schnell wechselnde Erinnerungen von jemand anderem. Und: Ein männlicher Mensch hält Bündel von aromatischen gelben Früchten in seinen Vorderfüßen, die er Dattelbett anbietet. Er sagt etwas, das ihr Verstand nicht übersetzen kann, aber der Klang seiner Stimme – ein kehliges Gurren, ähnlich dem einer Taube – ist tröstlich.

Vier Tage später findet sie sich im Schatten einer großen Akazie wieder, nahe dem Ufer eines ehemaligen Flusses. Sonst steht hier kein Baum mehr, bloß dieser einsame Riese mit dem gespaltenen Stamm, der sich den größten Teil seiner Rinde bewahrt hat und eine wunderbare Krone trägt. Die Blätter allerdings sind vertrocknet und rascheln im Wind, aber das macht nichts, sie hängen sowieso außerhalb ihrer Reichweite. Verlassene Webervogelnester baumeln an den Ästen wie eine dem Verfall geweihte Ernte. Hoch oben thront ein riesiges, flaches Geiernest, aber auch das wirkt ausgestorben, und die weißen Kotkleckse unten auf der Erde riechen alt.

Dattelbett hat im Flußbett eine Sickerstelle freigelegt und drei Streifen Akazienborke gegessen. Jetzt liegt sie auf der Seite und betrachtet sich in dem Ding. »Sorge dich nicht, mein Geisterzwilling«, sagt sie mehrmals. »Ich bin hier.« Im Moment fühlt sie sich durch den dunklen Kreis ihres Auges angespornt, sich auf ihre gute Idee zu besinnen. »Ich habe es nicht vergessen«, sagt sie, aber als sie genauer über die Idee nachdenkt, fängt sie an, daran herumzubasteln.

Die Idee ist folgende: Sie wird die Aufmerksamkeit eines Adlers erregen, und sobald er dicht genug über ihr schwebt, um ihre Gedanken zu verstehen, wird sie sagen, sein Geisterzwilling, sein Hüter, warte in dieser »Oase undurchdringlichen Wassers« und verlange nach seinem Anblick. Neugierig wird er ein Stückchen tiefer schweben, sich vielleicht sogar auf einem Busch oder Termitenhügel niederlassen, und dann wird sie ihm das klarste Bild von sich zeigen, das er je gesehen hat. Und höchstwahrscheinlich wird es auch seit Tagen das erste sein, das er überhaupt zu sehen bekommt. Er wird gebannt sein.

Dann wird sie ihn bestechen.

Als Gegenleistung für gelegentliche Blicke auf seinen Hüter muß er das Land nach dem weißen Knochen absuchen. Sie wird ihn instruieren, seine Suche auf die Westseite von Bergketten zu konzentrieren und besonders auf Felsblöcke und Termitenhügel zu achten, die einen Kreis bilden.

Ursprünglich hatte sie geplant, ihn auch nach Angehörigen ihrer Art suchen zu lassen, und natürlich wird sie ihn fragen, ob er welche gesehen hat. Aber sie wird ihnen nur nachgehen, falls sie nicht weiter als zwei Tagesreisen entfernt waren und die Kühe zu den Sie-Sechs gehörten. Während einer Dürre bleibt niemand lange am selben Ort, es sei denn, es gibt dort ein Wasserloch, und außer dem Blutsumpf und dem bösen Wasser scheinen alle Wasserstellen verschwunden zu sein. Sie hat beschlossen, nicht zum Blutsumpf zurückzukehren, um sich nicht in Gefahr zu begeben, obwohl es ihre heilige Pflicht wäre, die Knochen der Verstorbenen zu beweinen. Ihre Familienangehörigen werden, selbst wenn sie zum Sumpf zurückgegangen sind, inzwischen sowieso nicht mehr da sein. Sie werden unterwegs sein, genau wie Dattelbett, auf der Suche nach dem weißen Knochen und auf der Suche nach ihr. Falls ihre Mutter nicht gestorben ist, wird sie die neue Matriarchin sein und die Suche anführen.

Beim Gedanken an Sie-Schnaubt, die mit ihrem empfindlichen Rüssel Witterung aufnimmt, um ihre Tochter zu orten, füllen sich Dattelbetts Augen mit Tränen. In dem Ding beobachtet sie, wie ihr Gesicht sich verzerrt, und ein Teil ihres Geistes fragt sich, ob die Tränen wohl aus dem unteren Lid hervorquellen oder aus winzigen Löchern im Augapfel selber. Erst jetzt wird ihr klar, daß sie ihrer Mutter am besten bei der Suche helfen kann, wenn sie eine Weile am selben Ort bleibt.

Dieser Ort ist so gut wie jeder andere. Es gibt ein Flußbett in der Nähe, reichlich Rinde an dem Akazienbaum und Dornengestrüpp. Sie atmet tief ein und schaut blinzelnd in alle Richtungen. Über ihrem Kopf erspäht sie einen Vogel. Vermutlich ist es nur ein Geier, denkt sie, aber dann wird sie sich ihrer selbst extrem bewußt und erkennt, daß sie einen Moment erlebt, der bereits von einer Visionärin gesehen wurde. Und das bedeutet, es ist ein folgenschwerer Moment. Mit dem Gefühl, von etwas getrieben zu werden, das noch verzweifelter ist als ihr eigenes Verlangen, richtet sie das Ding auf die Sonne.

Elf

Matschs Herz wird von einem dumpfen Gefühl ergriffen. Sie späht schnüffelnd durch die Finsternis. Außer Knick, der inzwischen unter seiner Mutter liegt, scharren alle im Boden nach Wurzeln.

Sie-Schreit steht dicht bei Sumpf und wirkt ganz ruhig, was nur bedeuten kann, daß nichts passiert ist, während Matsch in ihre Vision versunken war. Sie-Schnaubt hat offenbar geschwiegen. Wieso? Wieso hat sie nicht darauf reagiert, als Sie-Schreit behauptet hat, für Dattelbett bestünde keine Hoffnung mehr? Natürlich atmet auch Sie-Schnaubt die beruhigenden Unterdüfte ein, aber das allein dürfte sie, nach Matschs Ansicht, wohl kaum davon abgehalten haben, auf die ungeheuerlichste Bemerkung zu reagieren, die Sie-Schreit je gemacht hat.

Matsch geht zur Matriarchin und streift an ihrem Bauch entlang. Sie-Schnaubt zieht weiter an einem Wurzelstrang, so als habe sie Matsch nicht bemerkt, und Matsch bringt es nicht über sich, etwas zu sagen. Sie stellt sich neben Sie-Schreit und beginnt mit den Stoßzähnen in der Erde zu graben, während sie lautlos über das Bild der toten Sie-Schreit weint – den zerschmetterten Schädel, den aufgequollenen Körper aus ihrer Vision. Sie-Schreit, die Matschs Kummer wittert (und ihn zweifellos, egal was für einen Grund er haben mag, für weniger berechtigt hält als ihren eigenen), prustet verärgert, und Matsch empfindet es geradezu als quälend, daß Sie-Schreit sich in ihrer Unwissenheit über ihr Schicksal genauso erbärmlich verhält wie üblich.

Nach einigen Stunden beginnt Sie-Schnaubt wortlos, an einer Stelle die Steine beiseite zu räumen, um ein Bett zu bereiten. In den ersten Nächten, nachdem sie aufgebrochen waren, haben sie, wie üblich, dicht zusammengedrängt geschlafen. Nun, da sie sechzehn Tage unterwegs sind, haben sie sich angewöhnt, nebeneinander zu schlafen – Sie-Schreit am einen Ende, daneben Sumpf, dann Hagelkorn, Sie-Schnaubt, Knick und Sie-Schützt. Matsch liegt am anderen Ende, neben Sie-Schützt, und die Lücke, die sie zwischen ihnen beiden läßt, ist kein weiterer Beweis für ihre Unnahbarkeit, auch wenn das die anderen bestimmt vermuten, und auch kein Anzeichen für den Ekel, den der scheußlich riechende Augenpfropfen der Medizinkuh bei ihr verursacht. Nein, in der Lücke würde Dattelbett schlafen, wenn sie hier wäre. Dort wird sie schlafen, wenn sie zurückkehrt.

Die großen Kühe schnarchen nur selten. Heute jedoch tun sie es – sie bilden einen mißtönenden Chor, mit Sie-Schreit als Solistin. Jedes Ausatmen von Sie-Schreit beginnt mit einem unglaublich hohen, vibrierenden Ton, der dann in die Tiefe stürzt, so als würde er von einer hohen Klippe fallen, und Matsch denkt: »Jeder Atemzug ist für sie jetzt kostbar.« Für Matsch ist es unvorstellbar, Sie-Schreit von der Vision zu erzählen (... Rüsselhälse haben sich über das Innere deines Schädels hergemacht). Unvorstellbar, es überhaupt irgendwem zu erzählen. Wenn Sie-Schnaubt es wüßte, würde sie das Verhalten von Sie-Schreit vielleicht eher hinnehmen, aber Matsch kann den Gedanken nicht ertragen, daß Sie-Schnaubt möglicherweise erleichtert wäre. Nein, das ist nicht die ganze Wahrheit. Sie kann den Gedanken nicht ertragen, daß sie, sollte sie bei der Matriarchin Erleichterung spüren, vielleicht dasselbe Gefühl bei sich selber entdecken würde.

Es gibt nichts, wonach sie sich richten könnte. Zum ersten Mal hat sie eine Vision von einem toten Mitglied ihrer Familie gehabt, und Sie-Schaut sprach nie über solche Visionen, zumindest nicht in Gegenwart der Kälber. Und es ist auch nicht so, als könne sie, indem sie jemandem erzählt, was sie gesehen hat, verhindern, daß es eintritt. Davon ist Matsch überzeugt, und sie fragt sich, wieso dann die Zukunft überhaupt jemandem gestattet, einen Blick auf sie zu werfen. Bloß damit die Betroffenen sich darauf gefaßt machen können? Wenn ja, dann müßte Matsch es Sie-Schreit erzählen.

Aber das wird sie bestimmt nicht tun. Und sie wird auch nicht schlafen können. Sie liegt grübelnd da. Wann wird Sie-Schreit sterben? (Nach ihrem Aussehen zu urteilen – ihren Stoßzähnen, ihrem ausgemergelten Körper – wird es nicht mehr lange dauern.) Sie fragt sich, wieso Sie-Schnaubt nicht wütend geworden ist, als Sie-Schreit sagte, Dattelbett könne nicht mehr am Leben sein, und ob jenseits der Ränder ihrer Vision vielleicht noch weitere Kadaver lagen. Ab und zu ballt sie in einem Ritual, das sie so regelmäßig und unbewußt vollführt, wie sie den Blick über den Horizont schweifen läßt, ihre Gedanken zusammen, bis sie Form und Geruch von Dattelbett annehmen, allerdings nicht einer speziellen Erinnerung an sie, sondern die eines perfekten Bilds, das sie dann im Geiste aussendet, damit es Dattelbett hilft, Mut zu fassen.

⁂

Sie schläft schließlich doch ein, und als sie im Morgengrauen aufwacht, sind alle anderen schon auf den Beinen.

Ein Geruch von Nervosität liegt in der Luft, so dick wie Qualm. »Ich rieche sie nicht«, sagt Sie-Schnaubt. Sie schüttelt, von allen anderen abgewandt, Erde von einem Knäuel Wurzeln.

»So ein Unsinn!« trällert Sie-Schreit.

»Ich höre sie nicht«, sagt Sie-Schnaubt.

Von Sie-Schützt ertönt ein gezwungenes Lachen. »Du mußt die Kuh doch hören können.«

»Ihre Worte sind hohles Getöse.« Sie-Schnaubt schaut über die Schulter und fixiert Sie-Schreit. »Sie ist diejenige, die tot ist.«

Matsch denkt: »Sie hat meine Gedanken gehört und weiß, daß Sie-Schreit bald sterben wird.« Aber sofort wird ihr klar, daß es unmöglich so sein kann. Wenn Sie-Schnaubt Gedanken hören könnte, dann wäre Dattelbett tot, und wenn Dattelbett tot wäre, dann würde Sie-Schnaubt wehklagend auf dem Boden knien.

»Eine Ungeheuerlichkeit!« ruft Sie-Schreit.

Sie-Schnaubt kaut die Wurzeln und wedelt mit dem Schwanz.

»Willst du sie verbannen?« röhrt Sie-Schützt.

»Wen meinst du?« fragt Sie-Schnaubt gelangweilt.

»Sie-Schreit!«

»Bei uns gibt es keine Sie-Schreit!«

Die Medizinkuh schaut Sie-Schreit fassungslos an.

»Das stimmt doch gar nicht«, sagt Knick mit besorgter Stimme. Er berührt Sie-Schreit am Bein. »Hier steht sie.«

Sie-Schnaubt schnaubt. »Das«, sagt sie, »ist eine Erinnerung.«

Sumpf grunzt belustigt, und seine Mutter versetzt ihm einen Schlag auf den Kopf. »Das könnte dir so passen!« kreischt sie. »Wenn ich bloß eine Erinnerung wäre, dann könnten du und dein Liebster« – sie schleudert ihren Rüssel in Hagelkorns Richtung – »abhauen, ohne euch um mich sorgen zu müssen, und eure eigene fröhliche kleine Junggesellenherde gründen.« Sie bricht in Tränen aus. »Jedenfalls bin ich keine Erinnerung. Und ich lasse mich nicht verbannen!« Sie wendet sich an Matsch. »Das ist alles deine Schuld!«

»Meine Schuld?«

»Du hast mich dazu gebracht, es zu sagen.« Sie senkt ihre Stimme und bemüht sich um einen begriffsstutzigen Tonfall – wie immer, wenn sie Matsch imitiert. »Was ist sie? Was? Was wolltest du über Dattelbett sagen?«

Sumpf seufzt. »Jetzt übertreibst du aber, Mutter.«

»Du bist ein Eindringling!« trompetet Sie-Schreit Matsch ins Gesicht.

»Nein, nein!« brüllt Sie-Schützt. »Es reicht jetzt!« Sie wickelt ihren Rüssel um den Rüssel von Sie-Schreit .

Sie-Schreit windet sich los. »Wenn überhaupt jemand verbannt werden sollte, dann sie.« Sie schaut über Matschs Kopf hinweg. »Bei uns gibt es keine Sie-Schmollt«, verkündet sie.

»Schluß mit dem Unfug!« röhrt die Medizinkuh. Sie schaut erst Sie-Schnaubt an, die friedlich im Boden stochert, dann Sie-Schreit und schließlich Matsch.

»Bei uns gibt es keine Sie-Schmollt«, wiederholt Sie-Schreit im Tonfall einer offiziellen Bekanntmachung und geht, die Hüften schwingend, auf die andere Seite der Krotonbäume.

»Das geht vorüber!« röhrt Sie-Schützt. »Wir alle werden das überstehen!« Sie streicht Matsch über den Kopf. »Sie-Schützt ist hungrig! Du nicht?«

Matsch schaut die Medizinkuh an – ihren freundlichen, erwartungsvollen Gesichtsausdruck, ihre Augenhöhle mit der stinkenden Füllung, ihr gesundes Auge … weit geöffnet, der Blick ohne Arglist –, und sie schüttelt den Kopf. Ja, sie ist hungrig, aber nein, es wird nicht vorübergehen. Sie werden es nicht überstehen, jedenfalls nicht alle.

»Aber ich bin hungrig«, sagt Knick schluchzend.

»Dann steh auf.« Sie-Schützt zieht ihn von den Knien hoch und streckt ihre Vorderbeine aus, damit er bei ihr trinken kann.

Das Morgenlicht ist dunstig und erzeugt Trugbilder. Im Osten sieht Matsch leuchtende Flächen, und sie würde schwören, daß es Seen sind. Solche Seen sind ein günstiges Zeichen. Mit dem Gefühl, unverwundbar zu sein, geht sie ein Stück bis zu einer Felsplatte und sendet einen Infraschallruf an Dattelbett. Sie wartet einen Moment und beschließt dann, Dattelbetts Theorie, daß der Boden bei schlimmen Dürren Infraschallrufe nicht weiterleitet, weil ihm zu viel Feuchtigkeit entzogen ist, zu überprüfen, und sie sendet einen Ruf an Sie-Schnaubt. Die Matriarchin reagiert nicht, aber das kann auch an der kurzen Übertragungsentfernung liegen.

Matsch bleibt eine Weile dort stehen und betrachtet ihre Familie. Sie kommen ihr alle kaum vertrauter vor als Hagelkorn. Untereinander gleichen sie sich hingegen (abgesehen von Hagelkorn) und scheinen eine abgeschlossene Einheit zu bilden, an der Matsch niemals wird teilhaben können.

»Ich bin wirklich ein Eindringling«, denkt sie, leicht erstaunt darüber, daß sie diese Erkenntnis ausgerechnet Sie-Schreit verdankt. Sie-Schreit, der Verbannten, die dem Tod geweiht ist. Wie sie es eines Tages alle sein werden, dessen ist sich Matsch vollkommen bewußt. Aber in ihrer Vision hat sie keine weitere Leiche gesehen, und sie kann sich auch niemanden von den anderen tot vorstellen. Nur Sie-Schreit gesteht sie jene Klarsicht zu, die, wie sie vermutet, das zeitweilige Privileg selbst der Dummen und Lächerlichen unter den Todgeweihten ist.

Die Gesetze der Verbannung sind, wie sich herausstellt, dehnbar. In besseren Zeiten mag das anders sein, wer weiß (Sie-Schützt sagt, dies sei der erste Fall von Verbannung in dieser Familie). Aber wenn das Land selbst so unbarmherzig ist wie jetzt, geben seine Bewohner ein wenig von ihrer Strenge auf.

Wenn Sie-Schreit »Halt!« kreischt, weil die Bullen zu weit zurückgefallen sind, läßt Sie-Schnaubt die anderen anhalten. Wenn Sie-Schreit jedoch »Halt!« kreischt, weil sie einen ihrer Anfälle hat, marschiert die Matriarchin, sobald ihr der Grund für das Gekreische klar ist, weiter, und da sie die Matriarchin ist, folgen ihr die anderen. Wenn Sie-Schreit spricht, hören natürlich alle, was sie sagt, aber nur Knick, der noch nicht begreift, was los ist, sieht aus, als lausche er ihren Worten, und niemand antwortet auf ihre Fragen. »Wir alle müssen der Matriarchin Respekt entgegenbringen!« brüllt Sie-Schützt beispielsweise. »Wenn die großen Kühe etwas befehlen, gehorchen die kleineren Kühe!« Damit will sie Sie-Schreit klarmachen, daß sie mit ihr reden würde, wenn sie dürfte. Sie-Schreit kreischt: »Unsinn!« Sie beschuldigt jeden, einschließlich der Medizinkuh, dankbar über die Möglichkeit zu sein, sie mit Mißachtung zu strafen. »Also wirklich!« entgegnet Sie-Schützt entrüstet und schlägt sich dann selber ins Gesicht, aus Scham über ihre direkte Reaktion auf die Worte einer verbannten Kuh. Und dennoch mustert sie weiterhin die rissige Haut von Sie-Schreit und brummt dann, wie zu sich selber, daß rissige Haut mit Akaziengallen eingerieben werden sollte, und daß Geierkot die Fußsohlen abhärtet.

Da Matsch von Sie-Schreit verbannt worden ist, spricht die ältere Kuh sie nicht an, erwartet nicht von ihr, für sie einzutreten, und würde es ihr auch nicht danken, wenn sie es täte. Was zu schade ist. Seit sie eine Vision von Sie-Schreits Tod gehabt hat, ist Matsch eher geneigt, ihre Streitsucht und ihre lächerlichen Wutausbrüche zu dulden und für sie Partei zu ergreifen. Zum ersten Mal in ihrem Leben bewundert sie Sie-Schreit beinah, sie bemitleidet und bewundert sie, und diese Gefühle haben nur wenig damit zu tun, daß die Tage der älteren Kuh gezählt sind. Gerührt ist sie vielmehr, weil Sie-Schreit in der Familie einen so schweren Stand hat und sich dennoch standhaft weigert, diese Situation hinzunehmen, auch wenn diese Weigerung bedeutet, ständig einen peinlichen Tanz aufführen zu müssen, für den sie noch nicht einmal Spott erntet. Sie-Schreit schaut in die eine Richtung, sieht Matsch und behandelt sie wie Luft. Sie schaut in die andere Richtung und sieht die Matriarchin, die sie selber genauso behandelt. Sie packt den Rüssel ihres Sohns, aber für ihn ist sie derart körperlos, daß er sich noch nicht einmal von ihr losreißt. Sie befiehlt Hagelkorn, der als junger Bulle und Gast der Familie ihr gegenüber zu Höflichkeit verpflichtet ist, ihr auf eine Frage zu antworten, und er senkt entschuldigend den Kopf. Sie pustet ihm Sand ins Gesicht. Sumpf bläst den Sand weg. Sie weint und bittet Hagelkorn um Vergebung. Sie schaut Knick an und wackelt mit den Ohren. Er lacht, woraufhin sie mit schriller Stimme »Ach, du mein Süßer!« ruft und ihm damit Angst einjagt. Sie läuft voraus, den Kopf erhoben, den Rüssel erhoben und tut dabei ganz lässig und gleichgültig, kommt aber zurückgerannt, sobald Wasser gefunden wurde. »Ich bin als nächste dran!« brüllt sie. Und sie bekommt ihren Willen. Wenn es nur ein Wasserloch gibt, trinkt zuerst die Matriarchin und dann die nächstgrößere Kuh, egal (so scheint es) ob es sie nun gibt oder nicht. Sie legt sich hin, den Rüssel in Richtung ihres Sohns ausgestreckt, und murmelt in die Dunkelheit: »Ich bin hier. Sumpf, deine Mutter ist hier.«

Was für sie alles noch schlimmer macht, ist, daß Matschs Verbannung durch sie nur von ihr selber befolgt wird. »Redet nicht mit ihr!« befiehlt sie Sumpf und Knick und Hagelkorn. »Faßt sie nicht an!« Aber sie tun es trotzdem. Die Regeln werden nicht von Sie-Schreit gemacht. Sie wird immer hysterischer. »Schaut euch mal Hagelkorn an«, ruft sie. »Er redet mit jemandem, der gar nicht da ist!« Sie stellt sich in Matschs Schatten und sagt: »Ist das nicht merkwürdig! Hier ist der Schatten einer Kuh, obwohl gar keine Kuh da ist!« Sie bricht in johlendes Gelächter aus. Oben in der Luft kreisen Geier. Hasen rennen in die Steppe hinaus.

Am sechsunddreißigsten Tag des Marsches, nachdem sie drei Tage lang eine kaum wahrnehmbare Geruchsspur verfolgt haben, entdeckt Sie-Schnaubt einen Kotklumpen, der nicht größer als ein Käfer ist. Dattelbetts Kot. Er ist fünfunddreißig Tage alt.

»Grund genug für eine Feier!« röhrt Sie-Schützt und erbricht einen übelriechenden Brei, der auf dem harten, heißen Boden sofort zu dampfen beginnt. Sie saugt einen Teil davon wieder in ihren Rüssel und fordert die anderen auf, sich an dem »Festschmaus« zu beteiligen. Weil sie in den letzten Tagen kaum etwas gegessen haben, brummt Sumpf: »Widerlicher als Trockenfrüchte kann es nicht sein«, und schiebt sich eine Portion davon in den Mund.

Der Kot ist eigentlich kein Grund für eine Feier. Zwar ist es das erste sichtbare Lebenszeichen von Dattelbett seit dreißig Tagen, aber offenbar endet diese Geruchsfährte hier. Denn nachdem Sie-Schnaubt in einem Umkreis von etwa einem halben Kilometer in der Luft und am Boden geschnüffelt hat, sagt sie: »Ich habe ihre Witterung verloren.« Sie hebt das Stückchen Kot auf und steckt es sich in den Mund. Temporin strömt über ihr Gesicht und lockt Fliegen an. Ihr Geruch drückt pure Niedergeschlagenheit aus.

»Weinst du, Matriarchin?« fragt Knick.

»Sei nicht so ungezogen!« röhrt Sie-Schützt.

Knick fängt an zu wimmern. Sie-Schützt stellt sich über ihn, und er zupft mit der Rüsselspitze an ihrer linken Brustwarze, dann an ihrer rechten, dann wieder an der linken. Schließlich sinkt er auf die Knie und jammert: »Wo ist meine Milch?«

Matsch weint ebenfalls, und zwar nicht nur innerlich, sondern mit Tränen, obwohl es dumm ist, Flüssigkeit zu vergeuden. Ihr Neugeborenes rumort. Es fühlt sich an, als würde sie etwas verdauen, und sie empfindet eine verhaltene Dankbarkeit, weil sich wenigstens irgend etwas in ihrem Bauch bewegt. Sie-Schnaubt hat aufgehört, über ihren Zustand zu sprechen, und Matsch fragt sich, ob es daran liegt, daß sie mit dem Schlimmsten rechnet. Die Matriarchin hat bereits zwei Totgeburten hinter sich, eine vor acht Jahren, die andere drei Jahre später. »Mach, daß meines statt ihrem stirbt«, denkt Matsch, ein wenig entsetzt über sich selbst. »Falls eine Wahl notwendig wird«, fügt sie hinzu, und wie als Bestrafung für dieses lästerliche Gebet sticht ihr die Stimme von Sie-Schreit schmerzhaft ins linke Ohr. »Was machen wir jetzt?«

Schweigen, abgesehen von Knicks Gejammer.

»Also?« kreischt Sie-Schreit und schaut erst Sie-Schnaubt und dann Sie-Schützt an, als habe sie ein Recht auf eine Antwort. »Nach Wasser suchen, nehme ich an«, murmelt sie schließlich. »Aber wo? Hier zu suchen ist ja wohl zwecklos.« Sie zeigt auf die lange Reihe von trockenen Löchern, die vermutlich von Dattelbett gegraben worden sind.

Die Familie steht im Bett eines verschwundenen Flusses – des Zahnstammflusses, der so heißt, weil es früher hier vor Krokodilen wimmelte, die in Rudeln dicht unter der Wasseroberfläche lauerten. Alles, was von ihnen jetzt noch übrig ist, sind zahllose Haufen aus Rippen und Zähnen. An den Rändern des Flußbetts ragen zwischen den umgefallenen Bäumen ausgebleichte Knochen wie klägliches Gestrüpp aus dem Boden.

Die Bäume sind riesige Ebenholzbäume und Dattelpalmen. Die meisten sind umgerissen worden und haben kaum noch Borke. Die wenigen verbliebenen Borkenstücke sind die einzige Nahrung in der Umgebung. In westlicher Richtung ist eine Gegend voller schwarzer Felsen, die als Das Gerölle bekannt ist, und jenseits davon liegt der Futtersumpf. Laut Sturm, dem einzigen Siejenigen, von dem man weiß, daß er in diesem Sumpf gewesen ist, braucht man bis dorthin fünf Tage. Da kein Wasser mehr im Zahnstammfluß ist, gibt es auch keinen Grund mehr, herzukommen.

Und dennoch war Dattelbett hier.

»Wieso?« fragt Sie-Schreit. Während alle anderen nach Wasser graben, führt sie in verbittertem Tonfall ein Selbstgespräch: »Ich werde euch sagen, wieso. Sie hat auf den Rat von einem Irren gehört!« (Für sie besteht kein Zweifel daran, daß Dattelbett bei ihrer Suche nach Essen und Wasser auf die Hinweise anderer Geschöpfe hört.) »Irgendein Irres hat ihr gesagt: ›Es gibt immer noch jede Menge Wasser im Zahnstammfluß‹, und Dattelbett hat das geglaubt! Entweder es war so, oder sie war ... na ja ...« Sie wedelt mit dem Rüssel. »Was soll's«, murmelt sie.

Entweder war es so, oder Dattelbett hat an Hitzeschlaf gelitten. Wem von ihnen ist nicht bereits der grauenvolle Gedanke gekommen, daß Dattelbett orientierungslos durch die Gegend geirrt ist?

»Hier, riecht das mal«, brummt Sie-Schnaubt, die ein Stück flußabwärts steht (jedenfalls war es früher flußabwärts, als der Fluß noch da war).

»Wasser!« kreischt Sie-Schreit und drängelt sich an den anderen vorbei.

Tatsächlich, aus dem Sand sprudelt Wasser. Die Matriarchin zeigt jedoch auf etwas anderes, auf einen Pfropfen aus zusammengeklumptem Gestrüpp und Erde und Kot. »Das steckte da drin«, sagt sie und hält dabei den Pfropfen hoch.

»Dattelbett!« ruft Matsch aus. Der Kot stammt von Dattelbett.

»Wieso war das in dem Loch?« fragt Knick.

»Dattelbett hat es da hineingestopft!« brüllt seine Mutter. »Hat

Sie-Schützt es nicht schon immer gesagt? Dattelbett hat einen dornen-scharfen Verstand. Man bohrt ein Wasserloch und verschließt es hinter-her, damit das Wasser immer noch da ist, wenn man zurückkehrt!«

»Aber warum sollte sie zurückkehren?« fragt Matsch.

»Warum? Ja, warum? Weil...« Verwirrung breitet sich auf dem Gesicht der Medizinkuh aus.

»Weil sie das Loch gebohrt hat?« Das kommt von Knick.

»Weil sie das blöde Loch gebohrt hat!« röhrt Sie-Schützt.

Die Matriarchin betrachtet mit nachdenklichem Blick Sie-Schreit, die nun, da alle anderen mit dem Propfen beschäftigt sind, die Gele-genheit nutzt, um zu trinken, ehe sie an der Reihe ist. (Oder sie nutzt ihre Verbannung aus – denn wie kann sie getadelt werden, wenn es sie gar nicht gibt?)

»Vielleicht wußte Dattelbett, daß wir herkommen würden«, brummt Sie-Schnaubt schließlich.

»Woher soll sie das gewußt haben?« fragt Matsch.

»Keine Ahnung. Aber sie hätte den Propfen auch bloß aus Speichel und Erde machen können. Und trotzdem hat sie ein paar Brocken von ihrem Kot hinzugefügt.«

»Um Aasfresser abzuschrecken!« brüllt Sie-Schützt.

»Um uns mitzuteilen, daß sie hier war«, sagt Matsch. Ihre Kehle zieht sich zusammen.

»Der Drang, eine Spur zu hinterlassen, ist die Wurzel aller Erfin-dungsgabe«, erklärt Sumpf träge.

»Darf ich etwas sagen, werte Matriarchin?« Es ist Hagelkorn, der, wie jedesmal, wenn er Sie-Schnaubt anspricht, den förmlichen Tonfall benutzt.

»Selbstverständlich.«

»Ich wollte nur zu bedenken geben, daß sie vielleicht einen Hinweis verfolgt hat, wo die weiße Trophäe ist.«

»Der weiße Knochen?« kreischt Sie-Schreit, und Wasser spritzt dabei aus ihrem Rüssel.

»Sie hat ›der weiße Knochen‹ gesagt«, petzt Knick. »Das soll man doch nicht!«

»Da es für sie keinen anderen Grund gegeben haben kann, hierher zu kommen«, sagt Hagelkorn, »wäre es durchaus möglich, daß sie von irgendeinem Geschöpf erfahren hat, daß die weiße Trophäe im Gerölle liegen könnte.«

Sie-Schnaubt schaut zu den schwarzen Felsen hinüber, und alle außer Sie-Schreit tun es ihr nach. In der nachmittäglichen Sonne sind alle Felsblöcke genauso groß wie ihre Schatten. Auf den höchsten Felsen hocken hier und da Geier, die gekrümmten Rücken dem Wind zugewandt. »Liebend gern würde ich mich in dem Glauben wiegen, daß sie am Sicheren Ort ist.«

Sie-Schreit besprüht sich mit Wasser. »Wenn sie den Weg dahin gefunden hat, würde ich von ihr erwarten, daß sie sofort umkehrt und zur Abwechslung mal nach uns sucht. Wenn ich mir überlege, was wir ihretwegen alles durchgemacht haben.«

»Ich habe Durst«, flüstert Knick. Sie-Schützt stupst ihn an, und er geht in die Knie und trinkt mit dem Mund.

»Werte Matriarchin«, sagt Hagelkorn, »kann ich davon ausgehen, daß du vorhast, Das Gerölle zu überqueren?« Genau wie die anderen weiß er von Sturm, daß im Norden erst eine kahle Ebene und dann eine Wüste liegt, und im Süden ein hoher Drahtzaun, hinter dem sich eine große Menschensiedlung befindet.

Sie-Schnaubt schaut ihn an.

»Zumindest«, sagt er, »wird man wahrscheinlich feststellen, daß nicht alles Wasser aus dem Futtersumpf abgewandert ist.«

»Trink jetzt«, sagt sie.

»Vor der Matriarchin?« trompetet Sie-Schreit.

»Ich bin gern bereit zu warten«, sagt Hagelkorn.

»Na los«, sagt Sie-Schnaubt. »Trink.«

Er gehorcht.

Sie-Schreit prustet entrüstet.

Matsch hingegen sondert sich ab. Sie brummt ihre übliche Litanei an Infraschallrufen, und während sie wieder einmal vergeblich auf Antwort wartet, rupft sie einen Ball aus verhedderten toten Zweigen ab und schiebt ihn sich in den Mund. Werden sie einen fünftägigen Marsch durch das felsige Gelände überstehen, fragt sie sich? Wird ihr lahmes Bein das durchhalten? Und was werden sie unterwegs essen? Sie-Schützt hat nicht genug Milch und Hagelkorn ... seine Wunde ist zwar verschorft, aber er humpelt noch stark und ist so ausgezehrt, daß es ihm weh tut, sich hinzulegen. Er bleibt nachts stehen und lehnt sich gegen Sumpf, der seinem Freund zuliebe ebenfalls im Stehen schläft.

❧

Bei Einbruch der Nacht sind die Sie-Schs immer noch im Flußbett. Sie haben eine Fläche freigeräumt, um sich hinlegen zu können, und die störenden Knochen am Abhang aufgestapelt. Gelegentlich knarrt oder knackt es in dem Stapel ... die Knochen sacken zusammen, nimmt Matsch an, aber etwas später kommt sie zu dem Schluß, daß Schlangen oder Eidechsen in den Stapel hineinkriechen und sich fragen, zu was für einem monströsen Wesen dieses Skelett gehören mag – das Gewirr aus Brustkörben, die vielen Kieferknochen.

Schlaf ist für Matsch seit kurzem wie eine Falle. Sobald sie eindöst, schreckt sie wieder hoch, weil sie das Gefühl hat, gleich werde etwas Furchtbares passieren, und das deutet sie als ein Omen und versucht daher, die Augen offenzuhalten. Ihr sich windendes Neugeborenes fühlt sich schuppig an. Was, wenn sie ein Krokodil austrägt? Oder einen Fisch? Es ist eine üble, eine perverse Zeit. Die wesentlichen Dinge scheinen entflohen zu sein: das Wasser, die Nahrung, die Vernunft. Warum sollten die Gesetze der Fortpflanzung von diesem Exodus ausgenommen sein?

»Bitte«, denkt sie. Angesichts der vielen Dinge, um die sie bitten will, sind ihre Gebete zu diesem einen Wort zusammengeschrumpft. Am nördlichen Himmel ist der dreiviertelvolle Mond zu sehen, am südlichen ein Schleier aus Sternen. »Keins dieser trüben Lichter gehört zu einem Opfer des Gemetzels«, denkt Matsch verzweifelt. Sie-Schaut, Sie-Schreckt, Sie-Drängt und all die anderen: Statt selig unter den Himmelskühen zu leben, treiben sie vergessen und stoßzahnlos auf dem Ewigen Uferlosen Wasser.

Es treiben auf der heil'gen Flut
Die Toten still umher
Geräusch von Mord, Geruch von Blut
Stört ihren Schlaf nie mehr.

Auch Furcht nicht, denkt Matsch, nachdem ihr die letzte Zeile der Strophe durch den Kopf gegangen ist. Auch Furcht stört ihren Schlaf nie mehr. Diese Vorstellung ist derart friedvoll, daß Matsch die Augen schließt. Als sie die Augen wieder aufschlägt, ist es kurz vor Morgengrauen. Sie hebt den Kopf, beunruhigt, weil sie so unachtsam gewesen ist. Sie hört ein leises Klacken und dreht sich um.

Sumpf und Hagelkorn. Sie gehen weg.

Sie setzt sich auf die Knie. Die beiden sind schon am Rand des Flußbetts. Sumpf ist hinter Hagelkorn und schiebt ihn die Böschung hoch. Oben angekommen, übernimmt Sumpf die Führung, und Hagelkorn folgt ihm, aber dann bleibt er stehen und dreht sich um.

Matsch hebt den Rüssel. Hagelkorn tut es auch, und in dem kurzen Moment, ehe er sich wieder wegdreht, erkennt sie, daß er sich dasselbe vorstellt wie sie: ihre Paarung. Das Bild ist so eindringlich, daß sie beinahe glaubt, in eine Erinnerung zu versinken, und ihr kommt der Gedanke, daß das, was eines Tages hätte geschehen können – aber jetzt nicht mehr eintreten wird (dessen ist sie sich sonderbarerweise sicher) –, aus irgendeinem Grund so bedeutend ist, daß allein schon die Möglichkeit dieses Ereignisses eine Erinnerung hervorruft.

In einem plötzlichen Anfall von Schüchternheit senkt sie den Rüssel. Sumpf stößt ein leises Brummen aus, und Hagelkorn dreht sich um. Die beiden trotten in östlicher Richtung zurück durch die Steppe.

Als Matsch die beiden schon nicht mehr wittern kann, erhebt Sie-Schnaubt sich schließlich. Matsch steht ebenfalls auf, und die Matriarchin hört sie, streckt ihren Rüssel nach hinten aus und läuft dann ebenso leise wie die Bullen über den mit Knochen übersäten Boden zur Uferböschung.

Matsch folgt ihr. »Haben sie dir gesagt, daß sie uns verlassen wollen, Matriarchin?« murmelt sie.

Sie-Schnaubt antwortet nicht. Sie schnüffelt und wittert die beiden immer noch. Schließlich läßt sie den Rüssel sinken und brummt: »Nein, aber ich wußte es. Hagelkorn hätte nicht mal einen halben Tagesmarsch durch Das Gerölle überstanden.«

»Was meinst du, wo wollen sie hin?«

»Zu einer der Hügelketten, nehme ich an.« Sie senkt den Kopf.

Sie weint, vermutet Matsch. Allerdings nicht wegen Sumpf, der immerhin ihr Blutsverwandter ist, sondern wegen Hagelkorn. Matsch fängt ebenfalls lautlos zu weinen an.

»Hagelkorn hat Rüssel«, sagt die Matriarchin.

Ja, denkt Matsch, das stimmt. Welches andere Bullenkalb hat den Tod seiner Matriarchin jemals so tief und so ehrerbietig betrauert? Oder ist mit einem entzündeten Fuß klaglos – und ohne auch nur einmal vor Schmerzen zusammenzuzucken! – Hunderte von Kilometern marschiert? Hagelkorn hat Rüssel. Er ist tiefsinnig und tapfer. Was man von Sumpf nicht gerade behaupten kann. Dennoch erkennt er, wenn einer rüsselvoll ist, und fühlt sich davon angezogen, im Gegensatz zu vielen anderen, die sich von rüsselvollen Bullen, wenn sie in etwa gleichaltrig und gleich groß sind, bedroht fühlen.

»Hast du eine Vision von ihrem Tod gehabt?« fragt Sie-Schnaubt.

»Nein«, sagt Matsch verblüfft. »Sie-Schreit wird toben, wenn sie aufwacht und feststellt –« Sie bricht ab, als ihr bewußt wird, daß sie den Namen der verbannten Kuh ausgesprochen hat.

Sie-Schnaubt hört anscheinend nicht zu. Sie hält den Rüssel prüfend in Richtung Geröllé. Matsch hebt ebenfalls den Rüssel. Geierkot, Aas … Matsch wittert nichts Bemerkenswertes.

»Irgendwo da draußen ist ein Schnelläufer«, sagt Sie-Schnaubt.

Matsch nimmt den Geruch immer noch nicht war.

»Er verfolgt uns schon seit zwei Tagen und bleibt immer kurz außerhalb unserer Riechweite.« Sie schnaubt selbstzufrieden. »Das glaubt er jedenfalls.«

»Sehr eigenartig«, sagt Matsch. Geparden haben normalerweise ein begrenztes Jagdgebiet, das man in weniger als zwei Tagen durchqueren kann.

»Ich vermute, es ist Mir-Mir«, sagt Sie-Schnaubt.

Sofort ist Matsch in Gedanken wieder im Blutsumpf, am Tag des Gemetzels … als Sie-Drängt sagte, daß Mir-Mir vielleicht wisse, wo der Sichere Ort ist. »Wieso glaubst du das?« fragt Matsch.

»Weil Schnelläufer keine Siejenigen verfolgen.«

»Was will diese Mir-Mir von uns?« fragt Matsch.

Die Matriarchin schüttelt den Kopf.

»Sie weiß, wo der Sichere Ort ist«, sagt Matsch.

»Vielleicht weiß sie es.«

»Oder auch nicht«, gibt Matsch zu. Sie ist diese Unklarheiten entsetzlich leid. Sie sagt: »Ich frage mich, ob sie schon länger hier ist und Dattelbett getroffen hat. Dattelbett hätte mit ihr gedankenreden können.«

»Daran habe ich auch schon gedacht.«

»Glaubst du, Hagelkorn hatte recht? Als er sagte, Dattelbett sei auf der Suche nach der weißen Trophäe hier vorbeigekommen?«

»Möglich. Es ist aber auch möglich, daß sie rein zufällig hier war. Hagelkorn ist ein guter Bulle. Er versteht es, tröstende Dinge zu sagen.«

»Ich werde ihn vermissen«, sagt Matsch, und die Vorstellung – die Erinnerung? –, wie sie sich paaren, kehrt zu ihr zurück. Sie wackelt vor Verlegenheit mit den Ohren.

Sie-Schnaubt schweigt. Schließlich sagt sie: »Alle noch lebenden Bullen der Sie-Ds sowie vier, die inzwischen gestorben sind, haben mich bestiegen, und abgesehen von Sturm ist kein Bulle aus einer anderen Familie mit ihnen vergleichbar. Ich weiß daher, was aus Hagelkorn hätte werden können, wenn er sich nicht den Fuß verletzt hätte.«

»Wird er das Humpeln denn nie mehr loswerden?« Auf diesen Gedanken war Matsch bisher noch nicht gekommen.

»Sie-Schützt sagt, es besteht keine Hoffnung auf Besserung.«

»Er wird so sein wie ich«, sagt Matsch in mitfühlendem Ton, aber ein kleiner, unergründlicher Teil von ihr fühlt sich getröstet.

»Zum Glück ist Sumpf bei ihm und wird sich um ihn kümmern.«

»Sumpf?« sagt Matsch zweifelnd.

»Sumpf ist gesund und zäher, als er sich gibt.«

Matsch versucht sich vorzustellen, wie der schläfrige Sumpf Bäume fällt oder Gefahren wittert. Sie vermutet, daß die beiden sich, um nicht zu verdursten, auf ihrem Rückweg an die Wasserlöcher halten werden, die Sie-Schnaubt gegraben hat.

Sie-Schnaubt kichert wehmütig. »Sumpf, der Herzensbrecher«, sagt sie in dem ironischen Tonfall, der früher typisch für sie war, »unempfänglich für meine Reize.«

So unbeschwert und so ausgiebig hat Sie-Schnaubt sich zuletzt vor dem Gemetzel mit einer der anderen unterhalten. Matsch schaut sie an. Ihre Haut glänzt im Halbdunkel der Morgendämmerung, und ihre Stoßzähne schimmern, anders als die von Matsch, hell. Die Stoßzähne von Matsch und den anderen sind matt und fleckig geworden, die Zähne der Matriarchin hingegen haben ihre weiße Farbe bewahrt, und der wulstige Höcker auf ihrem Kopf und die dicke Wurzel ihres Rüssels sind unverändert geblieben. Sie ist abgemagert, genau wie die anderen auch, und doch scheint sie dadurch nichts von ihrer Schönheit eingebüßt zu haben. Auf Matsch wirkt das wie eine Zurschaustellung von Willenskraft, so als sei die Bewahrung ihrer Attraktivität für sie eine persönliche Leistung. Mit einem Mal fühlt sich Matsch so stark zu der größeren Kuh hingezogen, daß sie sich bei ihr anlehnt. Sie-Schnaubt gestattet diese Vertraulichkeit, und sobald Matsch das merkt, ist sie verunsichert. Sie hat erneut das Gefühl, daß sie eine Fremde innerhalb der Familie ist und solche Vertraulichkeit zwar geduldet wird, ihr aber nicht zusteht. Dennoch zieht sie sich nicht zurück. Das wäre eine Beleidigung der Matriarchin. Ihr kommt der Gedanke, daß sich Sie-Schnaubt in diesem flüchtigen Moment vorstellt, Matsch sei Dattelbett, und deshalb atmet sie schneller, genauso wie Dattelbett es immer tut, und sie senkt den Blick, denn das grüne Leuchten ihrer Augen ist ganz anders als das Leuchten von Dattelbetts Augen. Die beiden verharren regungslos, während sich die Dämmerung lichtet. Ein Vogel beginnt durchdringend ein Lied zu trällern, und sie trennen sich voneinander, um sich gegen den Schrei zu wappnen, der, wie erwartet, einen Moment später ertönt.

Matsch dreht sich um. Sie-Schnaubt nicht.

Sie-Schreit rast im Flußbett auf und ab und zermalmt bei jedem Schritt Krokodilknochen.

Sie-Schützt und Knick rappeln sich hoch. »Wo sind sie hin?« ruft Sie-Schützt Matsch zu.

»Zurück durch die Steppe.«

»Sumpf!« Sie-Schreit galoppiert die Böschung hoch. »Diese Richtung haben sie eingeschlagen!«

Keiner bewegt sich.

Sie-Schreit wirbelt herum. »Aber die beiden sind doch noch Kälber!«

Schweigen.

»Wollt ihr sie allein lassen?«

Sie-Schnaubt läßt ihren Rüssel über den Boden gleiten. Knick versteckt sich unter Sie-Schützt, die abwechselnd die Matriarchin und Sie-Schreit anstarrt und unschlüssig mit einem ihrer Vorderbeine wakkelt. Oben am Ufer wirft Sie-Schreit den Kopf hin und her. Matsch würde ihr am liebsten erzählen, daß Sie-Schnaubt gesagt hat, Sumpf sei zäher, als er sich gibt, aber Sie-Schreit würde bestimmt so tun, als höre sie es nicht. Und außerdem würde sie es nicht glauben.

»Feiglinge!« kreischt Sie-Schreit. Hinter ihr glüht der Himmel gold- und orangefarben. Sie sieht imposant und furchteinflößend aus. »Verräter!« kreischt sie.

Und sie dreht sich um und verschwindet.

»Soll Sie-Schützt sie zurückholen?« röhrt die Medizinkuh.

Sie-Schnaubt schlendert zum Wasserloch und entfernt den Pfropfen. Geziert hält sie ihn mit der Rüsselspitze fest und scheint ihn eingehend zu betrachten.

»Sie wird die beiden aufspüren!« röhrt Sie-Schützt schließlich. »Wenn sie keine Erder mehr aussendet, wissen die beiden, daß sie bald bei ihnen sein wird.« Sie nickt, so als müsse sie sich selber überzeugen. »Sie wird die beiden bald einholen.«

Nein, wird sie nicht, denkt Matsch. Plötzlich ist ihr klar, daß Sie-Schreit in ihrer Vision deshalb allein war, weil sie allein sein wird, wenn sie stirbt. Sie klettert die Uferböschung hoch und hebt den Rüssel.

Es ist windstill. Es sind Fußabdrücke zu sehen ... drei Paar, und über ihnen ein nahezu unbewegter Staubschleier, der sich bis zum Horizont ausdehnt. Sie-Schreit ist durch den Staub hindurch nicht zu sehen, aber ihr Geruch ist immer noch deutlich wahrnehmbar. Und dasselbe gilt jetzt auch für einen anderen, einen unheilvollen, widerlichen Geruch, der vom Gerölle herüberzieht.

Zwölf

Langschatten trottet in Richtung Nordwesten. Kurz vor der Dämmerung hat er einen Strauß erspäht, der in diese Richtung rannte, und jetzt stößt er auf immer mehr Fußspuren und Kot. Schakale, Hyänen, Oryxantilopen, Giraffen, Löwinnen.

Eigentlich müßte er bald an eine Wasserstelle kommen.

Jedoch nicht unbedingt. Das lästige, laute Schaben eines Grashüpfers an seinem rechten Ohr weist auf Wasser im Nordosten hin, nicht im Nordwesten. Jedenfalls wenn man solchen Dingen Beachtung schenkt, und das tut Langschatten immer noch. Er handelt nur nicht mehr entsprechend, das ist der Unterschied. Für ihn gleichen die Zeichen inzwischen den Ratschlägen einer uralten, verwirrten Matriarchin in der letzten Lebensphase – der erste Impuls ist, ihnen zu gehorchen, und manchmal lohnt es sich tatsächlich, auf sie zu hören. Meistens jedoch nicht.

Gestern morgen hat er zum letzten Mal getrunken, aus einem Wasserloch in der Nähe einiger kreisförmig angeordneter menschlicher Behausungen, was eigentlich viel zu riskant war. Davor hatte er zwei Tage lang ohne Wasser auskommen müssen. Seit er in der Wüste ist, hat er nichts als die vertrockneten Rippen von Dattelpalmwedeln gegessen. Wie nur (das fragt er sich ständig) konnte Sturm in dieser Gegend überleben? Heute würde der alte Bulle diesen Weg bestimmt nicht mehr schaffen, nicht in seinem jetzigen Zustand. Angesichts dessen fragt sich Langschatten, ob es nicht dumm ist, Sturms Wegbeschreibung zu folgen.

Ein Scheitern hat er nicht eingeplant. Er denkt daran, daß Sturms Gedächtnis noch nicht beeinträchtigt war, als er zum ersten Mal vom Weg zu den Verlorenen sprach. Damals hatte er – genau wie später im Blutsumpf noch einmal – einen viertägigen Marsch durch eine Wüste im Norden erwähnt. Nun, dies hier ist eine Wüste, und zwar, soweit Langschatten weiß, die einzige im Norden. Und er durchquert sie inzwischen seit dreieinhalb Tagen.

Schon zu dieser frühen Morgenstunde brennen seine Fußsohlen. Es bringt keine Erleichterung, sich mit Sand zu bestäuben, der so heiß ist wie dieser. Surrende Fliegen umschwirren seinen Anus, seine Ohren und seine Augen, fette Zecken wühlen sich durch die Falten in seiner Haut. Um den Durst zu vertreiben, saugt er an einem Stein. Er summt unsinnige Lieder, oder auch Hymnen, für ihn ist das einerlei. Er heftet seinen Blick an die Spur des Straußes und läßt sich von ihr vorwärts ziehen. Als sie plötzlich endet, zuckt er so heftig zusammen, als habe man ihm den Boden unter den Füßen weggezogen.

Hier hat eine Rauferei zwischen dem Strauß und einer Löwin stattgefunden. Die Spuren der Löwin kommen von Norden. Das Blut hat den Geruch von beiden und fängt gerade erst zu gerinnen an. Die Wunden der Löwin können nicht sehr schlimm sein, denn sie hat den Strauß weggeschleppt. Dabei hat sie eine breite Schleifspur hinterlassen, die ihre Tatzenabdrücke verwischt. Durch die Mitte der Schleifspur zieht sich wie ein rosafarbenes Band eine blutige Schliere.

Die Spur führt nach Nordwesten, und Langschatten folgt ihr. Die Landschaft wird wellig. Auf jeder Anhöhe rechnet Langschatten damit, in der Senke dahinter die Löwin und vielleicht ihre Familie beim Verspeisen des Straußenvogels zu erblicken. Aber nein, die Schleifspur setzt sich fort, unglaublich weit. Einer Löwin, besonders wenn sie verletzt ist, dürfte es alles andere als leichtfallen, einen ausgewachsenen Strauß bergauf, bergab durch diese Hügel zu schleppen.

Was Langschatten schließlich erblickt, trifft ihn so unerwartet, daß ihm ein Knurren entfährt.

Der Strauß dreht sich zu ihm um. Er ist lebendig und steht aufrecht. Die Löwin ist diejenige, die tot ist. Sie liegt schlaff auf dem Boden, während der Strauß … die Leiche beweint? Diese verrückte Erklärung scheint die einzig mögliche zu sein, bis Langschatten dem Paar näher kommt und sieht, daß der linke Fuß des Vogels in der Brust der Löwin steckt. Der Strauß muß seiner Angreiferin einen Tritt versetzt haben, der den Brustkorb durchbohrt und wahrscheinlich zu ihrem sofortigen Tod geführt hat. Aber sein Fuß ist gefangen.

»Du hast sie den ganzen Weg hinter dir hergezogen«, sagt Langschatten, verblüfft über so viel Kraft.

Der Strauß, der ihn natürlich nicht versteht, blickt unter seinen schweren Augenlidern hoch, zu erschöpft, um sich zu fürchten.

»Vielleicht kann ich dir helfen«, sagt Langschatten.

Der Strauß öffnet den Schnabel und stößt einen dünnen Pfeifton aus.

»Ich werde versuchen, dir nicht weh zu tun«, sagt Langschatten. Er läuft um die Blutlachen herum. Als er nah genug dran ist, wickelt er seinen Rüssel unterhalb des Knies um das Vogelbein. Die rosige Haut dort ist lose und furchig, das Bein selbst so dünn wie ein Stengel. Erstaunlicherweise läßt der Strauß ihn gewähren. »Also los«, murmelt Langschatten und zieht mit einem Ruck.

Ein lautes Knacken und im selben Moment ein löwenähnliches Brüllen. Langschatten läßt das Bein los und starrt den Leichnam an, aber es ist der Strauß, der gebrüllt hat. Und jetzt brüllt er wieder, während er verzweifelt auf Langschattens Bein einhackt.

»Verzeih mir!« sagt Langschatten bestürzt. Der Fuß ist noch immer gefangen, aber jetzt ist das Bein gebrochen.

Der Strauß brüllt noch lauter und flattert mit seinen nutzlosen Flügeln.

Langschatten flüchtet ... nach Nordosten, wie der Grashüpfer ihm geraten hat. Allerdings ist sich Langschatten seiner Richtung kaum noch bewußt; er weiß nur, daß er die falsche eingeschlagen haben muß, wenn sein Weg ihn in eine solche Katastrophe geführt hat. Sein einziger Gedanke ist: »Ich habe ihn umgebracht.« Und es stimmt, das hat er getan. Selbst wenn der Strauß seinen Fuß befreien kann, als Krüppel wird er nicht einmal einen Tag überleben. Schluchzend schleppt sich Langschatten die sandigen Hügel hinauf, rutscht auf den Hinterbacken wieder hinunter und spürt dabei die Essenz des Daseins: die Schinderei, die kurze Erholung, die Schinderei. Die Unbarmherzigkeit. Das Ende ... Am Mittag brennt die Sonne vom Himmel, die aufgepickte Stelle in seinem Bein pocht, sein Körper fühlt sich an wie ein Felsblock, der nicht weiterrollen will, seine Kehle ist ein trockener, rauher Krater, und sein Geist versinkt in Erinnerungen, schlüpft von einem vergangenen Ereignis zum nächsten, durch Löcher hindurch, die damals Pausen, Geheimnisse, Mißverständnisse waren.

Er glaubt, das Abgleiten in einen Hitzeschlaf zu erleben, und resigniert läßt er es zu, aber als er bei der Erinnerung an seine erste Begegnung mit Matsch angekommen ist, kämpft er sich doch wieder zur Gegenwart durch und zwingt sich aufzustehen.

Als er vor achtundzwanzig Tagen den Blutsumpf verließ, vermutete er, die Sie-Sechs seien zu einer der abgelegenen Wasserstellen gegangen, die die zahlreichen Mitglieder ihrer weitverzweigten Familie kennen. Ihre Kotspuren waren so trocken und spärlich, daß er keine individuellen Gerüche unterscheiden konnte. Da war nur der bittersüße Sie-Sch-Geruch, und auch der hörte nach etwa sechzig Kilometern auf, aber Langschatten glaubte zu wissen, wohin die Spur führte. Er täuschte sich. Und dann täuschte er sich wieder und wieder. Wo er auch hinging, die Sie-Sechs waren nicht da, und auch sonst niemand. Alle Lebenszeichen von Siejenigen, auf die er stieß – abgeweidete oder umgefallene Bäume, niedergetrampelte Dickichte –, waren schon älter. Mindestens einmal pro Stunde sandte er einen Infraschallruf aus, doch er erhielt keine Antwort.

Wo sind sie alle? Tot. Ja, Hunderte sind gestorben, nach Langschattens Schätzung ebenso viele durch die Dürre wie durch die Gemetzel. Die Dürreopfer erkennt man am Vorhandensein der Füße und Stoßzähne, am Fehlen von Einschußlöchern in der Haut beziehungsweise an der Abwesenheit von Gewehrkugeln zwischen den Knochen. Dennoch, die Anzahl der Leichname läßt noch nicht auf die völlige Ausrottung schließen. Entweder haben alle übriggebliebenen Familien den Weg zum Sicheren Ort gefunden – und für einen solchen Massenexodus in eine bestimmte Richtung gibt es keine Anzeichen –, oder aber sie haben sich in alle Himmelsrichtungen zerstreut und erwarten am Rand der Welt das Ende dieser Zeit der Finsternis.

Es hat den Anschein, als sei er der einzige, der den Weg durch diese Wüste gewählt hat. Etwas anderes hatte er auch nicht erwartet. Nur Verrückte kämen auf die Idee, während einer Dürre eine Wüste zu durchqueren. Selbst wenn Langschatten es bis zur anderen Seite schafft und eine Familie von Verlorenen ausfindig machen kann – er weiß nicht einmal genau, was er eigentlich von ihnen will. Natürlich wird er sie nach dem weißen Knochen fragen, aber werden sie ihm mehr sagen können als Sturm? Immerhin dürften sie wissen, wo man nicht zu suchen braucht. Und vielleicht können sie ihm einen Hinweis geben, wie er die Sie-Schs finden kann. Eine ganze Rasse von Fährtenmeistern sollte doch ein paar Tricks kennen, von denen er noch nicht gehört hat. Es ist natürlich möglich, sogar wahrscheinlich, daß sie versuchen werden, ihm auszuweichen. Es ist auch möglich, daß sie den weißen Knochen gefunden haben und schon am Sicheren Ort sind, wo sie von den verzückten Menschen angestarrt werden. In jedem Fall aber wird er in ihrem Wald essen und sich stärken können, während er sein weiteres Vorgehen plant.

Der Gedanke an frische Nahrung bringt ihn auf Trab. Er geht nicht weiter nach Nordosten, denn das wäre eine zu gravierende Abkehr von seinem ursprünglichen Ziel, auch nicht nach Nordwesten, denn dahin will er auf keinen Fall mehr gehen. Er geht genau nach Norden. Indem er darauf achtet, aus welcher Richtung die Sonne auf seine Haut trifft, hält er seinen Kurs. Irgendwann nimmt er rechts neben sich seinen anschwellenden Schatten wahr. Das Wachsen der Welt. Er träumt und halluziniert, während der glühende Hitzefleck langsam über seinen Rücken kriecht. Als die Luft kühler wird und eine Brise aufzieht, denkt er, er bilde sich diese Erleichterungen nur ein. Auch die allmähliche Veränderung der Landschaft ignoriert er kilometerweit. Er sieht die Felsen, die vereinzelten Büsche, hört das Rascheln winziger Lebewesen im Gestrüpp und fragt sich, in welcher Erinnerung er sich befindet. Erst als er den rauhen, braunen Stamm einer Akazie streift, wird ihm klar, daß er in der Gegenwart ist. Staunend und mißtrauisch schält er ein Stück Rinde ab und schiebt es sich in den Mund, spuckt es aber gleich wieder aus, weil sein Mund zum Schlucken zu trocken ist.

Er befindet sich in einem Akazienhain. Die meisten Bäume wirken geisterhaft; ihre Rinde ist abgerissen. Kein Baum ist auffallend groß ... den weißen Knochen wird er hier nicht finden. Aber Wasser. Er riecht es schon. Der silbrige Schimmer zwischen den Bäumen muß ein trockenes Teichbett sein, und das Dunkle dahinter ist nicht der Horizont. Es ist ein bewaldeter Berg von solcher Höhe, daß Langschatten den Gipfel nicht sehen kann.

Eilig läuft er zum Teichbett und fängt in der Mulde in dessen Mitte an zu graben. Das Wasser liegt nicht sehr tief, und als es gurgelnd aus der Erde dringt, schluchzt Langschatten auf und dankt dem todgeweihten Strauß, denn wenn der Strauß nicht die Löwin getreten und er selber dem Vogel nicht das Bein gebrochen hätte, wäre er weiter nach Nordwesten gelaufen.

In dem Akazienhain befindet sich eine Reihe von Termitenhügeln. Von hier aus kann er sie nicht mehr sehen, aber er hat sie im Vorbeigehen bemerkt: vier nebeneinanderliegende Hügel, die von Süden nach Norden größer werden. »Eile zu dem Berg!« lautet ihre geheime Botschaft, und obwohl er lieber noch von der Akazienrinde essen würde und ihn die Aufdringlichkeit der Botschaft ärgert, eilt er – nachdem er Unmengen getrunken und seine Haut mit Wasser und Erde gekühlt hat – auf den Berg zu.

Warum? Er weiß es nicht. Er hat das unbestimmte Gefühl, sich durch das Befolgen einer Botschaft, die er nicht mehr ganz ernst nehmen kann, dem gleichen launenhaften Schicksal zu unterwerfen, das dem Strauß zum Verhängnis geworden ist, und damit für sein ungeschicktes Eingreifen Buße zu tun. Das Wasser in seinem Bauch schwappt beim Gehen hin und her. Er streicht mit dem Rüssel an den Bäumen entlang, widersteht aber der Versuchung, eine Essenspause einzulegen.

Der Wald wird dichter, der Wind böiger. Auf Phasen völliger Stille folgen kurze heftige Windstöße, und mit einem von ihnen erreicht Langschatten der Geruch von Siejenigenkälbern. Er bleibt stehen, schwenkt den Rüssel und sperrt die Ohren auf. Der Geruch ist verschwunden. Aber sein Herz hüpft vor Freude, und er geht weiter. Die nächste Bö trägt den schwereren Geruch einer erwachsenen Kuh zu ihm, und diesmal verweilt der Geruch, so daß Langschatten ihn orten kann. Er verfällt in Trab, rennt um zackige Termitenhügel und rote Felsblöcke herum, über trockenes Gestrüpp, das unter seinen Füßen knackt.

Er entdeckt sie ungefähr auf halber Höhe des Berghangs. Ein kleines Bullenkalb, ein noch kleineres Kuhkalb und eine Neugeborene. Und eine Kuh, die mit abgeknicktem Kopf auf der Seite liegt. Hinter ihr ist der Pfad zu erkennen, den sie beim Fallen geschlagen hat – umgestürzte Bäume und rötliche Sandschlieren, die wie freigelegte Muskeln schimmern. Die Kälber schauen ihn mit den hellen grünen Augen der Visionäre an.

»Seid gegrüßt«, brummt Langschatten. Selbst angesichts einer solchen Tragödie ist es ein erhebendes Gefühl, mit Verlorenen zu sprechen. »Ich bin Langschatten, Kenner der Zeichen aus der Familie der Sie-B-und-Bs.«

Die drei schweigen.

»Ich bin ein Freund von Sturm, dem Rüsselvollen. Ihr habt vielleicht von ihm gehört.«

»Wir wissen, wer du bist«, sagt das Bullenkalb, und der barsche Ton seiner Stimme läßt ihn mindestens drei Jahre älter wirken als die acht Jahre, auf die Langschatten ihn geschätzt hatte.

»Ich nehme an, ihr hattet bereits eine Vision von mir.«

Schweigen.

»Seid ihr Wir-Fs?«

»Sprich leiser«, sagt der junge Bulle.

Seine Unverschämtheit verblüfft Langschatten. Dann aber fächert er erschrocken die Ohren auf und brummt kaum hörbar: »Sind etwa Hinterbeiner in der Nähe?«

»Nicht mehr.«

»Ist die Kuh deine Mutter?«

»Ja.« Das Bullenkalb schaut zu ihr hin. »Ich schaffe es nicht, sie wieder auf die Beine zu bringen.«

Aus der Lage des Kopfes schließt Langschatten, daß die Kuh tot ist, aber sonderbar, er wittert keinen Todesgestank. »Ich komme und helfe dir«, sagt er. Er läßt den Blick über den Berg schweifen. Der Hang ist heimtückisch steil.

Das Bullenkalb deutet nach links. »Geh da lang.«

Langschatten läuft einen Graben am Fuß des Bergs entlang, bis er an eine Felsspalte kommt. Es ist die Rinne eines ehemaligen Wasserfalls, und sie weist eine Reihe von Stufen auf, über die er ohne allzu große Schwierigkeiten hinaufklettern kann. Als er mit den Kälbern auf einer Höhe ist, geht er mit vorsichtigen Schritten über einen schmalen Vorsprung zu ihnen hinüber. Der Absatz weitet sich allmählich zu der Felsbank, auf der die strauchelnde Kuh zu Fall gekommen ist.

Die grünen Augen der Kuh sind starr und lichtlos. Jetzt nimmt Langschatten auch den Todesgestank wahr, aber er ist erstaunlich schwach. Er schaut das Bullenkalb an, das seinen Blick kurz erwidert, dann den Kopf hängen läßt und grimmig, aber gefaßt sagt: »Ich dachte, sie wäre vielleicht bloß ohnmächtig.«

Das Neugeborene wimmert. Sie hat versucht, an dem Leichnam zu saugen und schlenkert jetzt enttäuscht mit dem Rüssel. Er schlägt gegen die Beine des Kuhkalbs, das im Banne einer lähmenden Erinnerung zu verharren scheint – ihre Augenlider flackern, Temporin strömt über ihre Schläfen –, aber es erscheint sinnlos, sie aus dieser Erinnerung herauszureißen, bloß um sie mit der schrecklichen Gegenwart zu konfrontieren, deshalb betrachtet Langschatten statt dessen die Mutter. Kurz darauf sagt das Kuhkalb: »Ich höre seine Gedanken!« und beäugt ihn mit weit gespreizten Ohren, als wären seine Gedanken erschreckend. Dabei hat er sich bloß gefragt, wie es zu diesem Unfall gekommen sein mag.

»Du bist jetzt die Gedankenrednerin«, grummelt das Bullenkalb.

Das Kuhkalb sieht ihn mit entsetztem Gesicht an.

Jetzt begreift Langschatten. Die Gabe des Gedankenredens ist von der Mutter auf die Tochter übergegangen. Das war es – dieser unumstößliche Beweis, daß ihre Mutter tot ist –, was sie so erschreckt hat. Wie klein die Mutter ist! Aber sie hat sagenhaft lange Stoßzähne, und selbst wenn man bedenkt, daß die Stoßzahnlänge der Verlorenen täuscht, muß sie etwa dreißig Jahre alt sein.

»Wie kam es zu dem Sturz?« fragt er das Bullenkalb.

Keine Antwort. Er weint, denkt Langschatten und muß selber weinen. Er berührt einen Stoßzahn der Kuh.

»Sie ist gestolpert«, sagt das Kuhkalb.

»Gestolpert?« Die Verlorenen gelten als ebenso trittsicher wie Bergantilopen.

»Sie ist in ein Grunzerloch getreten. Wir rannten, weil wir den kleinen Rauch der Hinterbeiner gewittert hatten.«

Langschatten hebt prüfend den Rüssel.

»Doch nicht hier«, sagt das Bullenkalb verächtlich.

»Oben auf dem Kamm«, sagt das Kuhkalb.

Ihre Ohren sind aufgefächert, und mit ihrem kummervollen Blick durchbohrt sie Langschattens Schädel. Sie wird noch eine Weile brauchen, um die Kunst des unauffälligen Gedankenlauschens zu erlernen.

»Wie heißt ihr?« fragt Langschatten sie.

»Unsere Mutter ist Ich-Foppe« – (also gehören sie tatsächlich zu den Wir-Fs!) –, »ich bin Regen, und er heißt Sinkloch.«

»Und die Neugeborene?«

»Kummer.«

»Kummer«, wiederholt er. Die Kleine schaut erwartungsvoll hoch. Er berührt ihr Ohr ... es ist weich und kühl wie ein junges Blatt. Zu Regen sagt er: »Wo ist der Rest eurer Familie?«

»Daheim in der Höhle.«

»Warum ist eure Mutter mit euch hierhergekommen?«

»Sie hatte Angst vor der Dunkelheit.«

»Sie hatte keine Angst«, protestiert Sinkloch wütend. Er verscheucht die Fliegen aus den Augenwinkeln seiner Mutter. »Sie bekam bloß nicht genug Luft in der Höhle. Wenn sie auch nur einen Tag länger dort geblieben wäre, hätte sie den Verstand verloren.«

»Muß eure Familie sich verstecken?«

»Ja, vor den Hinterbeinern«, sagt Regen mit gequälter Stimme. Sie beginnt erneut zu weinen und sinkt auf die Knie. Auch Kummer läßt sich zu Boden fallen, bedenklich dicht am Abgrund. Langschatten hat kaum die Gefahr erkannt, da schlingt Sinkloch schon seinen Rüssel um den Bauch der Kleinen, hebt sie hoch, schwenkt sie durch die Luft und setzt sie zwischen sich und dem Leichnam wieder ab.

Er tut das mit einer einzigen fließenden Bewegung, die schneller ist als Gedanken und enorm viel Kraft erfordert. »Meiner Treu!« sagt Langschatten. Er schnauft vor Staunen. »Meiner Treu!«

Sinkloch schaut ihn an. »Laß uns jetzt allein.«

Langschatten ist verblüfft. »Aber nein, ich werde euch auf keinen Fall allein lassen. Ich werde euch begleiten, um sicherzugehen, daß ihr wohlbehalten ankommt. Ich nehme an, ihr wollt zurück in die Höhle.«

»Wir haben noch nicht getrauert«, sagt Sinkloch.

»Ach so, ich soll euch beim Trauern allein lassen. Gut.« Er versucht sich umzudrehen, aber der Felsvorsprung ist dafür zu schmal, deshalb entfernt er sich rückwärts.

»Wir treffen uns oben«, sagt Sinkloch. Langschatten schaut hinauf.

»Er denkt, er könnte abstürzen«, teilt Regen ihrem Bruder mit.

»Geh zurück zur Felsspalte«, sagt Sinkloch. »Dort, wo sie steiler wird, wirst du auf einen weiteren Absatz stoßen. Geh auf dem Absatz nach Westen. Der Hang wird dann bald flacher.« Er klingt jetzt nicht mehr mürrisch, sondern nur noch sehr, sehr müde.

Der Hang wird tatsächlich ein bißchen flacher. Trotzdem ist der Aufstieg gefährlich (wird Kummer ihn bewältigen können?), und nur indem Langschatten sich immer wieder an Baumstämme und Wurzelflechten klammert, gelingt es ihm, den Gipfel zu erreichen. Oben ist ein kleines Plateau, wo spärliches Gras und ein paar vereinzelte Almondbäume stehen. Langschatten hebt sich vor Hunger der Magen, aber statt sich auf die Nahrung zu stürzen, späht er zunächst den Abhang hinunter. Er hat ein schlechtes Gewissen, weil er dem Leichnam nicht die gebührende Ehre erwiesen hat. Deshalb räuspert er sich und singt in sanftem Brummton:

Steig auf, steig auf ins Reich der Sie,
Wo Kühe selig weiden;
Genieß auch du nach schwerem Los
Das Ende deiner Leiden.

Er hält inne. Die Hymne hat zweihundertdreiundsiebzig Strophen, und er überlegt gerade, ob er nicht einige davon auslassen soll, als er ein lautes Wehklagen vernimmt. Es klingt wie das Pfeifen des Windes und kommt … woher? Von überall, und doch ist die Luft unbewegt. Er schaut zu den Kälbern hinab. Ihre Rüssel sind erhoben, ihre Münder geöffnet. Sie können es nicht sein. Aber sie sind es! Sie sind es tatsächlich, jetzt erkennt er einen Gesang, traurig, mäandernd, aber wunderschön, wie er schon nach wenigen Augenblicken feststellt. Und seltsam vielsagend, so als würden die melodischen Wendungen und Schleifen des Gesangs auch ohne Worte eine eigene Sprache sprechen.

Als die Kälber auf dem Gipfel zu ihm stoßen, ist es bereits dunkel und kalt geworden, und Langschatten hat sich auf einem Mulchbett niedergelegt. Seit Beginn der Dürre hat er nicht mehr so gut gegessen, und fast eine Stunde lang untermalte das Ächzen und Rumpeln seiner Eingeweide den Trauergesang mit einem seltsamen Rhythmus. Dann war er eingedöst ... nur leicht, glaubte er, aber dennoch hat er die Kälber nicht kommen hören. Plötzlich stehen sie neben ihm, und ihre Augen wirken wie Paare grüner Löcher in der Dunkelheit.

Er erhebt sich. »Seid ihr hungrig?« fragt er.

»Nein«, sagt Sinkloch. »Laß uns aufbrechen.« Er dreht sich um und läuft los. Seine Schwestern folgen ihm eilig. Regen hält seinen Schwanz fest, Kummer den ihren.

Sie schlagen ein forsches Tempo an. Langschatten rechnet ständig damit, daß Kummer protestieren oder Regens Schwanz loslassen wird, aber das tut sie nicht. Sie ähnelt, ebenso wie die beiden anderen, einem Warzenschwein – klein, stämmig und erstaunlich flink. Selbst steile Abstiege in schwarze Finsternis meistern sie mit sicherem Schritt. Alle Visionäre haben gute Augen, aber diese drei sehen so gut wie Raubkatzen. Einmal bleibt Sinkloch stehen und sagt: »Das gefällt mir nicht.« Langschatten schnuppert, kneift die Augen zusammen und schaut angestrengt nach vorn. Schließlich fragt er: »Was denn?«

»Die beiden Höcker«, sagt Regen. »Da drüben.«

Langschatten sieht nur dunkle Schatten, die so schwer zu erkennen sind, daß sie auch Einbildung sein könnten. »Warum?« fragt er, als Sinkloch einen Umweg durch dichtes Salbeigebüsch nimmt.

»Zwei zugespitzte Höcker nebeneinander bringen Unglück«, sagt Regen. »Wußtest du das nicht?«

»Nein, allerdings nicht.« Langschatten kommt der Gedanke, daß die Verlorenen eine Unmenge von Zeichen und Aberglauben kennen könnten, von denen sonst niemand weiß, und daß Sturm genau das gemeint hat, als er sagte, es gäbe unendlich viele Zeichen. Wenn nicht unendlich viele, denkt Langschatten jetzt, dann doch so viele, daß jedes Zeichen mehrdeutig wird. Nach seiner Doktrin weisen zwei zugespitzte Termitenhügel auf alte Siejenigenknochen in der näheren Umgebung hin.

»Stimmt auch«, sagt Regen. »Die sind direkt unter uns, in der Erde.«

Sie lauscht nicht nur seinen Gedanken, sie erdreistet sich auch, auf alles, was sie hört, zu antworten. Anders als die Gedankenrednerinnen in seinem Teil der Domäne braucht sie ihm nicht gegenüberzustehen, um in seinen Schädel einzudringen. Unwillkürlich versucht er, Gedanken, die er lieber vor ihr verbergen möchte, zu unterdrücken. Er beantwortet ihre Fragen laut, damit Sinkloch sich nicht ausgeschlossen fühlt, aber bis auf ein paar spöttische Grunzer schweigt das Bullenkalb. Einen dieser Grunzer gibt er von sich, als Regen sagt, sie habe an diesem Tag ihre erste Vision von Langschatten gehabt – »Er zerrte am Bein einer Großen Fliege« –, und dann, ahnend, daß er das Bein gebrochen hat, hinzufügt: »Er hat die Große Fliege getötet, Sinkloch.«

Sie erklärt ihm, sie hätten gewußt, wer er ist, weil ihre Matriarchin, Ich-Flippe, ihn in ihren Visionen gesehen hat.

»Visionen?« denkt er. »Mehr als eine?«

»Fünf.«

»Was habe ich gemacht?«

»Niemand verrät die Visionen einer Matriarchin.« Sie klingt entrüstet.

»Entschuldigung.«

»Nur sie selber kann ihre Visionen offenbaren.«

»Dann erzähl mir von der Höhle.«

Sie sagt, die Familie halte sich schon seit hundertsiebenundvierzig Tagen dort versteckt, und in dieser Zeit habe es keinerlei Kontakt mit anderen Verlorenen gegeben, obwohl sie alle gelegentlich Visionen von entfernten Familienangehörigen hatten. (Bullen, Kühe, Kälber – alle Verlorenen sind lebhafte Visionäre). Wie die Wir-Fs haben sich auch die meisten anderen Familien in Höhlen zurückgezogen. Die Wir-Fs verstecken sich von Sonnenaufgang bis Sonnenuntergang, erst danach gehen sie hinaus, um Futter zu suchen, und auch das erst, wenn Ich-Flirte, die den feinsten Geruchssinn besitzt, signalisiert hat, daß die Luft rein ist. Drinnen unterhalten sie sich leise. Wenn sie singen, egal ob drinnen oder draußen, streuen sie ihre Stimmen, damit die Menschen ihre Quelle nicht orten können, und vertrauen generell darauf, daß ihr Gesang wie der von Vögeln klingt. (»Eure Stimmen klingen wie der Wind!« sagt Langschatten. »Nein, das stimmt nicht«, entgegnet Regen, und Langschatten zieht in Erwägung, daß es hier Winde und Vögel geben könnte, die ihm unbekannt sind.) Kurz hinter dem Eingang der Höhle ist eine Salzlecke, und an der Rückwand rinnt ein Bach herab. Drei Kühe und ein Kalb sind noch da. Die Familie war achtköpfig, ehe Ich-Foppe und die drei Kälber weggingen. Sie hatten sich durch die bösen Ahnungen von Ich-Flippe, die den Tod von Ich-Foppe vorhergesehen hatte, nicht abhalten lassen.

»Trotzdem ist eure Mutter weggegangen«, sagt Langschatten verwundert.

»Sie nahm an, es sei nur eine Scheinvision gewesen.«

»Gibt es denn so etwas?«

»Natürlich. Die hat doch jeder mal. Du etwa nicht?«

»Ich habe überhaupt keine Visionen. Nur wenige von uns sind Visionäre. Und Bullen sowieso nicht.«

»Oh.« Sie scheint das peinlich zu finden. Nach kurzem Schweigen sagt sie: »Das erspart dir immerhin die Scheinvisionen. Die einzigen Visionen, die ganz sicher keine Scheinvisionen sind, sind Visionen vom Dalang-Knochen, aber niemand hatte je eine Vision vom Dalang-Knochen.«

Sinkloch bleibt so abrupt stehen, daß Regen gegen ihn prallt, woraufhin Kummer gegen Regen prallt und umfällt.

»Aber er weiß doch längst von dem Knochen«, sagt Regen, die den Grund für den plötzlichen Halt erahnt hat. Sie dreht sich um und hilft Kummer auf die Beine.

Sinkloch wendet den Kopf, und seine Augen, die jetzt in noch tieferem Grün funkeln als zuvor, blicken hoch zu Langschatten. »Es steht uns nicht zu, darüber zu sprechen«, sagt er streng und geht weiter.

»Da hast du recht«, sagt Langschatten. Er wird mit der Matriarchin darüber sprechen.

Sie sind jetzt seit mehreren Stunden unterwegs und befinden sich schon tief in den Bergen. Die Unterdüfte sind berauschend; sie versetzen Langschatten in einen Zustand ruhiger Wachsamkeit, der für ihn sehr ungewohnt ist. Wachsam ist er immer. Ruhig dagegen fast nie. Die Luft ist aufgeladen mit wunderlichen Schwingungen; die Stille sirrt. Er wittert eine Menge Lebewesen: Affen, Antilopen, Giraffen, Warzenschweine … und weiter oben auch Löwen, die exotischen Baumlöwen aus den alten Liedern. Und dennoch sind keine Schreie und keine Grunzlaute zu hören. Nur verstohlene Bewegungen, das Knacken trockener Blätter. Er denkt daran, wie Sturm sagte, die hemmungslosen Metzeleien der Menschen seien für die Lebewesen in dieser Gegend noch neu und unbegreiflich, und er nimmt das als Erklärung für dieses stille Umherschleichen.

Kurz vor Mitternacht erreichen sie ein ausgetrocknetes Flußbett, das in einem Spalt zwischen riesigen Felsblöcken liegt. Der Wind fegt von den Klippen herab, und eine besonders starke Bö trägt Fetzen desselben Klagegesangs an Langschattens Ohren, den die Kälber über dem Leichnam ihrer Mutter angestimmt hatten.

»Sie wissen Bescheid«, sagt Sinkloch.

»Wer?« fragt Langschatten.

»Die großen Kühe«, sagt Regen. »Sie wissen, daß unsere Mutter tot ist.«

Wie schon zuvor kann Langschatten den Ursprung des Gesangs nicht lokalisieren – der Klang wird von den Felswänden zurückgeworfen, scheint aber zugleich aus dem Innern des Felsens zu kommen. »Sind wir schon in der Nähe der Höhle?« fragt er.

»Sie ist dort oben«, sagt Regen. Sie zeigt nach vorn rechts. »Auf der anderen Seite vom Hohen Berg.«

»Ist das der Gipfel da?«

»Ja. Wir müssen hinüberklettern.«

Das erscheint unmöglich.

»Du hast Angst«, sagt sie.

»Ich bin besorgt.«

»Niemand zwingt dich mitzukommen«, sagt Sinkloch.

Von einem Plateau vor dem Eingang der Höhle aus beobachten die Wir-F-Kühe und das Kalb ihren Abstieg. Die Augen der drei Kühe strahlen so hell, daß sie Lichttrichter produzieren und den steilen Hang mit einem sumpfigen Schimmer überziehen, ohne den Langschatten vermutlich niemals einen Weg nach unten gefunden hätte. Den Weg nach oben hatte er bewältigt, indem er sich an Wurzeln und Bäume klammerte, aber dabei hatte er sich das Bein, das der Strauß ihm bereits blutig gepickt hatte, aufgeschürft.

Regen, Sinkloch und Kummer traben unbeirrt abwärts. »Die Erde neigt sich förmlich ihren Füßen entgegen«, denkt Langschatten neidisch. Dann ist er plötzlich wie abgeschnitten von seinen jungen Führern. Oder vielmehr, sie scheinen von ihm abgeschnitten zu sein. Es ist, als wäre er gar nicht da. Die drei werden von ihrer Familie in einer stillen, streng geregelten Wiedersehenszeremonie umringt, die ganz anders ist als alles, was Langschatten kennt. Anscheinend stecken die Kälber abwechselnd ihre Rüssel in den Mund einer der Kühe und danach in den Mund des neugeborenen Kalbs. Die Kühe schwingen dazu synchron die Hüften, und ihre Haut verströmt einen honigsüßen Moschusgeruch. Zwei von ihnen haben verblüffend lange, gerade gewachsene Stoßzähne. Die dritte hat nur einen Stoßzahn, und der ist so lang wie sein eigener, wenn auch wesentlich dünner.

Schließlich hören sie mit dem Hüftschwingen auf, und die Matriarchin beginnt ein Klagelied zu schmettern – diesmal ist es eins mit Text –, das von Mut, Elend, Tod und unergründlichen Geheimnissen handelt. Es hat einen Refrain, bei dem alle einstimmen, und nach etwa dreihundert Strophen stimmt auch Langschatten mit ein. »Fürchtet euch nicht!« dröhnt er. »Die Sie hat es verfügt! Drum seiet nicht betrübt!«

Unvermittelt, ohne sich zu verständigen oder ihn zu beachten, verstummen die Kühe und lösen den Kreis auf. Er hat irgend etwas zerstört oder gegen irgendeine Benimmregel verstoßen. »Ich bitte um Verzeihung«, brummt er beschämt.

Die Matriarchin tritt forsch auf ihn zu. Sie ist so klein wie ein halbwüchsiges Kalb, aber die größte von den drei Kühen. Ihre Stoßzähne sind fast genau so lang wie ihr Rüssel. Die grünen Lichtstäbe, die von ihren Augen ausgehen, gleiten über seinen Körper bis hinauf in sein Gesicht und zwingen ihn zu blinzeln. »Hallo, Langschatten, Kenner der Zeichen«, sagt sie kurz angebunden. »Ich bin Ich-Flippe.«

»Sei gegrüßt, Matriarchin«, sagt er im förmlichen Tonfall. »Ich bitte vielmals um Vergebung.«

»Nicht nötig. Es ist bei uns Brauch zu singen, bis wir von einem unangenehmen Laut oder Geruch gestört werden. Ich-Foppe war meine Schwester, und wenn du uns nicht unterbrochen hättest, hätte ich wahrscheinlich bis zum Morgengrauen weitergesungen.«

Falls sie im Stillen weint, so merkt man es ihr jedenfalls nicht an. Langschatten kann sich schwer vorstellen, daß ein so beherrschtes und direktes Wesen flippig sein kann. Er ist tief getroffen, weil sie seinen Gesang als unangenehm bezeichnet hat.

Der Rest der Familie steht jetzt hinter ihr. Sie nickt kurz, und die beiden Kühe stellen sich vor. Es sind Ich-Flirte (die Kummer an der einen und ihr eigenes Neugeborenes an der anderen Brust säugt) und die einzahnige Medizinkuh Ich-Flicke.

»Du blutest«, brummt Ich-Flicke. Aus irgendeinem Grund klingt sie wütend.

»Es ist nicht mehr viel von der Dunkelheit übrig«, sagt Ich-Flippe. »Wir werden uns jetzt in die Höhle zurückziehen, und dort wird Ich-Flicke sich um dich kümmern.«

⁂

Die Höhle ist geräumig und sehr hoch. Die Augen der Kühe erhellen Teile der Felswände, und Langschatten kann einen Blick auf das erhaschen, was er wittert – die kleinen Klippdachse, die zusammengerollt in den Spalten zwischen Boden und Wand schlafen. Die Fledermäuse. Er lehnt sich gegen die Westwand, während Ich-Flicke geschickt sein Bein mit einem Lobelienumschlag versorgt. Es ist offensichtlich, daß ihr diese Aufgabe mißfällt. »Die wollte ich aufsparen«, sagt sie wutschnaubend und meint damit die Lobelien. Kaum ist sie fertig, entfernt sie sich hastig von ihm, und er geht ans Ende der Höhle, um aus dem Bach zu trinken.

Zwischen diesen kleinen Kühen kommt er sich wuchtig und ungelenk vor. Die unterkühlte Begrüßung hat ihn verwirrt, und er fragt sich gerade, wie er weiter vorgehen soll, als er an dem Lichtkranz um seinen Schatten erkennt, daß die Wir-Fs in seine Richtung schauen.

»Wir warten auf dich«, sagt Ich-Flippe.

Er eilt hinüber zur Ostwand, wo sie sich versammelt haben. Bei der Salzlecke, nimmt er an.

»Seit zwei Tagen«, sagt Ich-Flippe, »habe ich Visionen von dir. Aber erst als ich dich zusammen mit unseren Kälbern sah, wußte ich, daß wir uns begegnen würden. Vor unserer Begegnung mit Sturm, dem Rüsselvollen, hat niemand von den Verlorenen jemals eine Vision von Deinesgleichen gehabt. Wir hatten wohl Geschichten von einfältigen, unansehnlichen Riesen gehört, aber wir glaubten, sie seien längst ausgestorben – falls es sie überhaupt je gegeben hat. Ich-Flicke hatte die Vision von Sturm erst wenige Stunden vor seinem Besuch.«

»Nicht alle von uns sind einfältig und unansehnlich«, brummt Langschatten leise. Er ist gekränkter, als er sich anmerken läßt.

Ich-Flippe hakt das Thema mit einer Rüsselbewegung ab. »Wir haben etwas, das wir dir zeigen müssen«, sagt sie.

Zeigen müssen. Endlich wird ihm eine gewisse Wichtigkeit zugestanden. Er bewegt schnuppernd den Rüssel von einer Kuh zur nächsten, in der Erwartung, ein in seinem Teil der Welt unbekanntes Objekt vorgeführt zu bekommen, eine spezielle Nußart etwa oder ein kleines Tierskelett, dem sie Bedeutung beimessen.

Aber auf ein für seine Sinne nicht wahrnehmbares Zeichen hin drehen sich alle um und beleuchten die Wand.

»Schau dorthin«, sagt Ich-Flippe. »Auf die Kerben.«

Er berührt die geriffelte, grün beleuchtete Fläche. Die Kerben stammen eindeutig von Stoßzähnen. Er führt den Rüssel zum Mund und erwartet einen salzigen Geschmack. Als der ausbleibt, grunzt er überrascht.

»Siehst du das Bild?« fragt Ich-Flippe.

»Was für ein Bild?«

»Eine Kuh der Verlorenen. Hier ist der Kopf, da der Rücken, der Rüssel, die Stoßzähne.« Sie deutet auf die Kerben. »Das hier sind die Beine. Hinter ihr ein Hinterbeinerbulle. Sein Kopf, seine Vorderbeine. Er hält eine Hacke, hier, zwischen seinen Vorderfüßen. Siehst du?«

Langschatten nickt zögernd. Ganz kurz sieht er das Bild, dann ist es weg, dann wieder da. Es erfordert eine bestimmte Sichtweise, wie manchmal, wenn man in den Umrissen der Landschaft ein Bild erkennt.

»Denk an Silhouetten. Stell dir vor, es ist kurz vor oder nach der Dämmerung und du betrachtest etwas vor dem Auge der Sie.«

Er versucht es, und sofort springen die Gestalten aus dem Felsen hervor. »Habt ihr das gemacht?« fragt er verblüfft.

»Nein, nicht wir.«

»Wer denn?«

»Jemand von unserer Art.«

»Bestimmt waren es mehrere«, sagt er, wegen der unterschiedlichen Höhe der Kerben. Aber warum ist es überhaupt da? Er führt noch einmal ein paar Staubkörner an seinen Mund. Es gibt in diesem Felsen nichts, das herauszukratzen sich lohnen würde, jedenfalls nichts, was er schmecken kann.

»Es wurde nicht gedankenlos eingeritzt«, sagt Ich-Flippe. In ihrer Stimme liegt jetzt eine Spur von Gefühl. »Es ist das wohldurchdachte Werk einer einzelnen Kuh, die unbedingt ihre Visionen erhalten wollte.«

»Nein«, sagt er. Daß eine Kuh absichtlich ein Bild in einen Felsen ritzt, daß sie auf eine solche Idee kommt und auch noch die Geschicklichkeit besitzt, sie in die Tat umzusetzen, erscheint ihm noch viel unglaublicher als die Möglichkeit, daß beiläufig gemachte Kratzer so große Ähnlichkeit mit echten Wesen haben können.

Ich-Flippe wendet sich ab. »Es gibt noch drei weitere«, sagt sie. Sie und die anderen gehen an der Wand entlang und bleiben vor dem nächsten Kerbenmuster stehen.

Langschatten stellt sich wieder vor, er betrachte gegen die Sonne Gestalten am Horizont, und das Bild offenbart sich ihm. Zwei Kühe und ein Kalb der Verlorenen, die auf der Seite liegen. Die Kühe haben keine Gesichter. Allen dreien fehlen Stoßzähne, Füße und Schwanz. »Ein Gemetzel«, sagt Langschatten. Er berührt den Umriß des Kalbs, und es ist, als streiche er über einen Leichnam. Er beginnt zu weinen, aber tränenlos. »Wie ist das möglich?« fragt er.

»Die Kerben sind heilig«, sagt Ich-Flippe. »Und sehr alt. Komm hierher und schau dir das dritte Bild an.« Sie geht an der Wand entlang, und ihre Familie und Langschatten folgen ihr.

Dieses Bild zeigt einen großen, fliegenden Vogel. »Ein Himmelstaucher?« fragt Langschatten.

Ich-Flippe nickt.

Im Schnabel hält der Adler etwas, das aussieht wie ein krummer Zweig. Langschatten streicht mit der Rüsselspitze über den Umriß des Adlers.

»Gut so«, sagt Ich-Flippe. »Mach weiter.«

Sein Rüssel scheint geradezu von den Kerben angesaugt und an ihnen entlanggeführt zu werden – ein seltsames Gefühl. Er spürt, wie er in einer Erinnerung versinkt, und versucht, wieder daraus aufzutauchen, aber obwohl sie ihm unvertraut ist, hat die Erinnerung ihn schon vereinnahmt, und er kommt daher zu dem Schluß, daß er eingeschlafen ist. Allerdings haben die Vollkommenheit und Klarheit des blauen Himmels, der sich selbst unter seinem Blick nicht in etwas anderes verwandelt, so gar nichts Traumartiges an sich. Jetzt durchschneidet ein Kampfadler das Blau und schwebt dann dicht vor ihm in der Luft. Schaukelnd sucht der Adler mit den Augen den Boden ab. Als er hinabstößt, folgt ihm Langschattens Blick. Langschatten kann den Adler nicht riechen. Sein Geruchssinn ist ausgeschaltet, aber sein Sehsinn ist wunderbar geschärft. In der Mulde zwischen zwei Felsblöcken erkennt er eine kleine, strahlend weiße Rippe. Er beobachtet, wie der Adler die Rippe mit den Klauen ergreift und davonfliegt. »Der weiße Knochen!« ruft Langschatten und findet sich plötzlich vor der Höhlenwand wieder.

Er dreht sich zu den Kühen um. »Ich habe geträumt –« brummt er.

»Das war kein Traum«, sagt Ich-Flippe. »Das war eine Vision.«

»Bullen von meiner Art haben keine Visionen.«

»Du hattest trotzdem eine. Vergleich sie mit einem beliebigen Traum, und du wirst kaum eine Ähnlichkeit feststellen.«

Sie ist unfehlbar, ihm weit überlegen. Wenn sie sagt, er habe eine Vision gehabt, dann muß er ihr glauben, auch wenn es allem widerspricht, was er gelernt hat. »Aber ich bin nicht dazu imstande, Visionen zu haben«, sagt er kleinlaut.

»Das Bild hat dich zu der Vision inspiriert. Wenn du nicht mehr vor diesen Bildern stehst, wirst du vermutlich nie wieder eine haben.«

Er ist dankbar, daß sie ihn nicht gedrängt hat, in einer Vision das Gemetzel zu sehen. »Ich hatte tatsächlich eine Vision«, brummt er und gibt sich seinem Erstaunen hin. »Ich habe den weißen Knochen gesehen.«

»Den Dalang-Knochen«, sagt Ich-Flippe streng.

»Den Dalang-Knochen. Ganz recht.«

»Er verliert seine Kraft, wenn man ihn beim Namen nennt.«

»Ja, natürlich. Verzeiht mir. Ich muß sagen, ich mache mir Sorgen darum, wieviel Kraft er wohl schon verloren hat. Allein in meinem Teil der Domäne wissen bereits mehrere Familien von ihm.«

»Sind alle deiner Art so leichtfertig wie du?«

»Bei uns gelte ich als geradezu krankhaft vorsichtig«, sagt er entschuldigend.

Sie wird still. Dann blitzen ihre Augen auf, und alle Wir-Fs senken die Köpfe. In der Annahme, daß irgendein Ritual im Gange ist, senkt er ebenfalls den Kopf. Am Ende der Höhle tickt in lebhaftem Rhythmus der Bach. Es klingt wie zwei kleine Knochen, die gegeneinanderschlagen, und Langschatten muß daran denken, wie zärtlich Sturm im Blutsumpf mit den Knochen der Sie-Sch-Kälber umgegangen ist. Er schielt zu Ich-Flippe hinüber.

Ihre Augen sehen aus wie glühende Kreise. »Entschuldige meine Abwesenheit, Langschatten. Ich hatte auch eine Vision.« Sie sagt es mit freundlicher Stimme. Sie hört sich plötzlich an wie jemand ganz anderes.

»Wovon denn?« fragt er.

Ihr Blick schweift hinüber zur Wand. »Es gibt noch ein Bild.«

»War es eine Vision von mir?« Ihr Benehmen erweckt in ihm den Verdacht, sie habe ihn in Gefahr gesehen.

»Die Visionen der Matriarchin sind geheim«, sagt sie, jetzt wieder barsch, »es sei denn, sie gibt sie von sich aus preis.«

Er schaut Regen an, die offensichtlich den Gedanken von Ich-Flippe zuhört. Aber in dem Zwielicht ist der Gesichtsausdruck des kleinen Kalbs nicht zu entziffern. Er reckt den Rüssel in die Luft und versucht das vorherrschende Gefühl zu wittern, aber der Moschusgeruch der Kühe überlagert alle subtileren Düfte.

»Dieses Bild zeigt jemanden von deiner Art«, sagt Ich-Flippe. »Ein Kuhkalb.«

»Woher weißt du das?« Er wirbelt zur Wand herum.

»Die Stoßzähne sind verkümmert.« Sie zeigt auf die Kerben. »Und die Ohren sind übergroß.«

Seine Angst geht in Staunen über. »Wie merkwürdig.«

»Noch merkwürdiger ist, daß es sich nicht offenbart. Wenn wir es berühren, treten wir nicht in eine Vision ein. Wie du siehst, trägt das Kalb den Dalang-Knochen aus dem dritten Bild.«

Er streicht mit der Rüsselspitze über die Kerbe, die den Rumpf des Kalbs umreißt. In eine Vision dieser Szene einzutreten würde bedeuten, den Ort des Geschehens in sich aufzunehmen. Und das würde, mit ein bißchen Glück, bedeuten, ihn zu finden. Aber wird das Kalb mit dem weißen Knochen noch da sein? Wird es darauf warten, gefunden zu werden? Die Wir-Fs scheinen das zu glauben. Sie scheinen zu hoffen, das Bild werde sich ihm offenbaren, weil er zur selben Rasse gehört wie das Kalb. Bis jetzt spürt er nichts von dem Sog, den er beim dritten Bild gespürt hat. Er bewegt den Rüssel zu der riesigen Akazie, unter der das Kalb steht. »Dieser Baum ist wirklich sehr groß«, sagt er.

»Wir haben uns gefragt, ob das für euren Teil der Domäne typisch ist«, sagt Ich-Flippe.

»Einen so großen habe ich noch nie gesehen«, sagt er.

»Er ist grotesk«, sagt Ich-Flicke überraschend leidenschaftlich.

»Das finde ich nicht«, sagt Ich-Flirte und schaut Langschatten an. »Ich habe eine Schwäche für Großes.«

Ich-Flippe sagt: »Jeden Tag berühren wir dieses Bild und hoffen, daß es sich offenbart. Ziellos nach dem Dalang-Knochen zu suchen, kommt mir dumm vor, wenn der entscheidende Hinweis hier vor uns liegt. Ich nehme an, das Kalb will den Dalang-Knochen gerade in die Luft werfen. Wenn nun jemand in einer Vision sieht, wie er landet, dann können wir den Zweiten Sicheren Ort finden.«

»Ich verstehe«, sagt Langschatten, und er hat tatsächlich verstanden. Die Wir-Fs sind nicht darauf angewiesen, das Kalb oder den weißen Knochen zu finden. Sie brauchen bloß zu wissen, wo die Akazie steht und in welcher Position der weiße Knochen landet, nachdem das Kalb ihn hochgeworfen hat. Sie sind die Meister der Fährtenmeister. Ein einziger Hinweis genügt ihnen, um den Sicheren Ort oder den Zweiten Sicheren Ort, wie sie ihn nennen, zu finden. Sofern das Kalb tatsächlich gerade dabei ist, den weißen Knochen in die Luft zu werfen, und sofern es den Sicheren Ort tatsächlich gibt. Er erzählt ihnen von Sturms Zweifeln.

»Sturm der Rüsselvolle«, sagt Sinkloch verächtlich.

Ich-Flippe versetzt dem Kalb einen heftigen Klaps auf den Rücken. »Sturm der Rüsselvolle ist etwas Besonderes«, sagt sie. Diese Verteidigung eines Angehörigen seiner Rasse überrascht Langschatten. Ich-Flippe wendet sich zu ihm um und sagt: »Wir haben keine Vision von dem Zweiten Sicheren Ort gehabt. Und soweit wir wissen, auch sonst niemand von den Verlorenen. Hat jemand von euch je eine gehabt?«

»Nicht, daß ich wüßte.«

Sie nickt, und er vermutet, daß sie über dieses Versagen erleichtert ist. »Nichtsdestotrotz«, sagt sie, »haben wir in unseren Visionen die

Herstellung dieser Bilder durch die letzte weiße Kuh der Domäne gesehen. Wir haben gehört, wie sie davon sang, daß die Hinterbeiner alle Angehörigen ihrer Rasse außer ihr selbst und ihrem Neugeborenen ausgelöscht und die Knochen zertrümmert haben, und daß sie daraufhin das Neugeborene einer Schnelläuferin geopfert hat, um die Rippe zu erhalten, damit sie in künftigen Zeiten der Finsternis anderen Siejenigen den Weg weisen möge zu der –« Sie hebt den Kopf und singt laut:

Zuflucht, wo der
Hauch des Schlachtens
Nicht den Wind befleckt, wo
Auf das Wasser
Segen fällt.

»Sturm, der Rüsselvolle«, sagt sie abschließend, »hat all dies nicht gehört.«

»So scheint es«, brummt Langschatten.

Sie zeigt auf die Wand. »Berühr weiter die Kerben.«

Langschatten hört ihre scharfe Stimme durch eine Kakophonie von Geschnatter hindurch. Dann sagt eine andere, eine vertraute Stimme: »Der weiße Knochen.« Er sinkt in eine Vision, und er will es Ich-Flippe mitteilen, aber er kann nicht sprechen. Er betrachtet das tote Blattwerk der riesigen Akazie aus dem vierten Bild. Es wimmelt darin von verlassenen Webervogelnestern, die im Wind schaukeln. Es gelingt ihm nicht, den Blick nach unten zu richten. Er hat, anders als beim ersten Mal, das Gefühl, als schaue er durch ein Auge in der Mitte seiner Stirn. Quälend langsam schweift das Auge zum Horizont – zu einer Kette flacher blauer Berge – und dann zurück zum Fuß des Baums, auf einen Haufen Siejenigenkot. Hinter dem Baum hüpft eine Manguste herum, nein, mehrere Mangusten, die aufgeregt schnattern. Und jetzt sieht er den Fuß einer Siejenigen, ein eiterndes Bein. Sein Blickfeld wird größer. Es ist Dattelbett. Er erkennt sie kaum, so abgemagert ist sie. Wo sind die anderen Sie-Schs? Wo ist Matsch? »Matsch!« brüllt er im Geiste, und Dattelbett scheint ihn zu hören. Sie dreht sich zu ihm um, und er sieht ihren erbärmlich schmalen Schädel und die purpurfarbene Wunde über ihrem Auge. Sie schwankt. Sie umklammert etwas mit dem Rüssel. Der weiße Knochen! Sie hat ihn! Sie rollt den Rüssel bis unters Kinn ein, verdreht sich, als wolle sie über ihre Schulter schauen, macht einen Satz vorwärts, öffnet schwungvoll den Rüssel und schleudert den Knochen von sich. Als er auf den Boden auftrifft, stiebt in hohem Bogen der Staub auf. Langschattens drittes Auge konzentriert sich auf ein einzelnes Staubkorn. Das Korn fliegt durch die Luft, und sein Auge reitet auf ihm, meilenweit, tagelang, über die blauen Berge, an einem Flußbett entlang bis zu einer Ebene, dann quer über die Ebene bis zu einem Steilabbruch, den Steilabbruch hinauf und wieder hinunter in einen Sumpf. Das Land um diesen Sumpf herum ist überall grün – Gras, Papyrus, ein wahrer Rausch von Grün …

Die Augen der Wir-Fs sind nach unten gerichtet, um ihn vor dem Strahlen zu schützen. Er hat das Gefühl, lange weg gewesen zu sein, aber Ich-Flippe sagt, nein, nur ganz kurz. Hat das Kalb den Dalang-Knochen hochgeworfen? fragt sie. Ja, antwortet er, das hat sie. Und hat er sich gemerkt, wie er gelandet ist? Nein. Nein? Aber – so hört doch – er hat statt dessen den Sicheren Ort selbst gesehen, er wurde von der Stelle, wo der Dalang-Knochen landete, dort hingeführt! Weiß er das genau? Ganz genau, sofern es tatsächlich eine Vison und kein Traum war. Es war eine Vision, sagt Ich-Flippe. Nun, sagt er, dann habe ich den Sicheren Ort gesehen. Wie ist es dort? Grün, sehr grün. Hat er die Gegend erkannt, wo der Dalang-Knochen in die Luft geworfen wurde, wo das Kalb sich befindet? Er glaubt, ja. Er ist kein sehr guter Fährtenfinder, nicht wahr? Kein meisterhafter, das stimmt, aber auch kein besonders schlechter. Ist diese Gegend weit weg? Zehn Tage entfernt. Auf der anderen Seite der Wüste.

Schweigen.

»Ach so, die Neugeborenen«, sagt er, als ihm dämmert, wie heikel es für die kleinen Kälber sein kann, die Wüste und erst recht die offene Steppe zu durchqueren, denn trotz ihrer großen Tapferkeit sind sie doch Waldbewohner.

Ich-Flippe sagt: »Wenn wir unterwegs feststellen, daß die Reise zu beschwerlich ist, werden wir umkehren und die Regenzeit abwarten. Der Sichere Ort wird bis dahin nicht verschwinden.« Sie schaut hinter sich, zu der hellen Öffnung der Höhle. »Morgen abend brechen wir auf.

Jetzt laßt uns trinken und meine Schwester beweinen. Und dann werden wir uns ausruhen, während du uns die Vision in allen Einzelheiten schilderst, damit wir uns den Weg ebenfalls vorstellen können.«

Im hinteren Teil der Höhle sind Mulchbetten. Seins ist groß und frisch … offensichtlich hat es auf ihn gewartet. Die Kälber und Ich-Flicke liegen in einer Reihe am Schwanzende seines Betts, Sinkloch und Ich-Flicke haben sich an die Wand gequetscht, so als wollten sie möglichst viel Abstand zu ihm halten. Ich-Flirtes Bett ist neben seinem, und sobald er liegt, läßt auch sie sich nieder. Sie ächzt, grunzt und rutscht herum, bis sie schließlich mit ihrem Hinterteil an seinem Rücken zur Ruhe kommt – eine äußerst provokante und unangemessene Position. Aber er will sie nicht beleidigen, deshalb rückt er nicht von ihr ab.

Ich-Flippe liegt vor ihm und hat ihm das Gesicht zugewandt. Während er die Vision nacherzählt, unterbricht sie ihn häufig, um sich nach Vogelrufen oder der Gestalt des Horizonts zu erkundigen oder nach dem genauen Standort von Büschen und Felsen, der Beschaffenheit und Neigung des Bodens, dem Licht. Das tut sie auch, als er den Weg von der Höhle zu den blauen Bergen beschreibt. Er sagt, er werde eventuell, falls sie unterwegs Kot oder andere konkrete Hinweise darauf finden, daß Matsch und die Sie-Schs in eine andere Richtung gegangen sind, die Gruppe verlassen, um sie zu suchen. Er gesteht, daß er äußerst beunruhigt ist, weil Dattelbett in der Vision allein war. Ich-Flicke sagt daraufhin barsch: »Deine Matsch ist nicht tot.«

Er ist so überwältigt, daß es ihm die Sprache verschlägt. Warum ist er nicht darauf gekommen zu fragen, ob eine von ihnen eine Vision von den Sie-Schs gehabt hat? Er ist ganz selbstverständlich davon ausgegangen, daß sie nur ihn und Sturm im Geiste gesehen haben.

»Die große Kuh nennt sie Sie-Schmollt«, sagt Ich-Flicke, als gäbe es keinen abscheulicheren Namen.

»Geht es ihr gut?« fragt er.

»Sie hinkt. Sie ist ausgezehrt.«

Ihr Tonfall macht deutlich, daß sie diese Leiden für selbstverschuldet hält, aber Matschs Schicksal geht ihm zu nah, um vor dieser bestürzenden Feindseligkeit zurückzuweichen, und er fragt trotzdem: »Wo ist sie?«

»Sie war in einer Gegend mit schwarzen Felsblöcken. Sechshundert Kilometer von hier, den Schatten und dem Licht nach zu urteilen.«

»Im Geröllle«, sagt er. »Wann, glaubst du, war das ungefähr?«

»Ich hatte die Vision vor fünf Tagen. Ich sah die nahe Zukunft. Genauer kann ich es nicht sagen.«

»Wie viele Kühe waren bei ihr?«

»Drei. Und nur ein Kalb, das Neugeborene. In der Nähe reckte sich miauend eine Schnelläuferin. Äußerst seltsam.«

»Mir-Mir«, sagt er erschrocken. »Sie muß es gewesen sein. Sie ist ruchlos. Eine Schnelläuferin, die es nach dem Fleisch von neugeborenen Siejenigen-Kälbern gelüstet.« Ein überraschender Gedanke kommt ihm. »Ich frage mich, ob sie wohl eine Nachfahrin jener Schnelläuferin ist, die das Neugeborene der Weißen Kuh gefressen hat?«

»Von dieser Schnelläuferin wissen wir nichts«, sagt Ich-Flippe. Das Licht in ihren Augen wird intensiver. »Hast du vor, direkt zum Geröllle zu gehen?« fragt sie.

»Das habe ich, Matriarchin.«

»Ich rate dir ernstlich davon ab. Ich rate dir, zuerst zum Sicheren Ort zu gehen.«

»Warum?«

»Wenn du zuerst dorthin gehst und neue Kraft schöpfst, wirst du besser für deine Suche gerüstet sein.«

»Ich bin kräftig genug«, sagt er, aber er begreift, daß ihre Antwort ausweichend war. Er wird abermals von dem Gedanken geschüttelt, daß er in ihrer Vision in Gefahr war … vielleicht sogar tot. Wenn das stimmt, dann spielt es keine Rolle, wohin er geht; das Schicksal wird ihn überall einholen. Warum warnt sie ihn also? Kann sie etwa vorhersehen, was sein könnte? Oder hat sie gar keine Vision gehabt, sondern ein mächtiges Omen gesehen, das nur die Verlorenen kennen? Wie auch immer, er stellt fest, daß er weder mutig noch verrückt genug ist, sich ihrem Rat zu widersetzen.

»Also gut«, sagt er schließlich.

Sie macht die Augen zu. Innerhalb von Sekunden tun die anderen es auch, und die Höhle dehnt sich in die Finsternis aus.

Dreizehn

Die Gepardin hat bestimmt bemerkt, daß die Sie-Schs sie beobachten – sie kann unmöglich glauben, daß sie ihren Geruch nicht gewittert haben –, und dennoch läuft sie geduckt zwischen den Felsen, als wolle sie sich anschleichen.

»Das blöde Stück hat sie wohl nicht alle!« brüllt Sie-Schützt.

Die Gepardin bleibt abrupt stehen. Als sie sich wieder in Bewegung setzt, sagt Matsch: »Wie dicht wollen wir sie herankommen lassen, Matriarchin?«

»So dicht, wie sie sich traut«, sagt Sie-Schnaubt.

Sie stehen am Ufer des Zahnstammflusses, dort, wo noch vor wenigen Minuten Sie-Schreit gestanden und sie als Feiglinge und Verräter beschimpft hat. Es ist früher Morgen. Kalt und windstill. Mehr aus Gewohnheit denn aus Vorsicht (eine Gepardin ist keine echte Bedrohung für drei Kühe) haben sie eine, wenn auch kümmerliche, V-Formation gebildet: Sie-Schnaubt an der Spitze, Sie-Schützt schräg links und Matsch schräg rechts neben ihr. Knick liegt zwischen ihnen.

»Sie-Schützt will angreifen«, trompetet die Medizinkuh.

Die Gepardin hat sich ihnen inzwischen so weit genähert, daß ihr Übelkeit erregender süßlicher Geruch sie zwingt, die Rüsselspitzen zusammenzupressen. »Nein«, brummt Sie-Schnaubt.

Die Gepardin setzt sich hin. Sie hebt die rechte Pfote und scheint sie zu betrachten. Sie streckt die Pfote aus, und die drei Kühe schwenken die Rüssel nach hinten, um zu wittern. Matsch schaut außerdem noch über die Schulter. Aber dort ist nichts. Die Gepardin hört auf, mit der Pfote in Richtung der Sie-Schs zu zeigen, leckt sich die andere Pfote und reibt damit über die schwarzen Streifen aus »falschem Kopfsaft«,* die aus ihren Augen entspringen.

---

* Als Strolch die Geparden erschuf, hatte Er vor, ihre Köpfe mit Öffnungen auszu-

Sie-Schnaubt sagt hämisch: »Sie ist nicht so gelassen, wie sie tut.«
Die Gepardin läßt die Pfote sinken und maunzt.

»Sie will mit unserer Gedankenrednerin Kontakt aufnehmen«, sagt Sie-Schnaubt.

»Dattelbett ist nicht hier!« röhrt Sie-Schnaubt.
Die Gepardin hört auf zu maunzen.

»Gut so!« trompetet Sie-Schützt. »Klapp dein stinkendes Loch zu!«

»Woher wollen wir wissen, daß es Mir-Mir ist?«

»Mir-Mir?« brüllt Sie-Schützt.

»Wer soll es denn sonst sein?« sagt die Matriarchin.

»Also«, röhrt Sie-Schützt, »wenn es Mir-Mir ist, dann kann Sie-Schützt euch sagen, worauf sie zeigt! Sie zeigt auf den Sicheren Ort.«

Sie-Schnaubt schüttelt den Kopf. »Nein, das glaube ich nicht.«

Mir-Mir schaut nach Westen, so als habe etwas auf dem Geröllte ihre Aufmerksamkeit erregt. Sie steht auf und läuft, immer noch mit abgewandtem Kopf, in einem Bogen auf Matsch zu. Die drei Kühe drehen sich nach rechts, so daß die Spitze des Vs weiterhin auf die Gepardin gerichtet ist. Sie bleibt stehen. Als sie wieder näher kommt, versucht sie nicht mehr, ihre Absicht zu verbergen. Mit hochgezogenen Schultern bewegt sie ruckartig den Kopf hin und her, um Blicke auf Knick zu erhaschen.

»Hau ab!« trompetet Sie-Schützt. Mir-Mir erstarrt, weicht aber nicht zurück.

Sie-Schützt rennt auf sie zu, und Mir-Mir schwenkt lässig herum und schlendert zwischen die Felsen. Als Sie-Schützt stehenbleibt, dreht sich Mir-Mir um und setzt sich hin. Erneut betrachtet sie ihre rechte Pfote und zeigt dann damit in Richtung der Kühe. Da sie jetzt nach Nordwesten schauen (als sie das erste Mal zeigte, schauten sie direkt nach Westen), kann sie nicht auf den Weg zum Sicheren Ort deuten.

»Ich habe den Eindruck«, brummt Matsch, »als würde sie sagen: Ihr seid es.«

»Was sind wir?« ruft Sie-Schützt und kommt angetrabt.

Sie-Schnaubt sagt: »Da ist noch ein zweiter Geruch.« Sie schnüffelt

---

statten, aus denen Temporin fließen sollte, aber nachlässig, wie Er war, entschied Er sich für die einfachere Variante mit den dauerhaften Streifen.

angestrengt, mit geschlossenen Augen. »Er ist schwach, aber durchdringend. Etwas, das sie gestreift hat, nehme ich an. Ich kann ihn nicht genau wahrnehmen. Er ist zu sehr von ihrem eigenen Geruch verfälscht.«

»Sie-Schützt könnte sie ganz außer Riechweite jagen!« röhrt die Medizinkuh.

»Sie würde nach kurzer Zeit zurückkommen«, sagt Sie-Schnaubt.

»Was will sie denn überhaupt mit Knick?« brummt Sie-Schützt. »Schnelläufer essen doch keine Siejenigen.«

»Normalerweise nicht«, sagt Sie-Schnaubt. Sie schlägt die Augen auf. »Wir werden sie beim Weiden im Rüssel behalten.«

In ein paar Stunden wird die Hitze auf dem Geröll furchtbar sein, unerträglich für Knick, und daher ist geplant, mit dem Aufbruch zum Futtersumpf bis Sonnenuntergang zu warten. Was ist mit den Unterdüften? fragt Matsch. (Wenn sie nachts unterwegs sind, besteht die Gefahr, daß die Spuren, die zu Dattelbett führen könnten, von Unterdüften überlagert werden.)

Aber Sie-Schnaubt meint, die Unterdüfte werden wegen des ausgetrockneten Bodens nicht besonders stark sein.

»Was ist mit Mir-Mir?« röhrt Sie-Schützt.

»Sie wird uns folgen«, sagt Sie-Schnaubt.

»Uns folgen!«

»Ich glaube schon.«

»Uns folgen!« röhrt die Medizinkuh erneut. Sie hebt einen Ast hoch und schleudert ihn der Gepardin entgegen.

»Sie-Mißt hat uns geraten, uns gut mit ihr zu stellen«, brummt Sie-Schnaubt. »Und das werden wir auch tun. Vorläufig jedenfalls.«

Sie klingt plötzlich erschöpft, ja mutlos. Das ist nur allzu verständlich, denkt Matsch. Innerhalb weniger Stunden ist die Familie von sieben Mitgliedern (einschließlich Hagelkorn) auf vier zusammengeschrumpft, darunter ein Kalb ohne Durchhaltevermögen, das schwache Knie hat. Sturm brauchte für die Durchquerung des Gerölles fünf Tage. Wie lange werden die vier, so ausgehungert wie sie sind, brauchen? Wie hat Dattelbett den Marsch geschafft? Vielleicht hat sie ihn gar nicht geschafft. Aber da sie offensichtlich irgendwie bis hierher gekommen ist, da es im Osten keine Spur von ihr gibt und im Norden

Wüste und im Süden ein breiter Maschendrahtzaun und eine riesige Menschensiedlung ist, haben sie eigentlich keine andere Wahl, als nach Westen zu gehen.

Sie fangen an zu essen und achten dabei ständig auf Mir-Mir, die in einiger Entfernung sitzt und sie beobachtet. Sie reißen die wenigen noch verbliebenen Borkenstücke von den Ebenholzbäumen und Dattelpalmen ab. Sie stochern am Rand des Flußbetts in der Erde, um Wurzeln auszugraben. Matsch denkt schuldbewußt, daß es gar nicht so schlecht ist, daß Hagelkorn und Sumpf und Sie-Schreit die Familie verlassen haben, denn auch für die Verbliebenen reicht das Essen kaum aus. Und dennoch vermißt sie Hagelkorn bereits, denn genau wie sie war er ein Eindringling und ein Krüppel, und sie hoffte, er würde eines Tages ihr Verehrer sein. Sie macht sich Sorgen um ihn und auch um Sumpf. Nicht um Sie-Schreit, die womöglich schon tot, auf jeden Fall aber nicht mehr zu retten ist. »Arme Sie-Schreit«, denkt sie, um ein Gefühl von Mitleid heraufzubeschwören, aber sie ist über die dank der Abwesenheit der großen Kuh herrschende Stille derart erleichtert, daß sie nicht so tun kann, als würde sie Sie-Schreit vermissen. Sie schaut nach Osten, halb in der Erwartung, Staubwolken zu entdecken, die ankündigen, daß Sie-Schreit oder einer der Bullen zurückkehrt. Sie-Schützt und Sie-Schnaubt wittern gelegentlich in diese Richtung. Niemand erwähnt die drei, die weggegangen sind. Etwa eine Stunde lang hält Sie-Schützt murmelnd einen Monolog über die Gefahren von Familienfehden, aber dann röhrt sie: »Was geschehen ist, ist geschehen!« und strahlt Matsch und Sie-Schnaubt an, so als sei dieses Urteil, das sie schon unzählige Male gefällt hat, eine bedeutende Erkenntnis und ein großer Trost.

Ein wenig später trocknet das von Dattelbett gebohrte Wasserloch aus, und Sie-Schnaubt gräbt ein neues, aus dem aber nur so wenig Wasser sprudelt, daß sich alle hinknien und, so wie Knick immer, mit dem Mund trinken müssen. Knick bleibt dicht bei seiner Mutter und wirft Mir-Mir wütende Blicke zu. Einmal dreht er sich zu Mir-Mir um, spreizt die Ohren und stößt ein schwaches »Hau ab!« hervor, und Mir-Mir antwortet mit einen sonderbar zärtlich klingenden Maunzen, das ihm Angst einjagt. Er verkriecht sich unter Sie-Schützt und zerrt an ihren Brustwarzen, aber sie hat schon seit drei Tagen keine Milch mehr, also macht sie sich von ihm los und tut, was nötig ist, um ihn mit ihrem

Mageninhalt zu füttern. Es ist ein Anblick, den man sich lieber ersparen sollte. Ihre faltige Haut wird eng an ihre Rippen gesogen, sie reißt Knicks Rüssel hoch und schiebt ihren Mund so dicht sie kann an seinen heran, aber der größte Teil des Erbrochenen landet auf seinem Gesicht. Heute weigert er sich, es hinunterzuschlucken. Sie-Schützt steht schwer atmend in der entsetzlichen Hitze, ohne ihn auszuschimpfen. Sie bewirft ihn mit Erde. Dann bestäubt sie sich selber. Als die Erde auf ihre Haut fällt, steigen die Fliegen auf, landen aber sogleich wieder, ebenso dicht und schwer wie der Dreck.

Von dort, wo sie sich aufhalten, am etwas kühleren Südufer des Flusses, ist Mir-Mir gut zu sehen. Sie räkelt und streckt sich in der Hitze, die ihr viel weniger ausmacht als den Siejenigen. Am späten Nachmittag läuft sie in nördlicher Richtung weg, und bei ihrer Rückkehr schleppt sie ein noch lebendes Warzenschwein mit. Sie verspeist es träge und spielerisch, tut so, als würde sie es erneut fangen, springt es an, wirft die Keulen in die Luft und schlägt sie auf den Boden. Da sie bei alldem ihre rechte Pfote so gut wie nie benutzt, meint Sie-Schnaubt, die Pfote könnte verletzt sein.

Mir-Mir streckt ihnen die Pfote entgegen, so als habe sie es gehört, und Sie-Schützt brüllt: »Bestimmt will sie, daß Sie-Schützt sich um ihre Pfote kümmert.« Und Sie-Schnaubt brummt: »Da ist dieser andere Geruch schon wieder. Was ist das nur?« Sie schnaubt unzufrieden.

🐾

Der Sonnenuntergang ist an diesem Tag besonders strahlend und symmetrisch. Drei gleich breite und gleich helle Streifen – oben purpurn, dann rot, dann orange – erstrecken sich über den gesamten westlichen Horizont.

»Sie-Schützt fragt sich, welche es erwischt hat«, ruft Sie-Schützt. (Einen solchen Sonnenuntergang gibt es nur, wenn eine Matriarchin getötet worden ist.)

Sie-Mißt, denkt Matsch, wegen der Symmetrie, aber sie spricht es nicht aus. Sie will nicht, daß ihre Befürchtung bestätigt wird.

Sie sind bereits aufgebrochen. Normalerweise würde Matsch neben Sie-Schützt laufen, aber in diesem Gewirr aus Felsen ist es leichter, in einer Reihe zu marschieren, und so läuft sie hinter der großen Kuh. Links von ihnen schwebt der von der untergehenden Sonne beleuchtete kleine Kopf von Mir-Mir wie ein Mond zwischen den Felsen. Jedesmal wenn sie versucht, sich zu nähern, trompetet Sie-Schützt, und sie schlendert wieder dahin zurück, wo sie zuvor war.

Obwohl es unmöglich ist, einen geraden Kurs zu halten, schaffen sie doch ein einigermaßen zügiges Tempo, denn Sie-Schützt stupst Knick, der vor ihr geht, immer wieder von hinten an. Nur selten sind Gerüche zu wittern. Sie riechen den aschigen Geruch der Felsen, den süßlichen Geruch von Mir-Mir, den Gestank der Geier, die stechenden Düfte kleinerer Geschöpfe: Schakale, Bartvögel, Eidechsen. Jeder dieser Gerüche schwebt in dünnen Schwaden über den Unterdüften, die, genau wie Sie-Schnaubt vorhergesagt hat, nur sehr schwach hervortreten.

Der Mond erscheint gar nicht. Abgesehen vom Glimmen der Leuchtkäfer herrscht finstere Nacht. Matsch hält dennoch Ausschau nach dem weißen Knochen, denn es ist möglich, daß das legendäre Leuchten des Knochens der Dunkelheit widersteht, und wer kann schon wissen, ob einige der vielen Felsen nicht Teil eines großen Kreises sind. Sie achtet auch auf die Formen der Dinge, auf die sie tritt. Ein Stock ist kein Knochen. Sie gibt keinen Laut von sich. Die anderen ebenfalls nicht, Mir-Mir eingeschlossen. Die fünf sind ein zorniger Gedanke, der einen riesigen Verstand durchzieht – so stellt Matsch es sich vor. Oder sie stellt sich vor, daß sie allein ist, daß der Geruch der anderen bloß ein Überbleibsel von ihnen ist. Wegen ihrer heftigen Schmerzen hat sie das Gefühl, unübersehbar zu sein. Ihr lahmes Bein pocht. Aber es verkrampft sich nicht ... wenigsten das bleibt ihr erspart. Statt dessen verkrampft sich ihr Bauch, vor Hunger oder wegen des Neugeborenen, und sie streicht mit dem Rüssel über ihre Rippen und fragt sich dabei, ob das Neugeborene es spürt. Sie selber spürt den Herzschlag des Neugeborenen, der doppelt so schnell wie ihr eigener ist. Sie zählt die Schläge, ihre Schritte – sie kann bis zu drei Dinge gleichzeitig zählen. Nach mehreren zehntausend Schritten sagt Sie-Schnaubt: »Halt.«

Sie sind auf einige Tecleabüsche gestoßen, und da es schwachsinnig wäre, in dieser Wildnis an etwas Genießbarem vorbeizugehen, fangen sie an zu essen. Südlich von ihnen läuft Mir-Mir hechelnd hin und her.

»Klapp dein stinkendes Loch zu!« trompetet Sie-Schützt, und Mir-Mir tut es sogar, allerdings nur einen Moment lang. Zweimal prescht sie näher heran, bloß um von Sie-Schützt attackiert zu werden.

Beide Male riecht Sie-Schnaubt den flüchtigen Geruch, ohne ihn genau bestimmen zu können. Sie sagt zu Sie-Schützt: »Jag sie nächstes Mal nicht weg. Ich will sie besser wittern können.«

Ehe sie weiterziehen, gehen Sie-Schnaubt und Matsch, während Sie-Schützt Gazellenkot verspeist (noch eine Sorte ihrer sogenannten Dürrefrüchte), zu einer flachen Anhöhe und senden von dort eine Reihe von Infraschallrufen aus. Erst an Dattelbett, dann an Sturm, Langschatten und schließlich an Hagelkorn und Sumpf. Als keine Antwort kommt, sagt Matsch: »Ich hatte gehofft, daß wenigstens Hagelkorn oder Sumpf antworten würden.«

»Sie werden von anderen Erdern bedrängt«, sagt Sie-Schnaubt.

Mit anderen Worten: von Sie-Schreit. »Ich hatte eine Vision, in der Sie-Schreit tot war«, sagt Matsch.

Sie-Schnaubt atmet langsam aus.

»Sie war allein.« Matsch wird klar, daß es ungehörig von ihr war, den Namen der verbannten Kuh auszusprechen. »Sie befand sich am Fuße eines Bergs«, sagt sie rasch, in der Hoffnung, durch die Schilderung der Einzelheiten irgendwie Vergebung zu erlangen. Aus Angst benutzt sie den förmlichen Tonfall. »In der Nähe eines Schlammlochs. Der Ort war mir gänzlich unbekannt.«

Schweigen.

»Ihre Haut war heil.« Sie weint inzwischen. »Ohne Stichlöcher. Sie sah aus, als hätte sie dort schon seit mehreren Tagen gelegen.«

Schweigen.

»Ich glaube, es war eine Vision von der nahen Zukunft«, sagt sie schließlich noch mit einem lauten Schluchzer.

»Hatte sie noch ihre Stoßzähne?« fragt Sie-Schnaubt. Ihre Stimme ist völlig tonlos.

»Ja! Ja, sie hatte ihre Stoßzähne noch!«

Sie-Schnaubt dreht sich um und schlendert zurück zu den Büschen.

Sie sind seit etwa einer Stunde wieder unterwegs, als ein großes Rudel Tüpfelhyänen auftaucht und hinter ihnen her tänzelt. Matsch rückt bis an die Seite von Sie-Schützt vor und bemüht sich angestrengt, nicht in eine Erinnerung an die Hyäne zu versinken, die sie in der ersten Nacht ihres Lebens angegriffen hat. »Beachte sie gar nicht!« befiehlt Sie-Schnaubt Sie-Schützt, die mit ihrem lautstarken »Haut ab!« nur ein hektisches Kichern auslöst. Wirken wir so geschwächt, daß sie glauben, sie könnten an Knick herankommen? fragt sich Matsch. Oder vielleicht haben sie es auch auf Mir-Mir abgesehen. Matsch hat noch nie davon gehört, daß Hyänen einen ausgewachsenen Geparden bezwungen haben, aber in dieser feindseligen Landschaft scheint kein Verhalten zu grotesk. Bei jedem Kichern der Hyänen zischt Mir-Mir und verströmt dabei einen bitteren Geruch, so als würde sie Gewehrkugeln abfeuern. Gegen Morgen rennt sie in südlicher Richtung weg, und die Hyänen geben daraufhin die Verfolgung auf. Sie fallen zurück und sind bald außer Riechweite.

»Sie wird zurückkommen«, sagt Sie-Schnaubt.

Die Sonne geht auf. Nirgendwo in der Nähe ist Wasser, also marschieren die vier weiter, bis sie nach etlichen Stunden zu einer Salzlecke kommen. Dicht dahinter entdeckt Sie-Schnaubt eine Kuhle, in der sie bloß kräftig mit dem Fuß aufzustampfen braucht, schon schießt eine flache Fontäne empor. »Lobet die Sie!« trompetet sie. Sie verschlingen die Rüssel ineinander und entleeren ihre Därme, dann trinken sie und besprühen sich gegenseitig, und sie sind nicht nur deshalb so ausgelassen, weil die Quelle vielleicht von Dattelbett gegraben wurde (obwohl es hier keine Spuren von ihr gibt), sondern auch, weil sie kaum zu hoffen gewagt haben, auf dem Gerölle so leicht sauberes Wasser zu finden.

Sie essen die Zweige der verdorrten Büsche und das spärliche Gras in der Umgebung der Salzlecke, und als davon nichts mehr übrig ist, stochern sie im Boden nach Wurzeln. Als sie keine Wurzeln mehr finden, essen sie Salz und Erde, und dann legen sie sich in den Schatten von riesigen Termitenhügeln. Matsch schläft als einzige von ihnen nicht, denn sie macht sich Sorgen, weil sie ihre Vision weitererzählt hat … Aber woher hätte sie denn wissen sollen, daß nicht einmal das die Verbannung aufheben würde? Sie betet ihr Einwortgebet – »Bitte« – und gibt ihren Gedanken die Form eines Geistes, der Dattelbett ist.

(Sie ist zu der Ansicht gelangt, daß der Geist – sofern sie ihn sich richtig vorstellt und solange es ihr möglich ist, ihn sich richtig vorzustellen – nicht nur Dattelbett darstellt, sondern auch der Beweis ist, daß sie noch lebt.) Sie hält die Augen offen, schaut zu, wie sich die Schatten auf den Körpern der anderen zurückziehen, und versinkt in Erinnerungen an Schatten, die von der Haut gleiten, und an sonnenverbrannte Leichen. In regelmäßigen Abständen sagt sie: »Wir sollten uns nicht länger dem Auge der Sie aussetzen«, und alle stehen auf, trinken, besprühen sich mit Wasser und Staub, scheuern sich die Haut an den Felsen und legen sich dann wieder hin. Alle paar Stunden sendet Sie-Schnaubt Infraschallrufe aus, und Matsch läßt den Blick sorgfältig über den Horizont schweifen, besonders in nördlicher Richtung, wo der Wind herkommt und wo Staubtornados aufragen, die wie die Rauchsäulen von großen Feuern aussehen. Umrisse von Geschöpfen kommen in Sichtweite, bei denen es sich auf den ersten Blick um Mir-Mir handeln könnte, die sich dann aber als ein Strauß oder eine Oryxantilope entpuppen. Geschöpfe in der Größe von Siejenigen tauchen nicht auf, und nichts, auf jeden Fall kein Knochen, leuchtet grell weiß.

Am späten Nachmittag marschiert Sie-Schützt los, um Hyänenkot für ihren Augenpfropfen zu suchen, und Matsch sagt zu Sie-Schnaubt: »Ich bitte um Entschuldigung, Matriarchin.«

Sie-Schnaubt schaut sie an. »Es ist nicht so schlimm, daß du über eine verbannte Kuh gesprochen hast, Sie-Schmollt. Schlimmer ist, daß du von deiner Vision gesprochen hast. Eine Todesvision ist einzig und allein die Last der Visionärin. Erzähl mir nie wieder von einer solchen Vision.«

»Das verspreche ich«, erwidert Matsch im förmlichen Tonfall.

»Es sei denn«, sagt Sie-Schnaubt, »sie betrifft Dattelbett.«

Sie absolvieren einen weiteren Marsch durch finstere Nacht, aber diesmal verläuft er ruhig und ereignislos. Kurz nach Sonnenaufgang kommen sie zu einem ausgetrockneten Flußbett, in dem sie sechs Löcher bohren müssen, ehe sie auf eine Quelle mit schlammigem Wasser stoßen. Damit werden sie sich zufriedengeben müssen. Hohes Riedgras steht raschelnd in dichten Reihen am Ufer. So viel unberührte Nahrung zu finden ist eine glückliche Fügung, aber auch eine schlechte Neuigkeit – seit dem Beginn der Dürre war niemand mehr hier.

»Es gibt mehr als eine Methode, einen Baum zu schälen!« erklärt Sie-Schützt. Anders gesagt, Dattelbett könnte im Norden oder im Süden an diesem Ort vorbeigelaufen und dennoch Richtung Futtersumpf gelaufen sein.

Sie-Schnaubt stößt kurze Atemzüge aus und bläst dabei den Staub von dem Gras. »Ich bin so müde«, sagt sie schließlich, und ihr Geruch ändert sich schlagartig und verrät Hoffnungslosigkeit.

»Riech mal, all das schöne Essen!« röhrt Sie-Schützt, als wären sie gerade erst hier angekommen.

Plötzlich hebt Sie-Schnaubt den Rüssel und hält ihn nach hinten.

Matsch, Sie-Schützt und Knick tun dasselbe.

»Was?« brüllt Sie-Schützt.

Sie drehen sich alle um. Spitzen die Ohren.

»Ist das die stinkende Schnelläuferin?« brüllt Sie-Schützt.

Keine Antwort. Dann sieht Matsch im Osten eine riesige Staubwolke. Das kann nur eine Siejenige sein.

»Tja, wer mag das wohl sein«, murmelt Sie-Schnaubt und läßt den Rüssel sinken.

Ihr Tonfall – verächtlich, enttäuscht – verrät Matsch, wer es ist. Einen Augenblick später nimmt auch sie den Geruch war.

»Lobet die Sie!« trompetet Sie-Schützt. Schnaufend und weinend rast sie Sie-Schreit entgegen, und die beiden großen Kühe verschlingen die Rüssel ineinander und schlagen die Stoßzähne gegeneinander, und dann will Sie-Schreit sich auf Knick stürzen, aber der versteckt sich zitternd unter dem Bauch von Sie-Schützt. Matsch wird überhaupt nicht beachtet, obwohl sie Sie-Schreit mit erhobenem Rüssel zögernd willkommen heißt.

»Sie-Schützt wußte, daß du zurückkehren würdest!« grölt Sie-Schützt. »Matriarchin –« sie schaut über die Schulter und scheint erst jetzt mitzubekommen, daß die Matriarchin an der Begrüßung nicht teilnimmt. Sie geht ein paar Schritte von Sie-Schreit weg und schüttelt den Kopf, entweder aus Verwirrung oder aus Protest gegen das Verhalten der Matriarchin, vielleicht auch aus beiden Gründen.

Sie-Schreit ist inzwischen an ihnen allen vorbeigerannt und kniet am Wasserloch. Sie trinkt, bis die Quelle versiegt. »Ich suche eine neue!« kreischt sie und schnellt hoch. »Nein, nein!« kreischt sie, so als habe jemand widersprochen. »Ich suche danach. Ich kann neuerdings viel besser riechen. Mir ist eine ungeheure Schärfung meines Verstands zuteil geworden. Vermutlich hat niemand von euch gemerkt, daß mein Kopf größer geworden ist.«

Alle schauen sie an, sogar Sie-Schnaubt wirft ihr einen kurzen Blick zu. Ihr Kopf wirkt tatsächlich etwas größer als zuvor, aber das kann auch daran liegen, daß ihr Körper, genau wie bei den anderen, stark abgemagert ist. Auf ihre typische selbstverliebte Art klimpert sie mit den Augenlidern und wiegt sich in den Hüften, während sie sich mit Schlamm bespritzt, und anschließend kehrt sie zum Ufer zurück, reißt ein Büschel Gras aus, stopft es sich, ohne die Erde abzuschütteln, in den Mund und sagt: »Ihr werdet nicht glauben, was ich alles durchgemacht habe, seit ich … Ist erst ein Tag vergangen, seit ich euch verlassen habe? Ich habe in der Zwischenzeit so viel erlebt. Aber das interessiert euch vermutlich nicht.«

Sie erzählt es ihnen trotzdem.

Am späten Vormittag verlor sie die Spur der Bullen, die etwa fünfzehn Kilometer östlich des Zahnstammflusses nach Südwesten in ein Gebiet voller flacher Felsen abgebogen waren, das, wie sie vermutet, die Sie-Ds früher häufig durchquert haben und das Hagelkorn daher vertraut war. Sie vermutet außerdem, daß die Bullen zu diesem Zeitpunkt anfingen, ihren Kot zu essen und ihren Urin zu vergraben, um ihren Geruch zu beseitigen (»Bestimmt Hagelkorns Idee«). Sie beschloß, sich nach Westen zu wenden, aber sie entdeckte auch dort keinen Hinweis auf die beiden, also streifte sie eine Weile ziellos umher und gelangte dabei mehrmals in das Randgebiet des Gerölles. Ein Maschendrahtzaun zwang sie, wieder nach Norden abzubiegen, und sie wäre beinah in eine Ansammlung bewohnter Menschenbehausungen hineingelaufen. Sie rannte nach Nordwesten, und gerade als sie glaubte, in Sicherheit zu sein, stieß sie auf ein Schlachtfeld: neun Skelette ohne Stoßzähne, die Überreste der Letzten der Sie-A-und-As. Laut weinend beschreibt sie, wie sie ganz allein diese Familie aus besonders schlauen Kühen und Bullen, die berühmt waren für ihr Fähigkeit, Rätsel zu lösen und philosophische Fragen zu klären, betrauerte und wie sie alle fünf-undsiebzig Strophen von »Die Sie ist meine Matriarchin« und alle drei-hundert Strophen von »O ewige Vergessenheit!« sang und dadurch Geier anlockte, »ganze Schwärme, aber sie gaben keinen Laut von sich. Ich bin mir sicher, die Inbrunst, mit der ich Hymnen vortrage, hat sie tief gerührt.« (Matsch fragt sich, ob ihre Wahrnehmung inzwischen völlig gestört ist. Und dennoch weint Matsch laut, genauso wie Sie-Schützt, ungeachtet des Umstands, daß sie die tragische Neuigkeit gar nicht gehört haben dürften, da Sie-Schreit ja verbannt ist.)

Als Sie-Schreit aufhörte, die Sie-A-und-As zu betrauern, war es bereits dunkel, und sie war so erschöpft und aufgewühlt, daß sie eine ganze Serie von Anfällen erlitt. »Ich war keine zehn Herzschläge vom Tod entfernt«, verkündet sie. Sobald die Anfälle vorüber waren, machte sie sich erfolglos auf die Suche nach Wasser und kehrte dann zum Ort des Gemetzels zurück, wo sie im Stehen eindöste. Immer wieder schreckte sie auf und sandte Infraschallrufe an Sumpf aus, erhielt aber keine Antwort. Die ganze Nacht über blieb sie an derselben Stelle, und das Morgengrauen brachte ihr die Überzeugung, daß ihr Schädel sich, während sie dort stand, ausgedehnt hatte, um ihrem größer gewor-denen Verstand Platz zu bieten. Warum war das passiert? Weil ihr (dank des neuen Umfangs ihres Kopfes fiel ihr sofort die Antwort ein) die Sie als Belohnung für die tapfere, beharrliche Totenwache bei den Sie-A-und-As einen Teil der Schläue der verstorbenen Kühe jener Familie vermacht hatte. Ihr zweiter Gedanke war, daß die Bullen, wenn sie die beiden fand – und das würde ihr mit Hilfe ihres großen Kopfes zweifellos gelingen –, erneut fliehen würden. Und was würde dann aus ihr werden, einer einsamen Kuh, die trotz ihrer gesteigerten Geistes-kräfte körperlich hinfällig war. Sie mußte die Verfolgung aufgeben.

Sie suchte erneut nach Wasser und entdeckte rasch eine Quelle in einem Graben. Nachdem sie getrunken und sich geduscht hatte, mar-schierte sie los, nach Westen, ins Geröll hinein. Unterwegs hat sie ständig per Infraschall nach Sie-Schützt und Sie-Schnaubt gerufen. »Warum habt ihr nicht geantwortet?« will sie wissen.

Am Gesichtsausdruck von Sie-Schützt ist deutlich zu erkennen, daß es sie drängt, etliches zu sagen, unter anderem, daß sie die Rufe nicht gehört hat. Sie-Schnaubt, die hinter ihr steht, hat inzwischen aufgehört zu essen, und Matsch schwenkt den Rüssel in Richtung der Matriarchin (um klarzumachen, daß sie nicht auf die Frage von Sie-Schreit eingeht) und erwähnt Dattelbetts Theorie, derzufolge Infraschallbotschaften von hartem Boden nicht weitergeleitet werden.

Sie-Schnaubt hebt den Kopf, und sie scheint über das Gehörte nachzudenken, aber ehe sie das Wort ergreifen kann, sagt Sie-Schreit: »Also, da bin ich nun. Ich werde ein freudloses Dasein fristen, jetzt da Sumpf weg ist. Ihr könnt euch nicht vorstellen, was ich durchgemacht habe.« Sie wirbelt zu Sie-Schnaubt herum, die, wie Matsch jetzt bemerkt, mit gespreizten Ohren und ausgestrecktem Rüssel angestrengt wittert.

»Ist es Sumpf?« kreischt Sie-Schreit und hebt ebenfalls den Rüssel. Matsch erspäht einen Staubball am Horizont.

»Es riecht wie ein Schnelläufer!« kreischt Sie-Schreit.

Also ist es Mir-Mir. Matsch hat den Geruch der Gepardin immer noch nicht gewittert. Daß Sie-Schreit ihn gerochen hat, erstaunt sie, und sie schaut sich den Kopf von Sie-Schreit erneut an. Dieses Mal kommt er ihr eindeutig größer vor als früher.

»Mir-Mir!« trompetet Sie-Schützt, als auch sie den Geruch wahrnimmt. Sie zerrt Knick unter ihren Bauch. »Wieso kommt das Miststück zurück?«

»Mir-Mir?« schreit Sie-Schreit. Mittlerweile ist Mir-Mir zwischen den Felsen deutlich zu erkennen. Sie-Schreit ruft: »Hat sie euch verraten, wo der Sichere Ort ist?« Sie beantwortet sich die Frage selbst. »Das ist ja unmöglich, denn es ist ja keine Gedankenrednerin da. Nur keine Aufregung. Ganz ruhig bleiben.« Sie wirft der Medizinkuh einen strengen Blick zu. »Wenn wir diese Mir-Mir vertreiben, werden wir nichts von ihr erfahren.«

»Wie können wir uns mit ihr in Verbindung setzen?« sagt Matsch ratlos und erntet dafür ein warnendes Schnauben von der Matriarchin. Aber der große, schlaue Kopf von Sie-Schreit ist viel zu ungewöhnlich, um ihn nicht zu beachten. Matsch würde am liebsten sagen: »Das ist nicht die Kuh, die du verbannt hast, Matriarchin.«

»Oh, schaut mal!« kreischt Sie-Schreit. »Sie hat sich hingesetzt. Sie zeigt mit der Pfote auf etwas. Auf was zeigt sie?« Sie riecht nach hinten. »Sie steht auf! Jetzt kommt sie her!«

Sie-Schützt knurrt.

»Nein«, murmelt Sie-Schnaubt und lehnt sich an die Medizinkuh, um sie von einem Angriff abzuhalten.

Die Bewegungen der Gepardin sind nun vorsichtiger. Die Tupfen auf ihrem Fell folgen dem Rollen ihrer Schultern. Ihr Kopf bewegt sich langsam vor und zurück.

»Da ist er wieder«, murmelt Sie-Schnaubt. »Dieser andere Geruch.«

»Ich rieche es!« kreischt Sie-Schreit. »Was ist das?«

Mir-Mir setzt sich hin, streckt ihre rechte Pfote aus und fängt an zu maunzen.

»Klapp dein stinkendes Loch zu!« röhrt Sie-Schützt.

»Laß sie in Ruhe«, sagt Sie-Schnaubt.

Eine Weile sind alle still, auch Mir-Mir. Und dann erklärt Sie-Schreit voller Ungeduld: »Sie will, daß wir an der Pfote riechen. Das ist doch völlig klar. Der Geruch haftet an ihrer Pfote.«

»Soll sie doch am Hinterloch von Sie-Schützt riechen!« brüllt Sie-Schützt und scharrt dann verlegen mit den Füßen, weil sie auf die Worte von Sie-Schreit reagiert hat. Aber auch Sie-Schnaubt zeigt, indem sie aufgeregt mit dem Rüssel wedelt, eine Reaktion auf die verbannte Kuh. Und Matsch ebenfalls ... Matsch seufzt: »Natürlich.«

»Nimm Knick und bring ihn ein Stück weg«, sagt Sie-Schnaubt zu Sie-Schützt. Die Medizinkuh zögert. »Na los!« knurrt Sie-Schnaubt, und Sie-Schützt wickelt ihren Rüssel um Knicks Leib und zieht ihn fünf, sechs Meter nach hinten. Mir-Mir verfolgt die Aktion mit kurzen, ruckartigen Kopfbewegungen, verharrt ansonsten jedoch regungslos.

»Ihr haltet alle den Mund«, brummt Sie-Schnaubt. Mit »alle« meint sie Sie-Schreit, die bereits einen Schritt vorwärts gemacht hat. Mit angelegten Ohren und hängendem Rüssel marschiert Sie-Schnaubt auf die Gepardin zu. »Es ist alles in Ordnung, Mir-Mir«, ruft sie mit dem einschmeichelnden Brummen, das sie zuletzt Hagelkorn gegenüber benutzt hat. »Ich tu dir nichts. Bleib, wo du bist.« Mir-Mir schlägt mit dem Schwanz auf den Boden.

Als Sie-Schnaubt sich ihr bis auf einen halben Meter genähert hat, hält ihr Mir-Mir ihre Pfote hin. Die Matriarchin schnüffelt daran und zieht ihren Rüssel sofort wieder unter ihr Kinn. »Dattelbett«, sagt sie in bemüht sachlichem Ton. »Es ist der Geruch ihres Kots.«

»Laß mich riechen«, kreischt Sie-Schreit, und sie läuft an Sie-Schnaubt vorbei zu Mir-Mir, die sofort ihren gesamten Körper anspannt. »Deine Pfote, deine rechte Pfote!« Sie zeigt mit ihrem Rüssel darauf. Mir-Mir streckt die Pfote aus. Sie-Schreit beschnüffelt sie. »Stimmt, das ist Dattelbetts Geruch!« kreischt sie.

»Aber was hat das zu bedeuten?« fragt Matsch. Sie fühlt sich wie benommen.

»Sie ist in Dattelbetts Scheiße getreten!« trompetet Sie-Schützt, und die Gepardin schleicht mehrere Schritte zurück. »Am Zahnstammfluß!«

»Nein, den Geruch hatte sie schon vorher«, brummt Sie-Schnaubt.

»Woher wußte sie, daß es Dattelbetts Kot ist?« sagt Matsch verzweifelt. »Und warum will sie uns das wissen lassen? Woher weiß sie überhaupt, daß wir es wissen wollen?«

»Dattelbett hat den Geruch der Sie-Schs!« erklärt Sie-Schützt.

»Natürlich hat sie den«, sagt Sie-Schreit. »Dattelbett ist ja auch eine Sie-Sch.« (Im Gegensatz zu Matsch, ist mit der Betonung gemeint).

»In dem Moment, in dem Mir-Mir uns gerochen hat, wußte sie, daß Dattelbett ein Mitglied unserer Familie war und von uns getrennt wurde.«

»Aber woher hat sie gewußt, daß es überhaupt Zweck hat, Dattelbetts Geruch zu bewahren?« fragt Matsch. »Woher hat sie gewußt, daß sie irgendwann auf uns treffen würde?«

Sie-Schreit gibt keine Antwort. Sie schaut Sie-Schützt an, so als wolle sie sagen: »Verrat du es ihr doch«, aber die Medizinkuh röhrt nur: »Gute Frage!«

»Was für eine Frage meinst du?« erkundigt Sie-Schreit sich höflich.

Sie-Schützt kann sie nicht wiederholen, zumindest nicht in Gegenwart der Matriarchin. Schließlich beendet Knick die ausweglose Situation, indem er vorschlägt: »Vielleicht ist sie ja einfach schlau.«

»Sie hat es nicht gewußt!« kreischt Sie-Schreit. »Das ist unmöglich! Ein bißchen Kot von Dattelbett hat sich zwischen ihren Ballen verfangen, und kurz danach hat sie zufällig uns gewittert.«

»Sie will Knick essen«, erwähnt Matsch, für den Fall, daß Sie-Schreit sich dessen nicht bereits bewußt ist, und weil die Kränkungen der todgeweihten Kuh sie nicht verletzen können, und weil die Beachtung der verschiedenen Verbannungen und Abneigungen eine geistige Gewandtheit erfordern, über die sie momentan nicht verfügt.

Mir-Mir ist aufgestanden. Sie starrt Knick einen Moment lang an, dann schaut sie nach links. Sie wittern alle in diese Richtung. Aber dort ist nichts. Sie schleicht los, und ihre Muskeln zieht sie dabei so langsam vorwärts, daß eher der Eindruck von Regungslosigkeit als von Bewegung entsteht. Die anderen unternehmen nichts, als sie an Sie-Schreit vorbeigeht, auch nicht, als sie auf gleicher Höhe mit Sie-Schnaubt ist. Aber als sie an Sie-Schnaubt vorbei ist, wimmert Knick, und Sie-Schützt stürmt auf die Gepardin los. Mir-Mir wirbelt herum und rennt etwa vierzig Meter weg, dreht sich dann um und setzt sich hin, von der tiefstehenden Morgensonne in einen goldfarbenen Nebel gehüllt.

»Das war völlig unnötig!« kreischt Sie-Schreit, als die Medizinkuh zurückgeschlendert kommt. »Glaubst du wirklich, daß sie Knick anfallen würde, während wir alle sie beobachten?«

Sie-Schützt wirft Sie-Schnaubt verstörte Blicke zu, aber die Matriarchin betrachtet Mir-Mir und läßt sich nichts anmerken.

»Womöglich weiß Mir-Mir, wo der Sichere Ort ist«, ruft ihnen Sie-Schreit in überheblichem, predigendem Tonfall ins Gedächtnis (offenbar hält sie sich nun, da sie einen großen Predigerinnenkopf hat, für eine Predigerin). »Verzweifelten Geschöpfen wie uns reicht das *womöglich* aus. Zweifellos hat sie mit genügend Gedankenrednerinnen geplaudert, um zu wissen, daß wir alle unbedingt dorthin wollen. Also, da ist sie, die berühmte Schnelläuferin, die uns den Weg zeigen kann. Die natürlich ihren Preis hat. Das ist alles, was sie uns jetzt sagen wollte: Sie hat ihren Preis. Ein Brummen hätte ausgereicht, um sie am Näherkommen zu hindern.«

Die Medizinkuh grunzt.

»Aber wir unterscheiden uns von anderen Familien«, fährt Sie-Schreit fort. »Wir sind von einem Kuhkalb getrennt worden, und dieses Kalb wiederzufinden ist für uns wichtiger als den Sicheren Ort zu finden.« Ihre Stimme verwandelt sich in ein sarkastisches Krächzen. »Es ist allgemein bekannt, wie sehr wir an unseren Kuhkälbern hängen!«

Eine Gruppe Geier watschelt mit ausgebreiteten Flügeln auf weiter entfernte Felsen zu, und Sie-Schreit macht eine Pause, um sich zu beruhigen – was früher, als ihr Kopf noch kleiner war, ewig gedauert hätte, jetzt aber binnen weniger Augenblicke gelingt.

»Mir-Mir«, sagt sie, als sie wieder zu sprechen beginnt, »ist in den Kot unseres kostbaren Kuhkalbs getreten. Sie kann uns zu dem Kot führen. Oder zumindest zu der Stelle, wo der Kot war. Dafür verlangt sie von uns, daß wir sie dulden. Wir gestatten ihr, sich in unserer Nähe aufzuhalten. Und dann erlahmt irgendwann unsere Wachsamkeit für einen Moment, und sie kann Knick töten.«

»Was?« röhrt Sie-Schützt.

»Mich töten?« wimmert Knick.

»Natürlich könnte sie einfach warten, bis er vor Hunger zusammenbricht«, sagt Sie-Schreit. »Das ist die andere Möglichkeit. Sie hat so oder so den Vorteil, gut bei Kräften zu sein. Wir hingegen sind nur noch Schatten unserer selbst.«

»Knick töten?« brüllt Sie-Schützt, der offenbar endgültig entfallen ist, daß sie auf Sie-Schreits Worte nicht reagieren darf.

Sie-Schreit seufzt. »Ich will nicht vorschlagen, daß wir das zulassen. Wir sollten uns gut mit ihr stellen, so wie es uns Sie-Mißt geraten hat. Wir stellen uns mit ihr nicht nur so lange gut, bis wir Dattelbett gefunden haben, sondern so lange, bis wir den Weg zum Sicheren Ort kennen.«

Ein protestierendes Brummen ertönt. Es kommt von Sie-Schnaubt, deren Rüssel und Blick immer noch auf Mir-Mir gerichtet sind. »Wir dürfen bei ihr nicht den Eindruck erwecken, daß wir ihr Knick überlassen werden«, sagt sie leise. »Das wäre zu gefährlich.«

»Wie können wir sie sonst dazu bringen, uns zu helfen?« kreischt Sie-Schreit.

»Wenn ich mein Neugeborenes geworfen habe« – ihr Blick wandert zu Sie-Schützt, so als habe sie die Frage gestellt –, »werde ich es ihr überlassen.«

»Nein!« röhrt die Medizinkuh.

»Das ist wirklich eine gute Idee«, sagt Sie-Schreit. Offenbar überrascht sie weder der entsetzliche Vorschlag noch der Umstand, daß die Matriarchin, wenn auch über Umwege, mit ihr zu reden scheint. »Bleibt noch die Frage, wie wir ihr das erklären.«

»Wir erwecken bei ihr den Eindruck, als würden wir ihr das Neugeborene geben!« brüllt Sie-Schützt. »Wir erwecken bloß den Eindruck. Stimmt's, Sie-Schmollt?« Sie stupst Matsch an, und Matsch nickt unsicher. Die Miene der Medizinkuh hellt sich auf. »Wir werfen der Schnelläuferin eine leere Hülse hin!«* brüllt sie. »Stimmt's?«

Sie-Schreit rupft ein Büschel Gras aus. »Diese viele Kopfarbeit ist furchtbar anstrengend«, sagt sie. »Wenn ich das Denken allein erledigen muß, dann brauche ich mindestens doppelt soviel zu Essen wie sonst.«

⁊⊱

Nachdem sie etwa eine Stunde lang gegrast hat, sagt Sie-Schreit: »Höchste Zeit, die Sache zu klären«, und stapft auf Mir-Mir zu. Die Gepardin läuft vor ihr weg. »Bleib, wo du bist!« befiehlt Sie-Schreit ihr. Mir-Mir hält an und schaut über die Schulter. »Stehenbleiben! Stehenbleiben!« brüllt Sie-Schreit. Mir-Mir setzt sich hin. Als Sie-Schreit dicht genug herangekommen ist, hält Mir-Mir ihr die Pfote hin. Direkt über den beiden, vor einem Hintergrund aus rötlichem Sonnenlicht, kreisen Geier in Erwartung eines Blutbads.

»Nein, laß das!« Sie-Schreit schiebt die Pfote weg. »Paß jetzt auf!« Und sie beginnt mit einer Abfolge von Gesten und Geräuschen, die so eindeutig und so einfallsreich sind, daß Knick plärrt: »Wer ist das?« Ja, wer? Sie berührt ihren Bauch, stöhnt, zeigt auf Sie-Schnaubt, hockt sich hin, grunzt, quiekt wie ein Kalb, klopft gegen die rechte Pfote der Gepardin, zeigt in alle vier Himmelsrichtungen, stampft mit dem Fuß auf, zeigt erneut auf Sie-Schnaubt und fängt dann wieder von vorn an. Niemand zweifelt mehr, ob sie tatsächlich, wie sie behauptet, die Begabung der Sie-A-und-As geerbt hat, denn mit solchen Darbietungen haben es einige Mitglieder jener Familie geschafft, sich auch ohne telepathische Fähigkeiten zumindest ansatzweise mit anderen Lebewesen zu verständigen. Mir-Mir jedenfalls scheint die virtuos vorgeführten Gesten sofort zu verstehen. Als Sie-Schreit zum Schluß kommt, steht die Gepardin auf, schüttelt ihre Pfote dreimal, stößt einen abgehackten sirrenden Laut aus und trottet weg.

»Halt!« kreischt Sie-Schreit.

Mir-Mir hält an.

---

* Ein Ausdruck der in etwa »jemandem Sand in die Augen streuen« entspricht; etwas vortäuschen.

Sie-Schreit dreht sich um. »Sie ist mit der Abmachung einverstanden!« ruft sie. »Der Ort, an den sie uns führen wird, ist eine Pfanne, drei Tagesmärsche von hier entfernt. Was soll ich ihr sagen? Wann werden wir aufbrechen?«

Aber selbst jetzt antwortet die Matriarchin nicht. Ihre Sturheit und ihr Zorn müssen stärker sein, als Matsch sich vorstellen kann.

»Nun?« erkundigt sich Sie-Schreit.

Die Matriarchin schaut nach Westen.

»Bei Sonnenuntergang«, ruft Sie-Schreit, und es klingt so endgültig, als habe Sie-Schnaubt selber die Worte gebrummt. »Mir paßt das gut. In der Steppe ist es glühend heiß!«

Mir-Mir läuft nach Nord-Nordost. Sofern man sich auf sie verlassen kann (aber sie wird ja wohl zumindest noch wissen, wo sie in Dattelbetts Kot getreten ist), hat sie ihnen einen sinnlosen Marsch quer über das Geröll erspart. Das allein ist Grund genug, ihre Gegenwart zu ertragen – sogar für Sie-Schützt, die es jedesmal, wenn sie anhalten, weil Knick eine Pause machen muß, zuläßt, daß sie zurückgetrottet kommt, so als wolle sie den Grund für die Verzögerung ermitteln. Aber Mir-Mirs Gier nach dem Fleisch des Kalbs ist genauso deutlich spürbar wie ihr Gestank, darüber täuscht sie die drei Kühe nicht hinweg. Matschs Neugeborenes ebensowenig. Wenn Mir-Mir sich Matsch nähert, fängt ihr Bauch an zu beben, und sie hat die Vorstellung, es sei ihr Neugeborenes und nicht das der Matriarchin, das der Gepardin bei der Abmachung versprochen wurde, und dieser Gedanke versetzt sie in Panik, denn schließlich hat sie gebetet: Mach, daß meins statt ihrem stirbt.

Während sie unterwegs sind, läuft Mir-Mir etwa zwanzig Meter vor ihnen her. Ab und zu ist sie zwischen den Felsen zu sehen, aber meistens leitet sie ihr Gestank, und es ist eine sonderbare und qualvolle Erfahrung, einem Geruch zu folgen, vor dem man normalerweise zurückschrecken würde. Matsch geht hinter Sie-Schützt und Knick her, die wiederum hinter Sie-Schnaubt hergehen. Sie-Schreit läuft, genauso wie früher, in zwanzig Metern Entfernung links neben der Matriarchin. Aber damals schlurfte sie jammernd vorwärts, jetzt hingegen ist sie still und hält den Rüssel aufgerichtet. Sie schaut sich regelmäßig um ... auf der Suche nach etwas Weißem, vermutet Matsch, und fragt sich, ob sie weiterhin behaupten wird, die Nashornrippe, die sie gefunden hat, sei der weiße Knochen gewesen. Sie fragt sich voller Neid, um wieviel schärfer das Augenlicht von Sie-Schreit geworden ist. Kann sie den beeindruckenden Anblick über ihnen genauso deutlich wie Matsch sehen? Am Himmel funkeln Tausende von Sternen, die davon künden, daß diese Nacht eine Erinnerungsnacht ist.

Am Boden herrscht, vielleicht als eine Antwort darauf, eine ehrfürchtige Stille. Matsch hat das Gefühl, als würden sie und Knick und die Kühe unschuldig durch die Dunkelheit laufen, als seien sie die ersten Geschöpfe überhaupt und würden mit ihren Seufzern, ihrem Magengrummeln und ihrem leisen Gebrumm ein Repertoire von Nachtgeräuschen festlegen, das bisher noch nicht erschaffene Geschöpfe eines Tages von sich geben werden. Sie kommen an nichts Eßbarem vorbei, und abgesehen von den kurzen Unterbrechungen Knick zuliebe marschieren sie ununterbrochen, bis Sie-Schreit kurz vor Sonnenaufgang sagt, sie brauche eine Stärkung. Sie befiehlt Mir-Mir zu sich und bietet erneut eine Reihe grotesker Gesten und Grunzlaute dar, und als sie fertig ist, schlägt Mir-Mir mit dem Schwanz auf den Boden und zeigt in mehrere Richtungen, und Sie-Schreit dreht sich zu den anderen um und berichtet, daß es nördlich von hier Essen gibt, einen Akazienhain, und auch Wasser in einem Graben.

Die Übersetzung kommt Matsch, genau wie die erste, viel zu detailliert vor. Sie bittet die Medizinkuh, sich bei Sie-Schreit zu erkundigen, ob sie die Gedanken der Gepardin hören könne. Etwas später, während einer Verschnaufpause, als die Matriarchin weggegangen ist, um sich an einem Termitenhügel die Haut zu scheuern, stellt Sie-Schützt Sie-Schreit die Frage. Und wird angeherrscht: »Du Schwachkopf! Glaubst du nicht, ich würde euch das sofort erzählen? Glaubst du, ich würde diese Qualen auf mich nehmen, nur um die Spur eines Kalbs zu suchen, das gar nicht mehr lebt?«

Es ist kein Akazienhain, sondern vier verkümmerte Bäume auf einer freien Fläche, die entstanden ist, als jemand, mit Sicherheit ein Mensch, ein gutes Dutzend Felsen aufeinandergetürmt hat. Aber immerhin handelt es sich tatsächlich um Akazien, und ihre Rinde ist noch nicht vollständig abgerissen. Außerdem wächst am Fuß der Bäume eine Sorte Gras, die keine von ihnen kennt und die von Sie-Schützt probiert und für ungefährlich und wohlschmeckend befunden wird.

»Als ob du wüßtest, was wohlschmeckend ist«, sagt Sie-Schreit, und stopft sich ein Büschel in den Mund. »Nicht ungenießbar«, billigt sie zu, nachdem sie das Gras hinuntergeschluckt hat. Sie schnappt sich ein zweites Büschel und kaut gerade, als sie sieht, wie die Matriarchin am Boden des Grabens entlangschnüffelt, der quer durch die freie Fläche verläuft. Sie kreischt: »Ich suche nach Wasser!«, rennt in den Graben und fängt an zu buddeln. Sie muß fünf Löcher bohren, ehe sie eine Quelle entdeckt. »Die Matriarchin zuerst!« ruft sie freudestrahlend, als sich die Höhlung mit Wasser gefüllt hat.

Sie-Schnaubt schwankt ein wenig, und ihre knochigen Hüften knarren wie Bäume. Sie trottet zu einer flachen Anhöhe, um ihre Infraschallrufe an Dattelbett auszusenden ... jedenfalls nimmt Matsch das an. Aber genau wie Matsch selber scheint die Matriarchin diese Pflichtübung aufgegeben zu haben. Was hat es auch für einen Sinn, wenn schon die Rufe von Sie-Schreit – obwohl sie nicht besonders weit entfernt war – nicht angekommen sind? Sie-Schnaubt steht einfach mit gesenktem Kopf und Rüssel da, bis alle getrunken haben, und dann kommt sie zurück und trinkt ebenfalls. Wenigstens nimmt sie das Wasserloch zur Kenntnis, wovon nicht unbedingt auszugehen war, da es von einer Kuh aufgespürt wurde, die es gar nicht geben dürfte.

Am späten Vormittag ist kein Essen mehr da. Gras, Wurzeln, Rinde, Äste – alles ist vertilgt. Sie ziehen sich, immer noch hungrig, in den Schatten auf der Westseite der aufgetürmten Felsen zurück. Mir-Mir räkelt sich auf dem Boden, so als fühle sie sich in der furchtbaren Hitze, umgeben von Fliegen und schwarzem Flugsand, in ihrem Element. Sie braucht gar kein Wasser, denkt Matsch erstaunt, aber sobald alle sich hingelegt haben, schleicht die Gepardin zu dem Loch und trinkt ausgiebig. Dann setzt sie sich hin und leckt ihre linke Pfote, so als wolle sie dort bleiben.

»Zu dicht dran!« trompetet Sie-Schützt.

Mir-Mir maunzt flehentlich.

Sie-Schreit steht auf. Sie dreht sich um die eigene Achse, zeigt mit dem Rüssel und wackelt mit den Ohren, und Mir-Mir beobachtet das alles mit schräggestelltem Kopf und hockt sich dann auf einen Felsen, um nach Beute Ausschau zu halten. Im Verlauf des Nachmittags fängt sie eine Eidechse und zwei Perlhühner. Der Geruch, der aus den aufgerissenen Gedärmen quillt, verrät die Todesart. Allerdings kann Matsch die Leichen sogar sehen. Sie-Schreit auch. In munterem Tonfall berichtet sie von den Geschehnissen – »Sie hat den Kopf abgebissen, jetzt wirft sie den Körper in die Höhe. Da! Das ist der Körper!«

Kurz vor Einbruch der Nacht, als sie gerade aufbrechen wollen, stürmt ein wildgewordenes Warzenschwein auf sie zu. Es läuft direkt an Mir-Mir vorbei, so dicht, daß sie es berühren könnte. Sie beobachtet es von der Seite mit einem Ausdruck vager Neugier. Hysterisch quiekend rennt das Warzenschwein ohne anzuhalten zwischen Sie-Schreit und Sie-Schnaubt hindurch. Obwohl es ganz offensichtlich wahnsinnig ist, erwähnt das niemand. Und es erwähnt auch niemand die andere Sache, die ebenso offensichtlich ist. Sie kennen alle das Sprichwort: »Nichts bringt mehr Unglück als ein dreibeiniger Sie-Er, ein einäugiger Irrer oder ein verrückter Grunzer.«

Sie sind knapp eine Stunde unterwegs, da geht Das Gerölle in eine Gegend mit bewohntem Buschwerk über, aus dem nächtliche Geräusche dringen – Pfeifen, Meckern, Bellen. In der Luft liegt der Geruch nach Gemetzel und verwesenden Kadavern. Mir-Mir versucht das Tempo zu erhöhen, aber da Knick sich kaum auf den Beinen halten kann, ist das völlig undenkbar. Also läuft sie zurück und geht fortan nur wenige Meter vor Sie-Schnaubt und Sie-Schreit her, und Sie-Schnaubt gestattet es. Auf die kurze Entfernung ist ihr Geruch eine Riesenqual für Matschs Neugeborenes, und es beginnt gegen die Bauchdecke zu treten, so als wolle es unbedingt nach draußen.

Ihr Ziel heute Nacht sind ein paar Affenbrotbäume. Mir-Mir hat Sie-Schreit mitgeteilt, daß die Bäume vor fünfzehn Tagen noch standen und es in der Nähe einen Teich voller Wasser gab. Wegen des verrückten Warzenschweins glaubt Matsch, daß sie nichts dergleichen finden werden, und ist daher überrascht, als sie sieht, wie sich gegen das Licht der aufgehenden Sonne die Umrisse der ersehnten Bäume abzeichnen. Der Teich allerdings ist vollkommen ausgetrocknet, und Sie-Schützt versichert allen, dies sei gleichzeitig der Beginn und das Ende der Warzenschwein-Pechsträhne.

Einer der beiden Bäume ist ganz ausgehöhlt, der andere nur zum Teil. Sie verschieben das Schnüffeln nach Wasser auf später und schaben statt dessen mit den Stoßzähnen das Mark aus dem Stamm heraus. Zuerst sind die Matriarchin und Sie-Schreit an der Reihe. Matsch und Sie-Schützt schnappen sich die herunterfallenden Stücke und nutzen jedesmal, wenn die beiden größeren Kühe eine Pause einlegen, um zu kauen, rasch die Gelegenheit, sich selber zu bedienen. Es ist immer noch ein bißchen Mark übrig, da beginnt Sie-Schnaubt auf dem Boden des Teichs nach Wasser zu wittern. Nach einer Viertelstunde verkündet sie, daß es dort kein Wasser gibt. Daraufhin versucht Sie-Schreit, welches zu finden, bleibt aber ebenfalls erfolglos. Sie berät sich mit Mir-Mir und erklärt anschließend, daß sie wahrscheinlich erst am nächsten Morgen werden trinken können, da sie dann sie ein kleinen See mit Frischwasser erreicht haben müßten. »Ich glaube kaum, daß ich das überlebe«, jammert sie.

Wird Knick es überleben? Ohne Wasser im Bauch ist Sie-Schützt nicht in der Lage, den ekligen Brei zu erbrechen. Milch hat sie keine mehr, aber Knick nuckelt immer noch an ihren schrumpligen Brüsten. Sie füttert ihn mit weichgekautem Baummark. Er spuckt es wieder aus. Er verträgt nur Flüssiges. Sie tröpfelt ihm Speichel in den Mund, und als ihr Mund trocken ist, steuert Matsch so viel Speichel bei, wie sie hat, und sie sieht, daß sich vor seinem Mund Schaum bildet. Um wieder Milch geben zu können, braucht Sie-Schützt Papyrus oder Bogenhanf. Den ganzen Nachmittag über brüllt sie unverständliche Worte auf die Steppe hinaus, so als könne sie dadurch die Flüsse und Sümpfe zurückholen, und Mir-Mir, die auf einem Krokodilkadaver sitzt, scheint zu begreifen, daß diese Wutausbrüche nicht ihr gelten, denn sie bleibt, wo sie ist.

In dieser Nacht marschieren sie einen der Schotterwege entlang, die die Fahrzeuge so gern benutzen. Sie tun das, weil es sich auf diesen Wegen, die eben und frei von Steinen sind, leichter gehen läßt, aber als Sie-Schreit in der Ferne ein Röhren hört, biegen sie nach Westen ab und laufen anderthalb Kilometer geradeaus, ehe sie wieder Kurs nach Nordosten nehmen. Sie treffen auf eine kleine Herde Büffel, die so träge sind, daß sie bloß ein paar Schritte zur Seite schlurfen. Als Matsch an einem alten Bullen vorbeikommt, streift die Spitze seines Horns sie von der Schulter bis zum Bauch. Sie fühlt sich jedoch nicht bedrängt, sondern zur Kenntnis genommen: Sie hat eine bestimmte Form und eine gewisse Körpergröße, und sie bewegt sich. Sie lebt.

Sie schlafwandelt und träumt. Es sei denn, es sind keine Träume, sondern Visionen, die durch ihre Erschöpfung zu Träumen aufgelockert werden. Sie handeln alle von Tragödien. Überall sieht sie Kadaver, Skelette. Gewehrschüsse ertönen, und die Kühe, die getroffen sind, fallen auf die typische abrupte Weise um, die beinah komisch wirkt. Sie versinkt in eine Erinnerung an das Gemetzel am Blutsumpf. Ihr lautes Trompeten bringt die anderen dazu anzuhalten. Sie-Schützt überredet sie, kalte Grasasche zu essen, was auch sofort hilft und sie für mehrere Stunden in der trostlosen Gegenwart festhält.

Heute Nacht machen sie genausoviel Lärm wie die anderen Geschöpfe. Knick wimmert, und Sie-Schreit ist wieder zu ihrem altbekannten Wehklagen zurückgekehrt. Sie behauptet, unter ihren Anfällen zu leiden, aber sie geht mit festen Schritten vorwärts, und ihr Kopf und ihr Rüssel sind hochgereckt. Zweimal rennt sie weg, um kreisförmige Felsformationen zu inspizieren, die Matsch kaum erkennen kann, und Kilometer, bevor sogar die Matriarchin etwas riecht, verkündet sie, daß Löwen und Hyänen in der Nähe sind. Die Löwen wittert sie fast gleichzeitig mit Mir-Mir, die vor keinem anderen Fleischfresser größere Angst hat. »Wir beschützen dich!« kreischt Sie-Schreit, so als sei Mir-Mir ihre Gefährtin und nicht eine Feindin, die in mörderischer Absicht ihre Notlage ausnutzt. Sie warnt die anderen, daß Mir-Mir sie wegen des langsamen Tempos vielleicht verlassen wird, aber als Sie-Schützt vor lauter Erschöpfung zu stolpern beginnt, bietet nicht Sie-Schreit, sondern Matsch ihr an, sich um Knick zu kümmern. Sie muß den Rüssel um eins seiner Hinterbeine wickeln und ihn halb schieben, halb tragen. Es ist das Anstrengendste, was sie je getan hat. Sie weiß nicht, wie Sie-Schützt, mag sie auch noch so zäh sein, das so lange durchgehalten hat. Das ist wahre Liebe, denkt sie, in der vernünftigen Variante von Sie-Schützt: Sie beschützt ihr Kalb mit aller Kraft, so lange es nötig ist, und läßt es in dem Moment im Stich, in dem sie ihm keine Hilfe mehr ist. Während der langen Stunden, in denen Matsch und Knick ein Gespann bilden, beginnt sie zu glauben, daß die Entscheidung zwischen entschlossenem Beschützen und Imstichlassen die wichtigste Entscheidung überhaupt ist. Du schleppst das Kalb mit, oder du läßt es im Stich. Du bleibst bei dem Neugeborenen deiner toten Schwester oder du säugst es ein letztes Mal und läufst dann weg.

Ihr fällt auf, wie wahnsinnig es eigentlich ist, daß vier Kühe und ein Kalb bei der nahezu aussichtslosen Suche nach einem einzigen Kalb ihr Leben riskieren. Es ist zwar nur ein flüchtiger Gedanke, aber er geht ihr durch den Kopf.

Kurz vor Morgengrauen nimmt Sie-Schützt ihr Knick ab. Inzwischen ist Matschs Rüssel völlig taub, und er bleibt für eine Weile gekrümmt und schwebt dann von selber in die Höhe, als sei er schwerelos. Ihr lahmes Bein spürt sie ebenfalls nicht mehr, sie schleift es nur noch mit. »Wir haben es fast geschafft«, sagt sie zu sich selbst. Aber das stimmt nicht. Sie marschieren weiter, auch nachdem sie den kleinen See erreicht haben, aus dem sie trinken wollten. Nicht, daß Mir-Mir sie angelogen hätte. Vor wenigen Tagen war dort noch Wasser, denn ein Hauch davon liegt noch in der Luft, und sie erkennen es auch an den verdorrten jungen Grashalmen am Seeufer. Und dennoch bleiben alle Löcher, die sie graben, trocken.

Die Sonne steigt am Himmel empor. Kuhreiher tauchen auf und lassen sich auf den wunden Rücken der vier nieder. Jede Bewegung ihrer kleinen Füße fühlt sich an, als würde mit einem Dorn in die Haut gestochen. Der Wind frischt auf und bläst, wie um sie zu ärgern, Staubspiralen gegen ihre Beine. In vielen der breiten Erdspalten, die sich durch die Hitze aufgetan haben, liegen haufenweise Knochen, und Sie-Schnaubt hält an, wühlt in einer der Spalten herum und holt einen winzigen Affenschädel hervor, dessen Geruch, ähnlich wie der von Dattelbett, schwach und angenehm und unbestimmt ist. Sie-Schnaubt streichelt den Schädel. Sie stülpt ihn über einen ihrer Stoßzähne und betrachtet ihn aus der neuen Perspektive. Dann knallt sie ihn gegen einen Felsen.

Die Sonne steht fast direkt über ihnen, als sie die Stelle erreichen, wo Mir-Mir in Dattelbetts Kot getreten ist – eine kleine Pfanne, umgeben von ausgebleichten Holzstämmen. Mitten in der Pfanne liegen fünf Grantgazellen. Sie erheben sich schnaubend. Normalerweise würde ihnen eine Gepardin keine Angst einjagen, aber sie sind nur noch Haut und Knochen, und als Mir-Mir sich duckt, so als wolle sie gleich angreifen, drehen sie sich um und springen weg. Dort, wo sie waren, ist jetzt die von Fliegen umschwärmte Leiche eines neugeborenen Fohlens zu sehen.

»Ich rieche Wasser!« kreischt Sie-Schreit. Sie läuft an der Leiche vorbei, die Mir-Mir gepackt hat und in Richtung der Baumstämme zerrt.

Sie-Schnaubt schaut knurrend zur Gepardin und dem Fohlen hinüber, bleibt aber nicht stehen. Sie schnüffelt angestrengt. Sie durchquert die Pfanne und läuft auf die Steppe hinaus, und Matsch, Sie-Schützt und Knick folgen ihr. Bei einem alten Fußabdruck eines Vogel Strauß bleibt sie stehen und hebt etwas in die Höhe.

Ein harter, dunkler Brocken Kot.

»Wie alt?« sagt Matsch.

»Fünfunddreißig Tage«, murmelt Sie-Schnaubt. »Vielleicht älter.«

Benommen vor Staunen beschnuppern sie den Brocken. Er ist so kostbar und so nutzlos. Sie-Schreit, die bereits Wasser gefunden hat, kommt zu ihnen und schiebt ihren Rüssel zwischen die anderen.

»Genau siebenunddreißig Tage«, lautet ihr atemloses Urteil.

Sie-Schnaubt hebt den Brocken dicht vor ihr Auge. Steckt ihn in den Mund. Sie weigert sich zu trinken und sucht statt dessen witternd die Umgebung nach einem Hinweis ab, wohin Dattelbett von hier aus gegangen sein könnte.

»Ich mache das nachher!« brüllt Sie-Schreit. »Ich kann das!«

Aber statt der Matriarchin dreht sich nur Mir-Mir zu ihr um.

»Dich meine ich nicht!« brüllt Sie-Schreit, und es klingt beinah freundschaftlich.

Mir-Mir wirft den Kopf herum und starrt Knick an.

»Was glotzt du so?« röhrt Sie-Schützt.

Mir-Mir fährt fort, das Fohlen zu zerfetzen. Die Gazellen schauen von der Steppe aus zu.

»Siebenunddreißig Tage!« kreischt Sie-Schreit, als alle von ihnen, außer Sie-Schnaubt, zur Mitte der Pfanne trotten. »Kann mir mal jemand erklären, was es Dattelbett nützt, wenn wir bei der Suche nach ihr umkommen?« Sie wirft einen Blick auf die Matriarchin und senkt die Stimme. »Wahrscheinlich würden wir sie sowieso nicht finden. Wir suchen jetzt schon zweiundvierzig Tage lang nach ihr. Ist euch das bewußt? Seit zweiundvierzig Tagen irren wir herum wie allein gelassene Neugeborene.«

Sie trinkt eine Weile aus dem von ihr gegrabenen Loch und sagt dann: »Ich verstehe nicht, wieso du dir das antust, Sie-Schützt. Mitansehen zu müssen, wie Knick leidet.«

»Dattelbett ist ganz allein«, murmelt die Medizinkuh. Sowohl sie als auch Matsch haben eigene Löcher gebuddelt und warten jetzt darauf, daß sie sich mit Wasser füllen.

»Oh!« Sie-Schreit bricht in ein hohes, irres Gelächter aus. »Und wir etwa nicht?« Sie trinkt erneut und duscht sich dann. »Als mein Schädel wuchs«, sagt sie, während sie sich Wasser zwischen die Beine spritzt, »ist die Haut oben auf meinem Kopf eingerissen.« Sie neigt den Kopf, um es der Medizinkuh zu zeigen. »Siehst du's?« Ich brauche einen deiner Umschläge aus Wasserschönen, aber wie groß ist die Chance, in dieser Gegend welche zu finden? Meiner Ansicht nach ist die klügste Lösung« – sie schlägt wieder ihren Predigerinnentonfall an – »die einzige Lösung die, unsere Suche sofort abzubrechen und Mir-Mir aufzufordern, uns zum Sicheren Ort zu führen. Und das wird unsere Matriarchin sicher auch bald einsehen, falls sie nicht vorher stirbt.«

»Was ist, wenn Mir-Mir gar nicht weiß, wo der Sichere Ort ist?« fragt Matsch.

»Sobald wir am Sicheren Ort sind«, fährt Sie-Schreit fort, so als habe Matsch gar nichts gesagt, »können wir neue Kraft schöpfen und uns dann, wenn es sein muß, wieder auf die Suche machen. Aber es ist durchaus möglich, daß Dattelbett schon am Sicheren Ort ist.«

»Was ist, wenn Mir-Mir gar nicht weiß, wo der Sichere Ort ist?« brummt Sie-Schützt, ohne sich durch ihren Tonfall anmerken zu lassen, daß diese Frage bereits gestellt worden ist.

»Sie weiß es«, antwortet Sie-Schreit mit abwesend klingender Stimme, und ein sonderbarer, beißender Geruch entströmt ihrer Haut.

Sie-Schnaubt entdeckt nur eine einzige Geruchsspur. Entweder kommt sie von Nordosten, oder sie führt in dieser Richtung von der Pfanne weg.

»Sie muß doch mehr als nur eine Spur hinterlassen haben«, sagt Sie-Schreit, aber nach einer raschen Suche beschwert sie sich, daß sie noch nie ein Kalb mit einem so schwachen Geruch gekannt hat. »Was hat sie hier überhaupt gewollt? Es gibt hier nichts zu essen und kein bißchen Schatten.« Sie dreht sich zur Matriarchin um. »Was werden wir tun? Ich hoffe, du planst nicht, weiter nach Nordosten zu marschieren?« Sturm zitierend sagt sie: »Da ist nichts als endlose öde Steppe, und dahinter liegt eine Wüste.« Sie betastet die Warzen auf ihrem Gesicht. »Wir wissen noch nicht einmal, ob Dattelbett diese Richtung eingeschlagen hat. Sie kann genausogut von dort gekommen sein.«

Sie-Schnaubt trinkt weiter. Sie ist so dünn, daß es möglich ist, anhand der Bewegungen ihrer Kehle und ihres Bauchs den Fluß des Wassers durch ihren Körper zu verfolgen. Ihr Bauch ist aufgebläht – ob vom Hunger oder wegen des Neugeborenen, kann Matsch nicht beurteilen. Sie ist rot. Das sind sie alle. Sie haben sich mit dem roten Sand aus der Pfanne besprüht. Sie sind eine andere Rasse, denkt Matsch. Verbrannt und mager, zerbrechlich wie Insekten.

»Werden wir nach Nordosten marschieren oder nicht?« hakt Sie-Schreit nach. Keine Antwort.

Sie-Schreit schließt daraus, daß sie nach Nordosten marschieren werden, und sie nickt. Sie wendet sich an Sie-Schützt. »Es herrscht die schlimmste Dürre aller erinnerten Zeiten«, sagt sie. Ihr gedämpfter Tonfall soll vermitteln, daß sie und die Medizinkuh einer Meinung sind. »Und wir sind unterwegs in eine Wüste.«

Sie-Schützt schaut Sie-Schnaubt an. »Gibt es in dieser Wüste Stachelkraut?« ruft sie. Das Öl des Stachelkrauts regt den Milchfluß an.

»Ich werde nicht zum Sicheren Ort gehen«, sagt Sie-Schnaubt, »solange die Möglichkeit besteht, daß Dattelbett noch am Leben ist und allein irgendwo herumirrt.«

»Ich auch nicht«, sagt Matsch. Aus lauter Beschämung fängt sie zu weinen an. Die Matriarchin ist in ihrer Treue zu Dattelbett standhaft geblieben, während sie selbst schwankend geworden ist.

Sie-Schreit wirbelt zu Sie-Schützt herum. »Und was sagst du dazu?« heult sie.

»Gibt es in dieser Wüste Stachelkraut?« brummt die Medizinkuh.

Hinter ihnen, im Südwesten, glüht die Erde im rötlichen Schein der tiefstehenden Sonne. Vor ihnen ist die klare Sicht an einen Anblick der Leere vergeudet. Auch im Nordosten sind keine Büsche zu sehen, und mit Ausnahme zweier giftiger Kandelaber-Euphorbien auch keine Bäume. Ist das die richtige Richtung? Mir-Mir schaut sich um, so als könne sie es nicht glauben. Auf einem Termitenhügel liegend wartet sie auf die Sie-Schs und starrt dabei Knick an. Sie ist nicht mehr die Anführerin, dennoch geht sie an der Spitze.

Sie haben sie nicht weggejagt, weil Sie-Schreit die anderen davon überzeugt hat, daß sie am ehesten die Chance haben, den Sicheren Ort zu erreichen, wenn sie die Hilfe der Gepardin nutzen, und es ist egal, ob das jetzt tun oder ob sie warten, bis sie Dattelbett gefunden haben. Ehe sie die Pfanne verließen, hat Sie-Schreit erneut unter Einsatz etlicher Verrenkungen Kontakt zu Mir-Mir aufgenommen und hinterher gesagt, sie habe ihr weisgemacht, daß die Abmachung (sie bekommt das Neugeborene von Sie-Schnaubt, wenn sie sie zu der Stelle bringt, an der sie in Dattelbetts Kot getreten ist) eingehalten werden würde. »Aber«, sagte sie, »ich mußte eine zweite Abmachung treffen, damit sie sich bereit erklärte, uns zum Sicheren Ort zu bringen. Ich habe ihr das Neugeborene von Sie-Schmollt versprochen.«

Die Matriarchin, die sich nicht hatte anmerken lassen, ob sie zuhörte oder nicht, schaute Matsch an.

Aber Matsch sagte bloß: »Vielleicht werden unsere Neugeborenen herauskommen, ehe wir den Sicheren Ort erreichen.« Sie fand, es sollte erwähnt werden, daß sie unter Umständen gezwungen sein könnten, die Abmachung einzuhalten, weil sie sonst Mir-Mir verprellen würden und es für sie dann kaum noch Hoffnung gäbe, den Sicheren Ort zu finden. Während sie ihrer eigenen ruhigen Stimme lauschte, die keine Einwände gegen die Abmachung an sich verriet, begriff Matsch, daß sie sich festgelegt hatte – bei der Wahl zwischen Dattelbett und ihrem Neugeborenen hat sie sich für Dattelbett entschieden –, und sie fühlte sich erlöst und würdig, und zugleich fühlte sie sich abscheulich.

»Wehe, wenn du irgendeine Abmachung triffst, bei der es um Knick geht!« sagte Sie-Schützt warnend.

»Keine Sorge«, brummte Sie-Schreit.

Den Rest des Nachmittags über ruhten sie sich aus. Sie-Schützt,

Knick und Sie-Schnaubt schliefen. Matsch lag auf ihrer rechten Seite und beobachtete Mir-Mir. Nachdem sie das Gazellenfohlen verspeist hatte, bespritzte sie bestimmte Baumstämme mit ihrem Urin. Die Auswahl der Baumstämme und der Stellen auf den Baumstämmen erforderte offenbar längeres Abwägen und nervöses Herumschnüffeln. Hier? Hier? Auf der sengend heißen Steppe wartete die Familie des Fohlens ... auf die Möglichkeit, die Knochen zu betrauern, vermutete Matsch.

Sie-Schreit, die ebenfalls auf der Seite lag und in Richtung der Gepardin schaute, jammerte ununterbrochen leise vor sich hin. Gelegentlich schaute sie Matsch an, und jedesmal schien sie wütend zu sein, weil Matsch wach war, so als würde sie sie bei ihrem Leiden belauschen. Sie beklagte sich darüber, daß sie am Verhungern sei, verachtet werde, krank sei, verhaßt sei, eine schwere Last zu tragen habe und schlauer sei als alle anderen. Sie sagte, sie sei den Kampf leid. »Wie lange noch?« fragte sie, und da Matsch den Eindruck hatte, sie wolle wissen, wann sie von diesem Leben erlöst werde, antwortete sie ihr schweigend: »Bald.«

Am späten Nachmittag verließen sie die Pfanne, mit nichts anderem als Wasser und Erde in den Bäuchen. Knick und Sie-Schützt zuliebe schlug die Matriarchin ein langsames Tempo an. Ihnen allen zuliebe. Um sich abzulenken, zählte Matsch ihre Schritte. Jetzt, da das Licht schwächer wird, nickt sie langsam ein. Bei jedem lauten Geräusch schreckt sie auf und ist erstaunt, daß sie, während sie eingedöst war, den Kurs beibehalten hat. In der Nähe befinden sich Löwen und Wildhunde. Als ein Rudel Hunde sie links überholt, dreht Mir-Mir um und geht zurück, bis sie zwischen Sie-Schnaubt und Sie-Schreit ist. Die Hunde kommen nahe heran und schauen sich mit ihren glitzernden Augen um. Hunde hüten ein schwaches Feuer in ihren Schädeln.

Am Boden brennen ebenfalls Feuer, entzündet von den Leuchtkäfern (nimmt Sie-Schnaubt an), denn weder sie noch Sie-Schreit wittern Menschen, auch wenn es wegen des Rauchs schwierig ist, andere Gerüche wahrzunehmen. Überall dort, wo es noch ein paar klägliche Überreste von Vegetation gibt, lodern die Flammen empor wie aufgewirbelte Blüten. Zwischen den Flammen rennen Schwärme von Nashornvögeln hin und her. »Die machen mich verrückt!« kreischt

Sie-Schreit, allerdings bleibt unklar, warum. Die Nashornvögel jagen den verbrannten Insekten nach, deren Geruch (Sie-Schreit ist als einzige in der Lage, ihn von dem alles überlagernden Rauchgestank zu unterscheiden) sie ebenfalls verrückt macht. Die Hitze macht sie verrückt. Sie jammert, sie halte es nicht mehr aus. Später, als sie die Feuer hinter sich gelassen haben, macht die Kälte sie verrückt. »Meine Füße!« jammert sie. Man sollte meinen, sie würde sich über die Ruhepausen freuen, aber bei jedem Halt kreischt sie: »Schon wieder? Jetzt schon?«

Nach der siebten Pause, noch lange vor Morgengrauen, bietet Matsch an, sich für eine Weile um Knick zu kümmern. Sie will ihm gerade hochhelfen, da trompetet Sie-Schreit, daß sie den Geruch von Knollen im Boden gewittert hat. Alle warten, während sie gräbt. Matsch schläft ein. Und wacht auf, weil Knick an ihrer Brust nuckelt. Sie schiebt ihn weg, und kaum hat sie das getan, riecht sie Milch. Sie berührt die Brustwarze und bringt ein paar Tropfen Flüssigkeit an den Mund. »Ich habe Milch!« trompetet sie. Knick schnappt nach der anderen Brustwarze.

Sie-Schützt und Sie-Schnaubt rennen zu ihr. Sie betasten ihre Brüste.

»Frühmilch!« röhrt die Medizinkuh.

Sie-Schreit kommt, Knollen kauend, zu ihnen, berührt Matsch aber nicht und sagt auch nichts.

»Wie ist das möglich?« sagt die Matriarchin. Sie quetscht eine von Matschs Brüsten zusammen, und Milch spritzt heraus.

»Es ist Frühmilch!« trompetet die Medizinkuh. »Frühmilch! Ihr habt doch bestimmt gehört, wie Sie-Kuriert davon gesprochen hat.« Sie steigt auf die Hinterbeine (und Mir-Mir, die sich angeschlichen hat, nimmt Reißaus). »Frühmilch!« Sie dreht sich im Kreis herum. Sie ist ganz außer sich. »Frühmilch!«

»Ja, aber während einer Dürre?«, sagt Sie-Schnaubt staunend.

»Die Sie ist uns gnädig!« trompetet Sie-Schützt. »Die Sie ist gütig. Die Sie ist groß. Lobet die Sie! Sie-Schmollt ist unsere Rettung!«

»Das halte ich für ein bißchen übertrieben«, sagt die Matriarchin, und dabei klingt der heitere Tonfall an, der früher typisch für sie war. Sie legt Matsch den Rüssel auf den Kopf. »Aber es stimmt: Ihn hast du gerettet.«

»Kleiner Knick«, sagt Matsch. Das Ziehen, das sie bis tief in ihre Brust spürt, ist nicht unangenehm, aber es fühlt sich auch nicht ganz ungefährlich an. Immerhin wird etwas aus ihr herausgesogen. Es ist nur Milch, sagt sie zu sich selbst. Es ist kein Blut. Es sind keine Erinnerungen.

Die Sonne und der Mond bekriegen sich, allerdings weiß das noch niemand. Erst wenn binnen Stunden ein großer Segen und eine große Tragödie über einen gekommen sind, weiß man es. Diese extremen Vorkommnisse sind die zufälligen, nebensächlichen Auswirkungen der Kämpfe zwischen der heiligen Mutter und Ihrem lasterhaften Sohn.

Bis jetzt war die Nacht nur segensreich. Die Milch. Die Knollen, von denen es genügend gab, um ihre Hungerkrämpfe zu lindern. Später, nachdem sie weitere fünftausend Schritte gegangen sind (wobei Sie-Schützt Knick schiebt, denn sobald Matsch das übernimmt, will er an ihre Brust), wird der Boden weicher, und in einem sandigen Graben bohren sie Löcher. Während Matsch wartet, daß sich ihres mit Wasser füllt, säugt sie Knick. An der Kraft, mit der er an ihr saugt, merkt sie, daß es ihm schon viel besser geht.

In der Nähe wächst das bittere, aber eßbare Feuergras, und die Matriarchin beendet den nächtlichen Marsch vorzeitig, damit sie essen und feiern können. Kauend singen sie »Das Lied der prallgefüllten Brüste« und eine Dankeshymne »O Du Quelle allen Segens! Laß mich Deine Gnade preisen …« Sonderbarerweise stimmt Sie-Schreit, die sonst immer durch ihr unmelodiöses Kreischen alle anderen übertönt, nicht mit ein. Sie steht etwas abseits, ißt Dornbüsche ab und redet in unverständlichen Wimmerlauten mit sich selbst. Nicht weit von ihr entfernt sitzt Mir-Mir und stößt kehlige Laute aus, die wie das Knacken von Zweigen klingen.

Das Feuergras ist ein Beruhigungsmittel, das bei Kühen, die so geschwächt sind wie sie, um so stärker wirkt, und Matsch, Sie-Schützt und Sie-Schnaubt müssen sich hinlegen, obwohl es noch dunkel ist und sie immer noch großen Hunger haben. Knick liegt zwischen Matschs Beinen, sein Rüssel ruht auf ihrer rechten Brust. Sie-Schreit ißt immer noch die Dornenbüsche ab. Sie wird Mir-Mir im Rüssel behalten, denkt Matsch, und dennoch ist ihr unbehaglich zumute und sie brummt, an Sie-Schnaubt gewandt: »Ich werde versuchen wach zu bleiben, Matriarchin.«

»Ich habe dieses gewisse Gefühl hinter den Augen«, murmelt Sie-Schnaubt.

Matsch erinnert sich, wie Hagelkorn ihnen – nur wenige Stunden vor dem Gemetzel – gesagt hat, daß Sie-Drängt ein ungutes Gefühl hinter den Augen hatte. »Das warnende Gefühl?« fragt sie.

»Ja.«

»Was bedeutet es?«

Aber die Matriarchin schnarcht bereits.

Beunruhigt stemmt sich Matsch wieder auf die Füße, fest entschlossen, sich dem Schlaf zu widersetzen. Sie schlummert trotzdem ein. Sie träumt von Dattelbett: Dattelbett und sie waten in einem Sumpf zwischen Wassersalat hindurch, und der Sumpf verwandelt sich in eine Wiese, bedeckt mit Consimilis-Gras. Dattelbett sagt in ihrem typischen ernsthaften Tonfall: »Du mußt wissen, wir sind nicht dort, wo wir zu sein glauben«, und als sie sich umdreht, sieht Matsch, daß sie keinen Rüssel hat. An der Stelle, wo der Rüssel sein sollte, ist ein Loch, aus dem ein Luftstrom bläst, und ein Neugeborenes schreit: »Mutter!«

Sie wacht auf. Knick ist weg. Ein unsteter Wind verweht seine Schreie, denn sie kommen erst von Norden, dann von Westen und dann von Nordosten.

»Knick!« trompetet sie.

Sie-Schützt und Sie-Schnaubt wachen auf.

»Knick!« röhrt die Medizinkuh.

»Wo ist Sie-Schreit?« sagt Sie-Schnaubt.

Matsch ist so erstaunt, den Namen der verbannten Kuh aus dem Munde der Matriarchin zu hören, daß sie einem Moment braucht, um die Abwesenheit von Sie-Schreit zu bemerken. Sie späht in die Dunkelheit. »Wo ist Mir-Mir?«

Sie-Schützt rennt nach Norden. Die beiden anderen folgen ihr und weichen dabei den Perlhühnern aus, die durch ihr Gebrüll aufgescheucht worden sind. Knicks Geruch und seine Rufe dringen nun aus allen Richtungen zu ihnen. Woher weiß Sie-Schützt, welche Richtung sie einschlagen muß? Dank einer Gabe, die verängstigten Müttern offenbar zuteil wird, weiß sie es. Sie läuft direkt auf ihn zu.

Er sitzt auf seinen Hinterbeinen, dicht vor einem Abgrund.

»Sie-Schreit ist da unten!« kreischt er und schüttelt die Rüssel der drei ab.

»Was?« röhrt die Medizinkuh.

Matsch geht bis zum Rand und schaut nach unten. Der Abhang geht so tief und steil hinunter, daß sein Ende im Dunkeln liegt. Sie muß wieder an ihre Vision von Sie-Schreit denken. »Sie ist hinuntergestürzt«, denkt sie, und begreift nun, wieso der Schädel zerschmettert war.

»Sie ist gesprungen!« schreit Knick.

»Gesprungen?« röhrt die Medizinkuh.

»Vielleicht lebt sie noch«, sagt Matsch. Daß ihre Vision tatsächlich wahr geworden sein könnte, erschreckt sie, so als habe sie es sich gewünscht. Der neue, größer gewordene Kopf von Sie-Schreit ... zertrümmert.

»Gibt es einen Weg nach unten?« überlegt sie laut.

»Knick, was meinst du mit ›gesprungen‹?« sagt Sie-Schnaubt. Der Steilabbruch besteht aus einem einzigen, massiven Felsblock, das kann Matsch selbst von hier oben erkennen.

»Sie hat es absichtlich getan!« jammert Knick und fängt an zu schluchzen, und der Wind dreht und bläst einen Hauch des Geruchs von Sie-Schreit nach oben, vermischt mit dem Gestank des Todes.

»Ach, sie ist von uns gegangen«, sagt Matsch.

Vierzehn

An Dattelbetts dreiundzwanzigstem Tag bei der riesigen Akazie hat sie schon dreiundfünfzig Kerben in ihre Stoßzähne geritzt (vierzig in den linken, dreizehn in den rechten) und mit drei männlichen Kampfadlern einen Handel geschlossen. Zwei der Adler tauchten zum ersten Mal an ein und demselben Tag auf – Tag neunzehn. Der dritte ist erst heute Morgen erschienen und seitdem schon zweimal zurückgekehrt.

Die Adler sind fasziniert von dem Ding, viel mehr noch, als Dattelbett gehofft hatte. Alle drei forderten anfangs, ihre Geisterzwillinge sehen zu dürfen, so oft sie wollten. Aber dann wären sie dauernd zurückgekommen, was die Größe ihres Suchgebiets eingeschränkt hätte, und so blieb Dattelbett unerbittlich und gewährte ihnen nur jeden zweiten Tag einen einzigen Blick.

Sie teilen ihr mit, es gebe in ihren Territorien weder Menschen noch Fahrzeuge noch Siejenige, und sie antwortet: »Dann sucht außerhalb eurer Territorien.« Falls Menschen sich in ihre Richtung bewegen, möchte sie es wissen. Für eine Sichtung erhalten die Adler, sofern sie einen Beweis mitbringen (von den Menschen Kot, »Haut«* oder Krimskrams; von den Siejenigen Kot oder eine Botschaft), das Recht auf einen täglichen Blick. Die Belohnung für das Finden und Abliefern des weißen Knochens ist das Ding selber.

Die Adler lassen sich entweder auf einem großen Felsblock oder einem verlassenen Termitenhügel nieder, und während sie ihr Spiegelbild betrachten, hält Dattelbett das Ding und betrachtet ihrerseits die Vögel. Aus der Nähe kann sie erkennen, wie ihre Pupillen sich bei bestimmten Geräuschen verengen – bei Lauten von anderen Vögeln zum Beispiel, oder von den Zwergmangusten, die ihren Bau in dem Termi-

---

* Kleidung

tenhügel haben. Die Adler haben gelbe, ausdruckslose Schlitzaugen, und ihre Körper verströmen keinen Gefühlsgeruch, aber was sie empfinden wird deutlich durch die Art, wie sie stehen. Der eine blickt ständig um sich und kann die Flügel nicht stillhalten. Der zweite schwankt hin und her und scheint sich geradezu schwärmerisch in seinen Anblick zu versenken. Der dritte ist wie erstarrt, bis auf seine Zunge, die in seinem geöffneten Schnabel wild flattert. Er hat einen Haufen schwarzer Flecken auf dem Bauch. Der Nervöse hat kaum Flecken, und sein rechter Fuß zeigt leicht nach innen.

Aus einer Entfernung von wenigen Zentimetern betrachtet sind sie Individuen. Aus einer Entfernung von einem Meter oder mehr sehen sie für Dattelbetts schwache Augen alle gleich aus. Sie unterscheidet sie an ihrem Geruch. Der Starre, den sie erst heute Morgen geködert hat, riecht besonders widerlich. Insgeheim nennt sie ihn Stinker. Der Schwankende riecht wie ein stehendes Sumpfgewässer. Sie kann ihn schlecht Sumpf nennen (obwohl er ähnlich träge ist wie Sumpf und einen schwerfälligen Flügelschlag hat), also heißt er Schwärmer. Der Nervöse heißt Sauer.

Sie könnte vermutlich noch mehr als diese drei anlocken, aber sie hat Angst, die Adler könnten sich dann zusammenrotten, um das Ding zu stehlen. Fünf oder sechs Kampfadler gegen ein kränkelndes Kalb – ganz klar, wer gewinnen würde. Außerdem fürchtet sie, die Reflektion könne durch allzu häufige Blicke abgestumpft werden. Wenn der weiße Knochen seine Kraft durch Aussprechen seines Namens verliert, könnte das Hineinschauen in das Ding da nicht eine ähnliche Wirkung haben? Sie selber schaut höchstens zweimal täglich hinein, und auch das nur, wenn sie sich besonders verängstigt oder entmutigt fühlt. Sie hält sich das Ding vor ihr linkes Auge, mit dem sie besser sieht als mit dem rechten, und spricht das Auge im förmlichen Tonfall an. »Was meinst du?« sagt sie, oder »Hilf mir!«, oder »Bist du da?«

Sicherheitshalber schiebt sie das Ding immer unter ihren Bauch, wenn sie sich hinlegt. Sie achtet darauf, daß es während ihrer Schwindelanfälle geschützt zwischen ihren Beinen liegt, und ehe sie weggeht, um zu trinken, zu essen oder Infraschallrufe auszusenden, klemmt sie es in einen Spalt im Stamm der Akazie. Sie ist inzwischen zu dem Schluß gekommen, daß die Erde höchstwahrscheinlich die Infraschallrufe blokkiert, sendet aber trotzdem weiterhin zwei-, dreimal täglich welche aus. Tagsüber verbringt sie die meiste Zeit im dichten Schatten der Akazie.

Sie versucht ihr Gedächtnis wiederzufinden. Sie arbeitet daran, indem sie jeweils eine bestimmte Schattenerinnerung auswählt und alle deutlichen Einzelheiten herauslöst – den Geruch von Rinderkot und zerquetschten Lilien, eine kühle Brise von Südwesten und ähnliches. Bei diesen Fragmenten verweilt sie und läßt sich dann in weitere, mit diesen verknüpfte Erinnerungen hineinsinken. Selbst wenn auch diese unvollständig sind, fällt ihr dadurch manchmal ein fehlender Teil der ursprünglichen Schattenerinnerung wieder ein.

Es ist ein mühsames Unterfangen, und es wird sie nicht retten. Fängt sie ein Bruchstück ein, entgleiten ihr zugleich tausend andere. Um die Anstrengung lohnender zu machen, sagt sie sich, ein wiedergefundenes Stück Erinnerung sei soviel wert wie eine Stunde ihres Lebens. Sie sagt sich (und das kommt ihr keineswegs unvernünftig, sondern durchaus berechtigt vor), daß man niemals etwas vergißt, was man als einzige wahrgenommen hat. Sie meint damit äußere Dinge, allerdings nicht Dinge wie einen Schatten oder einen Baum oder einen Felsen, denn obwohl man diese unter Umständen aus einer einzigartigen Perspektive kennengelernt hat, wurden sie doch auch von anderen wahrgenommen ... Das heißt, von diesen Dingen existieren unabhängig von einem selbst verschiedene Sichtweisen; auch nicht einen Schrei oder Donnerschlag oder ein anderes Geräusch, das von zahllosen anderen Wesen ebenfalls bemerkt wurde; nicht mal eine Ameise, die einen Felsen erklimmt, denn diese Ameise hat selber ihre eigene Version dieses unbedeutenden Ereignisses bewahrt. Woran Dattelbett denkt, ist zum Beispiel das Zittern eines jungen Blatts oder das dumpfe Knacken eines nassen Zweigs, in dem kein Wurm wohnt.

Am Ende eines langen Lebens vergißt man alles, außer wer man ist. Aber wer ist man? Was bleibt übrig? Als sie noch ein untrügliches Gedächtnis und Aussicht auf ein langes Leben hatte, hätte sie vielleicht gesagt, man wird an der Bedeutung gemessen, die der eigene Kuhname erlangt hat. Sie kann sich vorstellen (wenn auch nicht erinnern), etwas Derartiges geglaubt zu haben. Jetzt aber hat sie den Eindruck, man ist die Summe der Ereignisse, über die nur man selber Auskunft geben kann, die ansonsten keine weltliche Bestätigung fänden.

Sie hat aufgehört, die Sie um Hilfe anzuflehen, aber sie spricht weiterhin Danksagungen und singt Hymnen, einfach weil sie sich freut, es noch zu können. Bisher hat sie keine einzige Liedzeile vergessen. Ihr Singen lockt die Mangusten herbei. Sie klettern auf ihren Rücken, wenn sie liegt. Wenn sie steht, umschwirren sie aufgeregt ihre Füße – alle außer dem größten Weibchen, das auf dem höchsten Punkt des Termitenhügels sitzt und nach Räubern Ausschau hält. Sie erklären ihr, daß die Vibrationen ihrer Stimme vorübergehend ihre Hautreizungen lindert, daß sie aber auch Spaß an den Texten haben. Es scheint unglaublich, aber sie sind in der Lage, die Texte zu verstehen. Wie viele andere Wesen, mit denen Dattelbett im Geiste redet, finden die Mangusten ihre Gedanken verständlich, während ihre gesprochenen Worte ihnen wie unsinniges Geschwätz vorkommen. Dattelbett hat keine Ahnung, warum sie gerade gesungene Worte verstehen. Die Mangusten meinen, es läge eben daran, daß die Worte gesungen werden, und sind mit dieser Erklärung zufrieden. Wenn sie irgendeine allgemeine Information übermitteln wollen, sprechen die Mangusten laut im Chor; jede sagt mehr oder weniger dasselbe, und alle reden mehr oder weniger gleichzeitig. Ihre Sprache klingt wie ein Geschnatter, bei dem die Worte zwei-, dreimal wiederholt werden: »Sing, sing, sing das Lied, Lied vom, Lied vom Kampf, Kampf, Kampf so schwer, schwer, schwer.« (»Ist der Kampf auch schwer« ist eine Hymne zur Stärkung des Glaubens in leidvollen Zeiten, aber die Mangusten denken, das Lied erzähle von ruhmreichen Gebietskämpfen.)

Die Ausdrucksweise der Mangusten und die Ausdrucksweise der Kampfadler könnten nicht verschiedener sein. Die Adler benutzen sowohl beim Denken als auch beim Sprechen so wenige Worte wie möglich. »Da.« »Wie lange?« Sie ziehen Gesten vor. »Böse, böse, böse«, hatten die Mangusten anfangs geknurrt, als Dattelbett absichtlich einen Adler angelockt hatte (sie halten die drei Adler für ein und denselben), aber nach ein paar Tagen umschlangen sie ihre Beine und schnatterten »Verzeih, verzeih.« Die Adler sind so begierig darauf, sich in dem Ding zu sehen, daß sie die Mangusten gar nicht beachten, genau wie Dattelbett vorhergesagt hatte. Und kaum nimmt sie das Ding weg, fliegen sie davon. Wenn ein anderer großer Raubvogel angeflogen kommt, trompetet Dattelbett laut und schlägt mit dem Rüssel, bis er wieder verschwindet.

Sie hat die Mangusten sehr gern. Sie sind alles, was sie nicht ist: flink, lebenslustig, wild und Teil einer Familie. Lange nach Sonnenaufgang kommen sie aus ihrem Bau. »Groß, Groß, Groß, Groß«, so geht das Geschnatter. »Groß« ist der Mangusten-Name für Dattelbetts Art und gleichzeitig für sie persönlich. Meistens liegt Dattelbett im Schatten, und die Mangusten klettern auf ihr herum und fressen die Zecken. Sie sind ausgesprochen vorsichtig, so leicht wie Fliegen, und sie berühren niemals ihre entzündeten Brandwunden. Beim Anblick der schlimmsten Wunden schauen sie mitleidig oder kreischen erschrokken auf. Sie lassen gern rasselnd ihre Krallen über die Rillen in Dattelbetts Stoßzähnen gleiten, mit denen sie die Tage zählt. Ein älteres Männchen setzt sich in die Krümmung ihres Rüssels, putzt sich und erzählt ihr seine Lebensgeschichte, die ausschließlich aus hitzigen Gebietskämpfen und zügellosen Paarungsspielen besteht. Er hat keinen Namen; keine der Mangusten hat einen Namen. Ihre Bezeichnung für die eigene Art lautet »Makellos«. »Dies Makellos« bedeutet ich oder mich, »jenes Makellos« bedeutet irgendeine andere Manguste. Pronomen werden sparsam verwendet. »Dies Makellos, dies Makellos«, schnattert das alte Männchen, »hat, hat jenes Makellos, jenes Makellos, Makellos, Makellos einhundert, einhundert, einhundertneunzehn, neunzehn Mal, Mal, Mal bestiegen, bestiegen …«

Schließlich hopst eine auf die Erde und fängt an, nach Käferlarven zu graben, und Dattelbett hat den Eindruck, daß die ganze Bande jeden Morgen vergißt, weshalb sie eigentlich aus ihrem Bau herausgekommen sind, bis es plötzlich einer von ihnen wieder einfällt und sie loslegt, woraufhin auch alle anderen von Dattelbett herunterspringen und wie wild zu buddeln anfangen, so als wollten sie die verlorene Zeit aufholen.

Dattelbetts eigene Essenszeit beginnt mit der Dämmerung, nachdem sich die Mangusten zurückgezogen haben. Sobald die letzte von ihnen im Termitenhügel verschwunden ist, schält sie einen dünnen Streifen Rinde vom Stamm der Akazie. Wenn sie sich mit einem kurzen, dünnen Streifen pro Tag begnügt, so hat sie ausgerechnet, wird sie insgesamt vierzig Tage lang von der süßen Borke essen können. Den Rest der Nacht gibt sie sich mit fadem, krüppeligem Gestrüpp zufrieden.

Die Nächte sind still und kalt. Manche Nächte allerdings sind nicht ganz so kalt, nämlich die, in denen die Leuchtkäfer vom Boden aufschwärmen. Es sind Tausende. Sie flimmern mit perfekter Gleichzeitigkeit und erzeugen einen Lichtnebel, in dem für einen Augenblick die Silhouette der Akazie aufscheint, ehe wieder Dunkelheit herrscht. Dann flackert erneut das Licht auf. Es ist ein stetiger, langsamer Rhythmus von Licht und Dunkelheit – als würden ganze Tage in Sekundenschnelle vergehen.

In anderen Nächten wird Dattelbett von Halluzinationen heimgesucht – ihren sagenhaften Halluzination, denen sie sich gern hingibt. Was für wunderbare Dinge sie schon gesehen hat! Schluchten, flankiert von aufragenden Felswänden, auf deren glatter Oberfläche himmelhohe Reihen von gleich großen Vierecken angeordnet sind, die ein weißes Licht ausstrahlen, so als berge der Stein ein geheimnisvolles Feuer. Einen kegelförmigen grünen Baum voller knisternder, kurzer Dornen, beladen mit etwas, das aussieht wie glitzernde Früchte oder Blüten in allen Formen und Farben, das in Wirklichkeit jedoch Miniantilopen und Minimenschen sind (nicht lebendig, aber auch nicht verfault oder lädiert). Dann wird der Himmel plötzlich dunkel, und in dem Baum erstrahlen lauter rauchlose blaue Flammen, deren Feuer sich nicht ausbreitet.

Hat irgend jemand so etwas schon eimal gesehen oder auch nur geträumt? Sie glaubt allmählich, diese Bilder müßten mit dem Schwinden ihres Gedächtnisses zu tun haben. Die verlorenen Erinnerungen eines Geschöpfs von einem unbekannten, unvorstellbaren Ort sind über die Steppe hierher zu ihr geweht und haben vorübergehend Zuflucht in den Hohlräumen gefunden, die durch das Leck in ihrem Kopf entstanden sind. Was ihre eigenen Erinnerungen betrifft … nun, die schweben wahrscheinlich irgendwo außerhalb von ihr, bis sie sich in Luft auflösen. Wenn sie aber die Erinnerungen irgendeines exotischen Geschöpfs beherbergt, dann ist es natürlich möglich, daß auch ihre Erinnerungen in den Körper eines fremden, ebenfalls todgeweihten Wesens eingetreten sind, und daß dieses Wesen nun ähnlich wie sie fasziniert ist von den seltsamen Bildern, die sich vor seinem inneren Auge entfalten.

Allerdings würde dieses Wesen nicht nur fasziniert sein. Über einige seiner Halluzinationen wäre es mit Sicherheit erschrocken. Entsetzt sogar. Dattelbett würde sich eine Menge von dem, was sie vergessen hat, nie und nimmer freiwillig ins Gedächtnis zurückrufen.

⁕

An ihrem fünfundzwanzigsten Morgen unter dem Akazienbaum verströmt sie einen immer stärker werdenden Moschusgeruch. Den Rest des Morgens und den frühen Nachmittag über versinkt sie in Tagträume von Langschatten. Sie stellt sich vor, wie er sie besteigt. Sobald sie aufsteht, verspürt sie den Drang, sich in den Hüften zu wiegen.

Später an diesem Nachmittag stürzt Sauer vom Himmel herab und läßt einen Klumpen frischen Kot von Sie-Schimpft aus der Familie der Sie-Sch-und-Schs vor Dattelbetts Füße fallen.

Die Sie-Sch-und-Schs sind ihre nächsten Verwandten außerhalb ihrer eigenen Familie. Sie hebt den Klumpen und die abgefallenen Brösel auf, und Sauer läßt sich auf dem Termitenhügel nieder und sagt: »Zeig's mir.«

»Gleich«, denkt sie. Unter Schluchzen stopft sie den Kot in eine Ritze im Termitenhügel.

Der Adler tritt von einem Bein aufs andere, mit einem Auge auf das Ding schielend.

»Wie viele Mitglieder hatte die Familie?« denkt sie.

»Vier.«

»Wie viele Kälber?«

»Vier Kühe.«

»Ach«, sagt sie, überwältigt vom Kummer. Nicht ein einziges Kalb ist mehr am Leben. Ihre Wunde pocht, und sie drückt ihren Rüssel darauf. »Was für einen Eindruck haben die Kühe auf dich gemacht? Waren welche von ihnen krank?«

»Knochig.« Er legt den Kopf schief, um sie anzuschauen.

»Hast du mit der Gedankenrednerin gesprochen?« Vor der Dürre war das Sie-Schmäht gewesen.

Ein Seitwärtsruck des Kopfs.

»Warum nicht?«

»Sie haben keine Gedankenrednerin.«

Keine Gedankenrednerin. Wie merkwürdig … Noch eine Familie, die von ihrer Gedankenrednerin getrennt wurde. »Wo sind sie?«

Er schaut nach Südwesten.

»Wie lange hast du von dort bis hierher gebraucht?«

Er fegt mit einem Flügel über den Himmel und beschreibt den Lauf der Sonne vom Vormittag bis jetzt.

»Bist du schnell geflogen?«

Er schlägt mit den Flügeln, als wolle er es ihr vormachen. »Zeig's mir«, sagt er wieder.

Aber er muß sich gedulden. Sie will noch wissen, wo die Sie-Sch-und-Schs genau sind, in was für einer Umgebung. In einem Flußbett, sagt er, zwischen Bäumen. Stehenden Bäumen? Ein Nicken. Welche Sorte? Mit gelber Rinde. Wie viele? Viele.

Dattelbett beschließt, sich auf den Weg zu machen. Sie kann sich nicht vorstellen, daß die Familie es eilig hat, einen Platz zu verlassen, an dem sie von Fieberbäumen essen kann. Eine Entfernung, die Sauer mit Rückenwind in drei Stunden zurücklegt, bedeutet für Dattelbett einen mindestens drei Nächte langen Marsch. Sie wird bei Anbruch der Dämmerung losgehen. Einen genauen Kurs zu halten, fällt ihr nicht so leicht wie ihm, deshalb erkundigt sie sich nach geographischen Orientierungspunkten, obwohl die Gefahr besteht, daß sie solche Hinweise wieder vergißt oder übersieht. Ein neuer Handel wird geschlossen: Als Gegenleistung für zwei zusätzliche Blicke auf sein Spiegelbild pro Tag wird er ihr folgen und jede Kursabweichung sofort korrigieren. Morgen, während sie sich ausruht, wird er sicherheitshalber vorausfliegen um festzustellen, ob die Sie-Sch-und-Schs noch am selben Ort sind.

Das Versprechen, so hart zu arbeiten, bringt ihm einen ausgiebigen Blick auf sein Antlitz ein. Nachdem er sich schließlich wieder in die Lüfte erhoben hat, kommt Stinker vorbei, um sich seinen Blick abzuholen, und als auch er wieder weggeflogen ist, bleiben Dattelbett nur noch wenige Stunden bis zur Dämmerung. Sie besprüht sich mit Wasser und bestäubt sich mit Sand, dann beginnt sie zu essen. Nach einem Drittel des Wegs zu dem Flußbett soll sie auf einen Affenbrotbaum stoßen. Wenn sie ein forsches Tempo anschlägt, kann sie bei Sonnenaufgang von diesem Baum essen. Außerdem hat der Adler ihr von einer Hügelkette erzählt, die östlich von hier liegt, offenbar ganz in der Nähe, denn

Sauer war überrascht, als sie zugab, sie nicht sehen zu können. Demnach hat sie sich die ganze Zeit in einer Gegend befunden, wo der weiße Knochen liegen könnte. Sauer hat zwar gesagt, auf dieser Seite der Berge habe er keine kreisförmig angeordneten Termitenhügel oder Felsblöcke gesehen, aber sie wird trotzdem unterwegs die Augen offenhalten.

Die Mangusten kehren zurück, und Dattelbett teilt ihnen mit, daß sie für mindestens sechs Tage weggehen wird, vielleicht länger, vielleicht für immer. Sie klammern sich an ihre Beine oder aneinander und kreischen: »Gefahr! Gefahr! Gefahr! Risiko! Risiko! Gefahr! Gefahr!« Über das Getöse hinweg versucht Dattelbett sie zu beschwichtigen: Die Adler haben berichtet, das Land sei so gut wie frei von Fleischfressern, und es geht sowieso das Gerücht, daß ihr, Dattelbetts, Fleisch ungenießbar ist, giftig. Sie schwenkt das Ding, schickt einen Lichtstrahl über die Erde und erzählt den Mangusten, wie dieser Strahl damals die Löwinnen verjagt hat. Die Mangusten zischen und schnauben. Sie haben selber Angst vor dem Ding. »Sing, sing, sing, sing«, schnattern sie, und Dattelbett stimmt ein paar Strophen von »Oft in Gefahr und oft in Not« an. Getröstet verschwinden sie nach und nach in ihrem Bau. Das letzte, ein kräftiges Weibchen, schnattert ihr noch zu: »Der Geruch, der Geruch, Geruch von Groß, von Groß, Groß ist, ist, ist anders, anders.«

Also stimmt es. Den ganzen Tag lang hat sie sich eingeredet, daß ihre Symptome gar nicht wirklich da sind, daß ihr eigensinniger Verstand sie täuschen will. Daß sie viel zu kränklich ist, um in die erste Brunst zu kommen. Viel zu klein und zu mager. Sie hebt das Ding auf und betrachtet ihr gesundes linkes Auge. »Aber Langschatten ist nicht mehr da«, sagt sie, und ihr Spiegelbild verschwimmt unter Tränen. Wenn sie tatsächlich brünstig ist, dann erscheint es ihr selbstverständlich, daß sie durch das Betrachten ihres Geisterzwillings die Erklärung dafür finden wird, wie ihr Körper genug Kraft aufbringen konnte, um die Brunst herbeizuführen. Aber warum? Warum ist sie ausgerechnet jetzt brünstig geworden? Langschatten ist am großen Wasserloch gestorben, und selbst wenn sie die Zuwendung eines anderen Bullen wollte, ist doch keiner nah genug, um sie zu wittern, und erst recht nicht, um sie rufen zu hören. Als sie sich vorstellt, wie Langschatten damals Matsch bestiegen hat, verfällt sie unwillkürlich in jenes laszive

Glanzgebrabbel, von dem sie bisher geglaubt hatte, daß die Kühe es absichtlich äußerten.

Sie dreht sich brummend im Kreis und ist so aufgewühlt, daß sie völlig vergißt, wo sie ist, bis ein Lichtstrahl ihr Gesicht trifft. Sie hält inne, schaut sich blinzelnd um und erspäht einen großen Vogel, der im Tiefflug über die Steppe davonschwebt, beschwert von der Last, die er bei sich trägt.

In der Luft hängt der Geruch von Sauer. »Du hast einen Fluch auf dich gezogen!« denkt sie, an seine entschwindende Silhouette gewandt. Er fliegt ungerührt weiter. Sie trompetet, und die Mangusten kommen wieder heraus. Als sie hören, was passiert ist, zischen sie: »Diese Makellosen, diese Makellosen werden, werden dem, dem Ekel, dem Ekel die Flügel, Flügel, Flügel und die, und die Eingeweide, Eingeweide ausrupfen, ausrupfen, ausrupfen.« Dattelbett ist gerührt. Sie tut so, als glaube sie, daß sie ihre Drohungen wahrmachen werden, und bittet sie, nichts zu überstürzen.

Nachdem die Horde wieder in ihren Bau verschwunden ist, trinkt Dattelbett ausgiebig. Hierbleiben kommt nicht in Frage. Nachdem sie sich stundenlang ausgemalt hat, wie es sein würde, die Sie-Sch-und-Sch-Kühe zu berühren und ihren Geruch einzusaugen, ist ihr der Gedanke, sie nicht zu suchen, unerträglich. Sie ermittelt so genau sie kann, wo Südwesten ist, und macht sich auf den Weg. Sie intoniert rhythmisch die Wegbeschreibung des Adlers, macht Reime daraus und fügt eine Melodie hinzu:

Geh nach Südwesten, wittre den Duft
Von einer Brandstelle links.
Ein trockenes Teichbett, dann aber flink
Durch eine begehbare Kluft.
Und etwas später, zur Rechten gelegen
Ein Strolchnetz, beachte es kaum
Streb lieber zum Flußbett, vorbei an dem Baum
Dem steinigen Ufer entgegen.

Bis jetzt funktioniert dieser Trick. Dort ist das Flußbett, dort das steinige Ufer – und Dattelbett läuft weiter, unversehrt und unbehelligt. Aber sie vermißt das Ding von Stunde zu Stunde mehr. Das Ding hat ihr Halt gegeben. Ohne das Ding ist sie ängstlich. An den Steinen haftet der Gestank von Löwinnen. Wäre sie in der Lage, sich zu verteidigen? Sie fühlt sich viel schwächer als erwartet, denn sie ist das Laufen nicht mehr gewohnt. Zudem gerät sie immer wieder in lüsterne Zustände, die sie dazu treiben, verführerisch zu stolzieren und kokett über ihre Schulter zu blicken.

Sie gräbt drei Löcher, ohne Wasser zu finden. Um nicht noch mehr Zeit zu vergeuden, wendet sie sich nach Südwesten (sie bestimmt die Richtung anhand des Monds und des anhaltenden Westwinds, der jetzt jedoch nur noch leicht weht) und macht sich wieder auf den Weg.

Ein Stückchen weiter siehst du sofort
Neben dem felsigen Pfad
Wo rissig die Erde und trocken das Gras
Den liegenden Stinkbaum, verdorrt.

Sie erreicht den Affenbrotbaum nach Sonnenaufgang. Er ist völlig vertrocknet, und sie wundert sich, daß er überhaupt noch steht – dies ist ihr letzter Gedanke, ehe sie im Stehen einschläft. Als sie die Augen wieder aufschlägt, hat die Sonne ihren höchsten Punkt überschritten. Dattelbett tritt einen Erdklumpen los und bestäubt sich. Abgesehen vom Geruch des Baums fängt sie nur schwache Düfte auf. Sie wittert zwar Schakale und eine Kobra, aber diese Gerüche sind alt. Vergeblich schnuppert sie nach einer Wasserquelle. Schließlich gräbt sie genügend Knollen aus, um den größten Durst zu stillen, und ißt dann das bißchen Mark, das sie aus dem ausgehöhlten Stamm des Affenbrotbaums herauskratzen kann. Sie sucht nach einem scharfkantigen Stein und meißelt eine Kerbe in ihren Stoßzahn. Tag sechsundfünfzig.

Sie schläft wieder ein, und als sie erwacht, ist es schon dunkel. Wie viele Stunden hat sie verloren? Mindestens fünf. Nervös und taumelig wandert sie los. »Schließlich erreichst du ein Dornengestrüpp«, singt sie, »niedergetrampelt, zerfetzt, ein Pfad leicht erhöht, eine Mulde und jetzt …«

Und jetzt? Etwas, das sich auf »Gestrüpp« reimt. Aber darauf reimt sich nichts. Dennoch, hier ist, direkt vor ihren Füßen, das Dornengestrüpp, niedergetrampelt und zerfetzt. »Eine Mulde und jetzt …«

Es hat keinen Zweck. Den Rest dieser Strophe hat sie vergessen. »Geh nach Südwesten«, sagt sie sich. Mehr braucht sie nicht zu wissen. Geh nach Südwesten.

Die anderen Strophen sind ähnlich verstümmelt. Sie singt die Zeilen, an die sie sich erinnert, die anderen summt sie. Sie unterdrückt aufziehende Halluzinationen und Erinnerungsschübe. Wachsamkeit ist unverzichtbar. In dieser Gegend gibt es menschliche Behausungen: »…auf einem Hügel im Kreis … Nester von Hinterbeinern …«

Mitten in der Nacht fängt ihr rechtes Bein zu zittern an. Vielleicht von dem vielen anstrengenden, sinnlichen Hüftschwingen, vielleicht ist sie aber auch von einer Schlange gebissen worden. Dann braucht sie als Gegenmittel Leberwurstbaumfrüchte oder Palmfrüchte. Während sie sich einen Weg durch eine Kolonie von Termitenhügeln bahnt, hört sie plötzlich ein Schnauben. Erschrocken bleibt sie stehen und nimmt Witterung auf. Es ist eine Giraffe. Nein, zwei Giraffen, ein Weibchen mit Kalb. »Meisterinnen!« denkt sie erfreut. Sie werden ihr sagen können, wo sie ist und wo sie Wasser finden wird! Sie läuft blindlings auf sie zu. Die beiden galoppieren davon. Durch den aufgewirbelten Staub hindurch riecht sie Palmherzen. Aber es ist nur die Erinnerung an den Geruch.

Damit fängt der Wahnsinn an. Für die nächsten drei Tage verliert sich Dattelbett in Erinnerungen. Es sind nicht einmal Schattenerinnerungen, sondern eine Mischung aus Bruchstücken, eine verfälschende Neuanordnung der übriggebliebenen Fragmente. Sie watet durch einen Teich, und natürlich sollte Matsch bei ihr sein, nicht Sumpf, und Sumpf sagt etwas, das zwar irgendwann einmal gesagt wurde, aber mit Sicherheit nicht von ihm. Obwohl sie das weiß, ist sie diesen Eindrücken hilflos ausgeliefert.

Wenn sie zwischendurch kurz in die Gegenwart zurückkehrt, was alle paar Stunden vorkommt, stellt sie fest, daß sie sich ansonsten vernünftig benimmt. Sie liegt im Schatten; sie trinkt. Während ihre Gedanken in den Erinnerungstrümmern wühlten, muß sie Wasser gewittert und ein Loch gegraben haben! Sie fragt sich, ob ihre praktische Intelligenz besser funktioniert, wenn sie sie nicht bewußt steuert. Anscheinend hat sie beschlossen, zu der Akazie zurückzukehren. So oft Dattelbett zu Bewußtsein kommt, daß sie unterwegs ist, stellt sie fest, daß sie sich in nordöstlicher Richtung voranschleppt (sie stolziert jetzt nicht mehr, ihre Brunst ist vorbei).

In der zweiten Nacht führt sie anscheinend eine höfliche Unterhaltung mit fünf Wildhunden.

»Oder nur du allein?« fragt ein großes Männchen.

Sie blinzelt ihn an, versucht den Sinn der Frage zu ergründen und antwortet schließlich: »Nicht nur ich allein«, denn gemeinsam ist man stärker.

Er weicht zurück. »Der Geruch ist scheußlich«, knurrt er. Sie nimmt an, daß er ihr Bein meint und sich seine Frage auf das Gerücht bezog, sie sei giftig.

An ihrer rechten hinteren Wade klafft eine häßliche Wunde. Mag sein, daß sie tatsächlich von einer Schlange gebissen worden ist, aber sie kennt keine Schlange, deren Biß solche Spuren hinterläßt und derartige Wahnzustände hervorruft. Dattelbett sagt sich, sie wird gesund werden, sobald sie wieder bei ihrer Akazie ist. Insgeheim hofft sie, daß Sauer das Ding aus Angst vor einem Fluch wegen seines Diebstahls zurückbringen wird und sie dann in ihr Auge schauen und ihren Verstand wiederfinden kann.

Sie liegt unter der Akazie, saugt deren uralten, vielschichtigen Duft ein, und die Mangusten hüpfen auf ihr herum und schnattern: »Übel, übel, übel.«

Sie berührt die, die sie erreichen kann, mit dem Rüssel, spürt die bebenden kleinen Körper und freut sich, wieder bei ihnen zu sein. Vor lauter Wonne uriniert sie und verströmt Temporin. Die Mangusten, die auf ihrem Kopf sitzen, betasten das Sekret und schnattern: »Klebrig, klebrig.«

»Zuckstockbiß«, denkt sie, um den fauligen Geruch zu erklären, und sie knurren und spucken und beteuern, wenn sie dabeigewesen wären, dann hätten sie »dem, dem Ekel, Ekel, Ekel den, den Kopf, Kopf abge-

rissen, Kopf abgerissen, abgerissen« und das Ekel gegen den Felsen geknallt und so weiter.

»Wie lange war ich weg?« fragt sie.

»Vier, vier, vier Tage, Tage, vier Tage.«

»Geht jetzt runter von mir«, denkt sie, denn ihr wird plötzlich klar,
wie durstig sie ist.

Im Flußbett gräbt sie an einer Stelle, die die Mangusten ihr zeigen,
ein Wasserloch. Während sie wartet, bis das Loch sich gefüllt hat, und
auch als sie trinkt, sind die Mangusten seltsam still. Erst als sie sich
besprüht, erzählen sie im Chor, daß gestern eine einzelne Gepardin aufgetaucht ist und zwei von ihren Jungen gefressen hat (»jenes neue
Makellose und jenes neue Makellose«). Dattelbett gerät ins Straucheln,
und die Mangusten huschen von ihren Füßen weg. Kaum zu glauben,
wie gräßlich sie sich fühlt; es ist, als hätten die Kleinen zu ihrer eigenen
Familie gehört. Sie beginnt zu weinen. Die Mangusten weinen nicht.
Die Erinnerung macht sie vielmehr wütend. Sie rammen sich gegenseitig mit den Hüften und beschreiben ihr, wie sie sich auf die Gepardin gestürzt und versucht haben, sie zu beißen. Sie spielen alles noch
einmal nach, schließen im Chor mit den Worten »Tot! Tot! Tot!«, beruhigen sich dann unvermittelt und raten ihr zu essen. Immer noch
schluchzend schält sie einen Streifen Rinde von der Akazie. Während
sie ißt, erzählen sie ihr, daß am Morgen nach ihrem Fortgang der Adler
(sie glauben immer noch, es gäbe nur einen) viele Male wiedergekom-
men sei und lange auf dem Termitenhügel gehockt habe. Hatte er das
Ding bei sich? fragt sie. »Nein, nein, nein, nein!« kreischen sie, erschrocken, weil sie Angst vor dem Ding haben, beteuern dann aber
eilig, sie hätten es, wenn sie es gesehen hätten, für Dattelbett zurück-
geholt, indem sie »das, das Ekel, Ekel in, in, die, die Flügel, Flügel, Flügel gebissen, gebissen, gebissen« und verschiedene andere Taktiken
angewandt hätten.

Dattelbett versinkt in Erinnerungen.

Als sie daraus wieder auftaucht, ist sie auf den Beinen, und die
Sonne steht schon hoch am Himmel. Die Mangusten suchen in der
Nähe nach Nahrung. Dattelbett sieht sie durch ihre zusammengekniffenen Augen im Gestrüpp umherhuschen. In der Hitze schimmert
alles. Es weht kein Wind, und die Insekten senden ihre langgezogenen

Laute aus. Sie kaut Rinde. Sie fühlt sich leicht benommen, aber der Gestank ihrer Wadenwunde ist verflogen, dank der Rinde, vermutet sie. Sie singt ein Dankeslied: »Gepriesen seien die Bäume, die wir entwurzelten«, und die Mangusten kommen nach und nach herbei. Sie versammeln sich um ihre Füße, bis plötzlich eins von ihnen, der Späher, »Flügel!« schreit, woraufhin sie alle zum Termitenhügel flitzen.

Dattelbett neigt den Kopf und schaut gen Himmel. Der Vogel muß noch sehr hoch oben sein. Oder vielleicht ist es ein Flugzeug, sie hört das Dröhnen eines Flugzeugs. Sie schließt die Augen und konzentriert sich aufs Wittern, da fällt hinter ihr etwas auf den Boden.

Sie dreht sich um. Selbst aus der Entfernung, durch die Staubwolken hindurch, sieht sie ein Leuchten, aber es ist kein Lichtstrahl. Das Ding kann es nicht sein.

Die Mangusten sind schon dort und schnattern: »Weiß! Weiß! Weiß!«

Sie hebt den Knochen auf. Er riecht leicht nach Sauer, sonst nach gar nichts. Sie hält ihn sich vor die Augen.

»Von, von wem, wem, wem ist, ist dieser Knochen, dieser Knochen, Knochen, Knochen?«

Sie betastet ihn und prüft, wie er schmeckt. Sie muß weinen. Die Mangusten springen schreiend in die Luft und gegen ihre Beine. »Von, von wem, wem ist, ist dieser, dieser Knochen, Knochen?«

»Der weiße Knochen«, sagt sie laut. Sie verstehen nicht und schreien weiter. »Es ist die Rippe eines Neugeborenen«, denkt sie schließlich. »Von einem meiner Art. Sie besitzt magische Kräfte.« Sie umklammert den Knochen, rollt den Rüssel bis unters Kinn ein, verdreht den Kopf, macht einen Satz nach vorn, öffnet schwungvoll den Rüssel und schleudert den Knochen von sich.

Wie er landet, ist durch den aufwirbelnden Staub nicht zu erkennen. Dattelbett läuft hastig hin und läßt sich, plötzlich erschöpft, auf die Knie fallen. Das spitze Ende zeigt nach Südosten. »Dalang!« sagt sie erstaunt, aber vermutlich hätte sie sich über jede andere Richtung genauso gewundert. Die Mangusten hüpfen schnatternd auf und ab und wollen wissen, was sie da tut. Benommen rappelt sie sich hoch und gerät ins Torkeln, woraufhin die Mangusten hastig von ihren Füßen wegspringen. Sobald sie wieder klar im Kopf ist, hebt sie den

Knochen auf, wirft ihn ein zweites Mal in die Luft und stolpert zu der Staubwolke hinüber. Südosten.

Sie drückt den Knochen zärtlich an ihre Kehle. »Auf Wiedersehen!« denkt sie begeistert, an die Mangusten gerichtet, und wandert los. »Gefahr! Gefahr! Risiko! Risiko! Risiko!« kreischen sie. Ihre Stimmen, die Hitze, ihre Atemlosigkeit, all die Körperstellen, die ihr weh tun, schweben davon, schweben hinaus in die vorbeiziehende Landschaft und gehen sie nichts mehr an. Selbst als sie hinfällt, glaubt sie noch, sie laufe weiter, und die erbarmungslose Steppe ziehe an ihr vorbei.

❦

Sie liegt unter dem Baum. Von den Webervogelnestern, die im kräftigen Wind schaukeln und sich langsam auflösen, rieselt gelbes Gras herab. Hinter ihr wühlen die Mangusten nach Nahrung. Sie kann weder Beine noch Rumpf bewegen, und dennoch zuckt ihr ganzer Körper vor Schmerz. Sie wedelt mit dem Rüssel. Sie hebt den Kopf, schaut sich um, läßt den Kopf wieder sinken. Selbst wenn der weiße Knochen in der Nähe ist, sehen kann sie ihn jedenfalls nicht. Sie denkt: »Ich sterbe.«

Die Akazie riecht ungewöhnlich streng. »Baum«, denkt Dattelbett, als wolle sie eine letzte Bestandsaufnahme machen. »Kot«, denkt sie, »Wunde, Gift«. Die entsprechenden Gerüche scheinen die Luft zu erfüllen, sich ihr darzubieten als etwas ebenso Wunderbares und Begehrenswertes wie der weiße Knochen selbst. Sie legt den Kopf in den Nacken und schaut blinzelnd über die Steppe.

»Staub«, denkt sie, »Busch«, und als sich ihr Blick nach innen wendet: »Stein, Schmutz, ich, Dattelbett.«

Sie kann sich nicht erinnern (vielleicht wußte sie es nie), aber sie vermutet, man wird keine Himmelskuh, wenn man nicht mit einem Sie-Namen bedacht worden ist. Sie wendet den Kopf der Sonne entgegen und erklärt: »Von diesem Tag an bis in alle Ewigkeit soll Dattelbett Sie-Schützt-und-Schützt heißen.«

Nichts geschieht. Die Windstärke ändert sich nicht, kein Ast fällt vom Baum herab. Die großen Kühe würden jetzt sagen: »Die Sie ist einverstanden.«

Dattelbett sagt: »So soll es sein«, und schließt die Augen.

Fünfzehn

Erst vor wenigen Stunden hat Langschatten Ich-Flippe versichert, er könne die Wir-Fs zu der Stelle führen, wo der weiße Knochen in die Luft geworfen wurde, aber jetzt muß er zugeben, daß ihm die Gegend völlig unbekannt ist. Er ist inzwischen in eine Erinnerung an die blauen Berge eingetaucht, die er nur ein einziges Mal, vor zehn Jahren, gesehen hat, hat sich ihre Umrisse eingeprägt und sie mit den Umrissen der Berge in seiner Vision verglichen. Aber selbst wenn er die Unterschiede in Blickwinkel und Entfernung berücksichtigt – es handelt sich eindeutig nicht um dieselbe Bergkette.

»Wir werden hinfinden«, lautet die Antwort von Ich-Flippe.

»Wie denn?«

»Aus deiner Beschreibung der Landschaft war für uns sofort ersichtlich, wo sich die Berge befinden.«

Er ist fassungslos. Fühlt sich gedemütigt. »Und wo?«

»Du würdest unsere Methode der exakten Ortsbestimmung sowieso nicht begreifen.«

»Dennoch würde ich gern hören, was für eine Methode das ist.«

»Du brauchst dich nicht zu schämen«, sagt sie kurz angebunden. »Niemand erwartet von dir, etwas zu verstehen, das deine geistigen Fähigkeiten übersteigt.«

Unterwegs flaut sein Gefühl der Beschämung allmählich ab. Die Verlorenen sind ihm überlegen, wenn es darum geht, Wasser und Gefahren zu wittern und sich in der Dunkelheit rasch vorwärts zu bewegen. Sie halten sich dazu beim Laufen an den Schwänzen fest und schmettern Lieder, und aus ihren Augen dringen grüne Lichtstäbe, die wie körperlose Fühler wirken. Aber mit Ausnahme des melancholischen Sinkloch neigen sie zu Nervosität und übertriebene Schreckhaftigkeit. Beim leisesten Hauch von Löwengeruch rennen sie weg. Beim Geräusch eines Flugzeugs bleiben sie wie angewurzelt stehen. Sie besitzen auch nicht Langschattens Ausdauer und können Hitze weniger gut ertragen als er. Mit einer dünnen Sandschicht bedeckt kann er fast den ganzen Tag schlafen. Nicht so die Wir-Fs. Sie begraben sich fast unter Sand, dennoch verbrennt ihre Haut, sie keuchen und werden immer wieder von kurzen Visionen heimgesucht (über die sie jedoch nicht reden). Am Ende des zweiten Tags ist die Haut der Kälber so wund, daß Ich-Flippe beschließt, zur Höhle zurückzukehren und auf die Regenzeit zu warten. Ohne sich mit Langschatten zu beraten, wird entschieden, daß Sinkloch, dessen Haut kaum gelitten hat, als sein Führer und Schützling bei ihm bleiben wird. Sobald die beiden die blauen Berge erreicht haben, wird Langschatten die Strecke, die ihm in seiner Vision offenbart wurde, verfolgen, und Sinkloch wird »etwaige Irrtümer korrigieren«.

»Von euch beiden«, sagt Ich-Flippe, »ist nur einer ein Fährtenmeister.«

Ein Fährtenmeister der, wie sich herausstellt, Ich-Flippe in nichts nachsteht. Er weicht verdächtigen Gerüchen und Geräuschen aus, und wenn es irgendwo in der Nähe etwas Eßbares gibt, dann findet er es. Und er berücksichtigt Hinweise und Omen stärker, als es bei Ich-Flippe den Anschein hatte. Wenn Langschatten erwähnt, was ein bestimmtes Detail der Landschaft seines Wissens verheißt – und aufgrund seines Drangs zu belehren tut er das oft –, schnaubt Sinkloch bloß verächtlich oder ignoriert ihn ganz, was Langschatten jedoch nur wenig kränkt. Soll Sinkloch die Überlieferung ruhig verächtlich machen, schließlich hat Langschatten das auch schon getan. Übrigens trafen die Hinweise des einen wie des anderen bisher stets zu (Langschatten kann es sich nicht verkneifen, darauf zu achten). Was rein gar nichts beweist. Nur zufällige Übereinstimmung.

Sinkloch geht voran, schweigend, ohne zu singen. Offenbar erwartet er nicht, daß Langschatten seinen Schwanz festhält. Als die beiden aufbrachen, rechnete Langschatten jeden Moment mit einem Zucken des Schwanzes, das ihm »Pack zu« signalisiert hätte. Anfangs fühlte er sich auch bemüßigt, Konversation zu machen: »Nur wir zwei, eine richtige kleine Junggesellenherde.« »Als ich mich das erste Mal allein auf den Weg machte, war ich kaum zehn Jahre alt, also bestimmt jünger als du jetzt.« Wortlos vergrößerte Sinkloch den Abstand zu Langschatten.

Inzwischen führt Langschatten unterwegs leise Selbstgespräche. Gelegentlich singt er auch ... Hymnen, Gebete für Matschs Unversehrtheit, Lieder, die von Überraschungen handeln – »Hört her und staunet!« oder »Ungewöhnlich, unversöhnlich«. Und so trottet er brav einem Kalb hinterher, das er kaum kennt, und das seinerseits brav Zeichen befolgt, deren Verläßlichkeit ungewiß ist, denn die Zahl der Omen ist unendlich und ihre Bedeutung widersprüchlich. Wenn das Kalb abbiegt, biegt auch Langschatten ab. Wenn das Kalb stehenbleibt, bleibt auch Langschatten stehen.

Und sie bleiben oft stehen, weil Sinkloch immer wieder außer Atem gerät. Auch die Kühe der Verlorenen-Familie haben oft eine Rast eingelegt. Auf den Vorschlag von Langschatten, statt dessen lieber langsamer zu gehen, entgegnete Ich-Flippe: »Es gibt nur das eine Tempo.« Das war in der Wüste. Hier in der Steppe – die er und Sinkloch am zweiten Tag ihres gemeinsamen Marsches erreicht haben – kann Langschatten während der Verschnaufpausen wenigstens etwas zu sich nehmen. Er stochert im Boden nach Graswurzeln und macht sich über die bitteren Sträucher her. Sinkloch, der erstaunlich wenig ißt, beobachtet ihn keuchend. Unter seinem gequälten Blick verfällt Langschatten wieder in die Rolle des Lehrers und bricht die Erde so auf, wie man es seiner Meinung nach tun sollte, nämlich durch viele kurze, ruckartige Stöße und nicht durch hartnäckiges Bohren, denn dabei riskiert man, sich die Spitze des Stoßzahns abzubrechen.

Sie marschieren nach Südosten, in flaches, felsiges Gebiet hinein. Es hat keinen Zweck, Sinkloch zu fragen, wohin sie gehen oder wann sie anhalten werden, um den Tag über zu schlafen, denn solche Fragen werden jedesmal mit einem Geruch der Mißbilligung beantwortet, der so stark ist, daß er Langschatten im Rüssel brennt. Wenn sie rasten, legt Sinkloch sich mehrere Meter von Langschatten entfernt schlafen; auch weigert er sich, aus den Wasserlöchern zu trinken, die Langschatten gebohrt hat. Er gräbt lieber seine eigenen ... eine zeitraubende, anstrengende Arbeit für jemanden, der so klein ist. Langschatten schaut, während er seinen Rüssel vollsaugt und sich Wasser über den Rücken spritzt, dem sinnlosen Unterfangen mitleidig, verärgert, ja fassungslos zu.

Am vierten Tag ihrer Wanderung machen sie ein paar Stunden vor

Sonnenuntergang an einem Hain aus abgestorbenen Sandpapier-
bäumen halt. In der Nähe lungert eine Herde Impalas herum, wahrscheinlich, weil aus einem nahe gelegenen Graben der Geruch von
Wasser aufsteigt. Dennoch braucht Langschatten fast eine Stunde, bis
er das Schiefergestein durchstoßen und die Wasserader freilegt hat.
Sinkloch gräbt noch eine Viertelstunde weiter, dann gibt er es auf und
geht zu den Bäumen hinüber.

»Du mußt etwas trinken«, sagt Langschatten.

Sinkloch legt sich hin. »Ich werde ein bißchen schlafen, dann grabe
ich weiter.«

Langschatten schwenkt den Rüssel in Richtung der Impalas. »Wenn
du dieses Loch nicht leertrinkst, dann tun sie es.«

»Das können sie von mir aus gern machen«, sagt Sinkloch und
schließt die Augen.

Langschatten geht zwischen die beiden höchsten Bäume und
scharrt etwas Sand weg, beschließt dann aber, ein Nickerchen im Stehen zu halten. Während er auf den Schlaf wartet, hält er den Rüssel auf
Sinkloch gerichtet und fragt sich, wie ein so junger Bulle dazu kommt,
so stolz und unhöflich zu sein. Allerdings ist Sinklochs Verhalten für
einen Wir-F nicht besonders ungewöhnlich, das muß Langschatten
dem Kalb zugute halten. Ich-Flippe ist auch kein Musterbeispiel für
gute Manieren. Und Ich-Flicke ... Ihre absurde Feindseligkeit grenzt
schon fast an Geistesgestörtheit.

Ihm fällt ein, daß Sturm gesagt hat, die Verlorenen seien eitel,
und daß sie aus diesem Grunde ihrem persönlichen Namen das »Ich«
und ihrem Familiennamen das »Wir« voranstellen. Aber während
Langschatten jetzt langsam eindöst, fragt er sich, ob es nicht anders-
herum ist, ob nicht vielmehr ihre Namen die Ursache für ihre Eitelkeit
sind. Er hält es nicht für ausgeschlossen, daß Kühe, die ständig mit
»Ich« angesprochen werden und deren Familien sich »Wir« nennen, die
Vorstellung entwickeln, der Rest der Welt sei minderwertig.

Langschatten wacht im Morgengrauen auf. Sinkloch schläft noch.
Da die Sonne schon bald heiß brennen wird, geht Langschatten zu dem
Bullen hinüber und besprüht ihn mit Staub. Sinkloch schlägt die Augen
auf. Der grüne Strahl ist so intensiv, daß Langschatten zurückweicht.

»Ich hatte eine Vision von deiner Geburtsfamilie«, sagt Sinkloch.

»Gerade eben?«

»Ehe du zum Hohen Berg gekommen bist.«

»Und?«

»Sie waren an einem großen Wasserloch. Du hattest sie erst wenige Stunden zuvor verlassen und ihnen geraten, ebenfalls nicht mehr lange dort zu bleiben.«

Langschattens Herz beginnt laut zu pochen. »Das stimmt«, sagt er.

»Die großen Kühe stritten sich, ob sie deinem Rat folgen sollten oder nicht. Die Matriarchin wollte aufbrechen, aber eine andere Kuh, deine Mutter, wollte bleiben.«

»Meine Adoptivmutter«, sagt Langschatten leise.

Sinkloch steht auf. »Sie sprachen über eine Schnelläuferin namens Mir-Mir.«

Langschatten fällt auf, wie merkwürdig Sinklochs Stimme klingt. Teilnahmslos und als käme sie aus weiter Ferne, ganz ähnlich wie ein Infraschallbrummen.

»Sie hatte ihnen von grünen Weiden im Norden berichtet«, sagt Sinkloch.

»Was haben die Kühe beschlossen?«

Sinkloch schaut ihn an, dann schaut er weg. »Als sie von der Schnelläuferin sprachen«, sagt er, »hatte ich plötzlich eine Vorahnung, und einen Moment später hörte ich schon die Schüsse. Drei an der Zahl, dicht aufeinanderfolgend. Die Matriarchin brach zusammen. Dann noch viele weitere Schüsse. Die Hinterbeiner habe ich nicht gesehen. Mein drittes Auge verharrte bei deiner Familie. Ich sah sie zusammenbrechen. Alle.«

Langschatten schaut auf die Steppe hinaus. Die oberen Ränder der Sträucher und der Termitenhügel glimmen orangefarben. Unzählige Horizonte. Unzählige Unendlichkeiten. Er sagt: »Warum erzählst du mir das jetzt?«

»Ich habe im Traum die Anweisung dazu erhalten.«

»Von wem?«

»Es steht dir nicht zu, danach zu fragen.«

Langschatten geht zurück zu den beiden hohen Bäumen. »Verschwinde«, sagt er.

»Ich habe Anweisung, bei dir zu bleiben.«

»Verschwinde. Laß mich in Ruhe.« Er legt sich hin, das Hinterteil dem Kalb zugewandt. Er hätte Sie-Brüstet-sich warnen sollen. Aber er hat sie doch gewarnt! Er hätte entschiedener sein, seine Angst deutlicher machen sollen. Er hätte wissen müssen, was passieren würde. Er verfällt in eine Erinnerung.

Langschatten hat nicht erwartet, daß das Kalb tun würde, was er ihm gesagt hat! Das Kalb hat noch nie getan, was er ihm gesagt hat!

Nein, um ehrlich zu sein, er hat gewußt, daß Sinkloch verschwinden würde. Hat mitbekommen, daß er ging, hat – am Rande der Erinnerung – gehört, wie er davontrottete, bemerkt, wie sein säuerlicher Geruch immer schwächer wurde.

Fußabdrücke und Geruchsspur führen nach Norden. Langschatten folgt ihnen. Wie klein die Fußabdrücke sind! Welche Überlebenschance hat Sinkloch angesichts der vielen Hyänen, die hier überall herumstreifen? Er wird versuchen, ihnen aus dem Weg zu gehen, genau wie bisher. Aber wird ihm das gelingen? Kann er wirklich jedem Rudel aus dem Weg gehen, und den Löwinnen ebenfalls? »Von euch beiden ist nur einer ein Fährtenmeister«, sagt Langschatten laut, um es sich ins Gedächtnis zu rufen. Um sich zu bestrafen.

Wenn ein Fährtenmeister von seinesgleichen nicht verfolgt werden will, dann weiß er das zu verhindern: Nach mehreren hundert Metern schwenken die Spuren erst nach Osten, dann nach Süden, um schließlich ganz zu verschwinden, so als sei Sinkloch in den Himmel aufgestiegen.

Es ist früher Nachmittag. Staubwirbel rasen über den Boden, wie um einen irrwitzigen Aufruhr anzudeuten, der zwar Langschattens Panik entspricht, dem er sich aber nicht gewachsen fühlt. Wo könnte Sinkloch hingegangen sein? Langschatten kann sich nicht vorstellen, daß ein so stolzes und selbstsicheres Kalb wie Sinkloch sich wieder seiner Familie anschließt, aber vielleicht ist es bei den Verlorenen keine Schande, wenn ein junger Bulle zur Herde zurückkehrt. Soll Langschatten ihm folgen, die Wüste ein drittes Mal durchqueren, bloß um sich zu vergewissern, daß Sinkloch in Sicherheit ist? Was, wenn er bei den Wir-Fs ankommt und feststellen muß, daß Sinkloch dort nicht aufgetaucht ist? Was für eine vernichtende Bemerkung wird Ich-Flippe dazu einfallen?

Er kommt zu dem Schluß, daß Sinkloch vermutlich zu den blauen Bergen unterwegs ist. Und ihm dämmert, daß er ohne Sinkloch keine Aussicht hat, die blauen Berge oder den Sicheren Ort zu finden. Ihm scheint, er wird ohnehin zum Hohen Berg zurückkehren und die Kühe der Verlorenen bitten müssen, ihm den Weg zu weisen, und dieser Gedanke ist so entmutigend, daß Langschatten ratsuchend seine Umgebung nach einem Zeichen absucht.

Ein paar Meter links von ihm hackt ein Marabu mit seinem Schnabel auf einen umgefallenen Baumstamm ein. Langschatten trompetet, und der Marabu erhebt sich in die Luft und wendet sich nach Osten, sobald er seine Flughöhe erreicht hat. Nach Osten also. Er sollte nach Osten gehen, in Richtung Blutsumpf. Was er schon die ganze Zeit getan hat. Das besagt das Marabu-Zeichen. Dem man allerdings nicht trauen kann. Und deshalb sollte er nicht nach Osten gehen.

Er tut es trotzdem.

Die Fieberbäume sind entwurzelt und abgenagt. Kappengeier sitzen dicht an dicht auf ihnen und betrachten das Ufer. Das Ufer ist ebenfalls dicht bevölkert. Gnus, Kuhantilopen, Topis, Zebras, Gazellen, Impalas, Paviane, Krokodile und andere Geschöpfe. Beim letzten Mal, als Langschatten hier war, waren es lange nicht so viele. Alle sind eigenartig still und reglos und schauen wie gebannt der gräßlichen Vorführung zu, die Sturm ihnen bietet.

In der Mitte des Sumpfs, oder was vom Sumpf noch übrig ist, wirft der alte Bulle mit Matschklumpen um sich und schmettert eine entstellte Version des »Besteigungslieds« – »Hasch auch die Rindersteine, lall nicht rum« anstelle von »Rasch auf die Hinterbeine, fall nicht um«. Außer ihm sind keine Siejenigen anwesend.

»Der Rüsselvolle!« trompetet Langschatten. Das Gebrüll geht weiter, aber die Geier auf dem nächstgelegenen Baumstamm weichen ein Stück vor Langschatten zurück. Er tritt nach ihnen, und sie hüpfen zögernd weg.

Er läuft die Uferböschung hinunter und zertrampelt dabei zahllose herumliegende Knochen. Als sich die Menge vor ihm teilt, sieht er die Kadaver – mittlerweile bloß noch mit Haut überzogene Skelette. Bei einem Wasserloch, das von einem Pavian bewacht wird, senkt Langschatten den Rüssel. Der Pavian hüpft grunzend zur Seite und klopft auf den Boden. Langschatten entfernt den Fetzen von Siejenigen-Haut, der das Loch bedeckt, und trinkt. Er beobachtet Sturm, der ihn offenbar immer noch nicht bemerkt hat.

»… Und du tust es kund! Ach, sie ist dünn und rund …«

Woher nimmt er nur die Energie, so laut zu röhren? Es gibt in der Nähe keine weichen Sprößlinge mehr, also hat er womöglich schon seit längerer Zeit nichts mehr gegessen. Langschatten kann selbst auf die Entfernung erkennen, wie sein Rückgrat sich unter der Haut abzeichnet. Ihn überkommt eine Erinnerung an seine letzte Begegnung mit Sturm vor vierzig Tagen, und er taucht schluchzend wieder daraus auf, so erschüttert ist er von diesem drastischen Schwund nicht nur an Gewicht, sondern auch an Geisteskraft.

»Der Rüsselvolle!« trompetet Langschatten erneut. Diesmal hört das Röhren auf. Als er auf Sturm zuläuft, durchbrechen Langschattens Füße die trockene Kruste des Bodens, unter der Schlick ist. Dann watet er nur noch durch Schlick, vorbei an verwesenden Welsen und untergetauchten Krokodilen, deren lange, scharf bezahnte Kiefer wie aus dem Nichts emporschießen. Neben Sturm wälzt sich ein Krokodil herum. Gerade, als Langschatten den Rüssel zur Begrüßung ausstreckt, wird Sturm von dem, was zu seinen Füßen geschieht, abgelenkt.

»Das machen die immer so«, brummt er. »Und dann sterben sie.«

»Merkwürdig«, sagt Langschatten, und seine Stimmung hebt sich etwas. Der Verstand des ehrwürdigen Bullen ist doch nicht völlig ausgelöscht.

Sturm dreht sich zu ihm um. »Was willst du?«

»Sturm, ich bin es, Langschatten.« Er berührt den Mund des Bullen. »Langschatten, Kenner der Zeichen.«

Sturm steckt seinen Rüssel sofort in den Mund von Langschatten und befühlt seine Backenzähne. Als er den Rüssel wieder herauszieht, murmelt er: »Kenne niemanden, der so riecht.« Er selber verströmt einen fiesen, süßlichen Geruch.

»Wir sind Freunde«, sagt Langschatten.

Sturms Blick wird vom Dunst seiner Träume verschleiert. Er sieht uralt aus. Das Muster des getrockneten, rissigen Schlamms auf seiner Haut sieht aus wie eine Vergrößerung des kunstvollen Faltengewebes darunter. Langschatten, dem plötzlich bewußt wird, daß seine eigene Haut ungeschützt ist, geht in die Knie, läßt sich auf die Seite fallen und wälzt sich herum, bis er mit Schlamm bedeckt ist. Als er wieder aufgestanden ist, bespritzt er Sturm mit frischem Schlamm. Sturm schaut ihn daraufhin wütend an und röhrt: »Wo gibt es etwas zu essen?«

»Hier ist nichts mehr«, sagt Langschatten behutsam, im förmlichen Tonfall. »Du mußt oben auf die Böschung gehen. Aber es sind nur noch holzige Reste da, fürchte ich. Schwer zu beißen.«

»Schwer zu beißen!« röhrt Sturm. Er wirft den Kopf hin und her, und Langschatten tritt sicherheitshalber ein Stück zur Seite. »Schwer zu scheißen«, murmelt Sturm. Er hängt den Rüssel über seinen linken Stoßzahn. »Ich weiß, es ist heiß.«

Langschatten unternimmt einen neuen Versuch. »Ich bin Langschatten«, sagt er. »Der Sohn von Sie-Bellt-und-Bellt von den Sie-B-und-Bs. Langschatten, Kenner der Zeichen.

»Das machen die immer so«, sagt Sturm. »Und dann sterben sie.«

Hier unten geht kein Luftzug, und die Gerüche von Schlamm und Verwesung stehen in der Luft, ohne sich zu vermischen. Langschatten dreht sich um die eigene Achse. Hunderte von Tagen hat er gesucht, nur um am Ende wieder an diesem verfluchten, wohlbekannten Ort zu landen. Auch wenn es ihm egal ist, registriert er, daß die Zeichen weder bedrohlich noch vielversprechend sind. Es wird nichts geschehen, sagen die Zeichen, nichts, was nicht bereits im Gange ist. Bleiben ist ebenso gefährlich oder ungefährlich wie Gehen.

Gehen? Wohin denn?

»Waren die Sie-Schs hier?« fragt er. »Seit ich weggegangen bin?«

Sturm schaut zum Ufer.

»Die Sie-Schs. Sind sie zurückgekommen?«

Sturms Haut dünstet frische Traurigkeit aus. Langschatten bemerkt, daß an der Stelle, wo sich das Krokodil herumgewälzt hat, der Schlamm jetzt wieder glatt ist. Mit dem Fuß tastet er den Boden ab, findet die Leiche und schiebt sie aus dem Weg, damit er sich dicht neben Sturm stellen und ihm Schatten spenden kann. Er ist furchtbar hungrig, aber er will den alten Bullen nicht allein lassen, zumindest noch nicht. Später, bei Sonnenuntergang, wird er Sturm vielleicht dazu bewegen können, ihm auf die Uferböschung zu folgen und vielleicht sogar vorgekautes Essen anzunehmen. Obwohl das unwahrscheinlich ist, denn er wird es entwürdigend finden, und jemanden, dessen Gedächtnis schon so ausgelaugt ist, könnte auch ein Berg von Essen nicht mehr retten. Was ist ihm geblieben? fragt Langschatten sich. Welche Gedanken und Gerüche, welche Namen? Oder gibt es in seinem Kopf bloß noch vage Empfindungen und einen Haufen unzusammenhängender Wörter?

»Sie-Schnaubt«, sagt er versuchsweise.

Sturm schaut hinunter auf den Schlamm.

»Ich war bei den Verlorenen.« Ein weiterer Versuch, aber Langschatten hat auch das Bedürfnis, seine große Neuigkeit mitzuteilen.

Sturm schließt die Augen.

»Ich hatte eine Vision«, sagt Langschatten. »Eine wahrhaftige Vision. Ich habe den Dalang-Knochen gesehen.« Er wartet. »Ich rede vom weißen Knochen«, sagt er mit lauter Stimme.

»Vom heißen Pochen«, murmelt Sturm.

»Ich war bei den Verlorenen«, sagt Langschatten erneut, und er erzählt die ganze Geschichte, von seiner Begegnung mit den Wir-F-Kälbern über die Bilder an der Höhlenwand und die kurze gemeinsame Wanderung mit den Wir-Fs bis hin zu der Trennung von Sinkloch. Sturm hält die Augen geschlossen. Dennoch hat Langschatten nicht das Gefühl, mit sich selber zu sprechen. Selbst wenn Sturm schlafen sollte, kann er ihn doch hören … Die Worte dringen in seinen Schädel ein und durchstreifen seinen entleerten Körper. Langschatten ist sich sicher, daß manche davon hängenbleiben. »Sturm der Rüsselvolle ist etwas Besonderes«, sagt er, als es nichts mehr zu erzählen gibt. Er wiederholt diese Bemerkung von Ich-Flippe, denn wenn es stimmt, daß einem am Ende nichts bleibt, außer »wer man ist«, dann werden schmeichelnde Worte vielleicht noch aufgenommen.

Sturm schlägt die Augen auf. »Die blauen Berge«, sagt er. »Ich weiß, wo die sind.«

»Wie bitte?«

Sturm schaut ihn an; er wirkt vollkommen klar. »Westlich von ihnen steht ein riesiger Schmausbaum.«

Langschatten nickt.

Sturm zeigt mit dem Rüssel nach Südwesten. »Genau in dieser Richtung. Ein Marsch von fünf Tagen.«

Langschatten nickt weiter.

»Bezweifelst du das?«

»Nein, nein.« Jetzt schüttelt er den Kopf.

Sturm weist erneut mit dem Rüssel nach Südwesten.

»Du wirst mich begleiten«, sagt Langschatten.

Sturm schaut weg.

»Ich werde dir helfen«, sagt Langschatten. Er weiß zwar nicht, wie, ist aber zu allem bereit. Sturm hat offenbar doch mehr im Gedächtnis behalten, als Langschatten angenommen hat. Doch als er den alten Bullen jetzt mustert, verläßt ihn sein Optimismus wieder. Sturm würde es nicht mal bis zu den blauen Bergen schaffen, geschweige denn bis zum Sicheren Ort; ihn zu überreden, von hier wegzugehen, wäre grausam. »Natürlich«, murmelt er, »mußt du das selber entscheiden.«

Sturm schaut ihn mit zusammengekniffenen Augen an. »Woher kommst du?«

»Jetzt gerade?« fragt Langschatten verwirrt.

Der alte Bulle blickt zur Seite, und das Weiße in seinen Augen wird sichtbar.

»Jetzt gerade komme ich vom Hohen Berg. Ich war in der Höhle der Wir-Fs. Ehrlich, das stimmt, Sturm. Ich habe die Wüste durchquert –«

»Du Irrer!« röhrt Sturm. Temporin fließt über sein Gesicht. Aus seinem Penis tropft Urin. Er scheint plötzlich in die Musth geraten zu sein. »Weichzahn!«

Langschatten geht ein paar Schritte zurück, aber nicht weit genug. Sturm geht auf ihn los, jagt ihn bis ans Ufer, kehrt dann stoßzahnschwenkend im lässigen Schlendergang in die Mitte des Sumpfs zurück und beginnt mit Schlickklumpen um sich zu werfen. Dabei grölt er wieder seine verrückte Version des »Besteigungslieds« – »Wink dem Heil, pink und geil« –, und Langschatten muß lachen, weil er es großartig findet, daß der alte Bulle immer noch soviel Kraft und Lust mobilisieren kann. Aber nach einer Weile ist der Gesang mit der immergleichen Melodie und den widersinnigen Texten nicht mehr komisch. Nicht einmal tragisch ist er. Das eigentlich Erstaunliche ist etwas ganz anderes: Hier stirbt ein alter Bulle so, wie alte Bullen sterben sollten, wie sie früher gestorben sind, vor der Dürre und vor den Gemetzeln.

⁊⁊

Langschatten hat beschlossen aufzubrechen. Während er am Ufer, außerhalb von Sturms Sichtweite, im Boden nach Wurzeln scharrt, überkommt ihn der dringende Wunsch, zu den blauen Bergen aufzubrechen. Dattelbett wird natürlich nicht mehr dort sein (er stellt sich vor, wie sie sich gerade am Sicheren Ort den Bauch vollschlägt), aber es ist nicht unwahrscheinlich, daß die Sie-Sechs sie verfolgt haben, bis zu den Bergen oder noch weiter. Wenn er keine Spur von ihnen entdeckt, wird er bis zum Sicheren Ort weitermarschieren und dort hoffentlich feststellen, daß sie schon da sind. Zumindest wird Dattelbett wissen, was aus Matsch geworden ist. Und eines Tages, wenn diese finstere Zeit vorbei ist, wird er hierher zurückkehren und Sturms Knochen in aller Form betrauern.

Er ißt so viel, daß er damit bis zum nächsten Morgen auskommen kann, dann steigt er wieder zum Sumpf hinunter, um zu trinken. Sturms Gebrüll ist zu einem leidenschaftlichen Stöhnen abgeebbt, aber im Mondlicht sieht er noch genauso groß und gefährlich aus wie früher. Langschatten ist dankbar, daß dies – und nicht das schlickschleudernde Wrack – sein letzter Anblick des alten Bullen ist. »Auf Wiedersehen!« trompetet er, ohne eine Antwort zu erhalten.

Er läuft die Böschung hoch und in die Steppe hinaus, wo er unvermittelt ein Gefühl der Euphorie verspürt, weil er selber noch stark genug ist, um zu entkommen. Mit jedem Schritt wächst die Euphorie. Die Welt liegt vor ihm, die Unendlichkeit versinkt hinter ihm. Obwohl er den Hinweisen eines verwirrten alten Bullen folgt, zweifelt er nicht daran, den richtigen Weg eingeschlagen zu haben. Dreißig Jahre lang hat er sich von den stummen Botschaften seiner Umgebung leiten lassen, aber nie ist er sich seiner Sache so sicher gewesen. Das Mondlicht überzieht den Boden mit einem matten Schimmer, Fledermäuse flattern auf. Langschatten marschiert an diesen schrecklichen Omen vorbei, als wolle er den Naturgesetzen trotzen.

Er hört den Hubschrauber, läuft jedoch weiter, bis ein weißer Lichtkegel aus dem Bauch des Hubschraubers fällt. Langschatten bleibt stehen. Das Licht findet ihn. Er rennt los, aber das Licht läßt sich nicht abschütteln. Gewehrkugeln schlagen neben seinen Füßen in den Boden ein, und er schwenkt herum, in die vom ihm selber aufgewirbelte Staubwolke hinein.

Die Kugeln, die seine Haut durchbohren, fühlen sich so leicht wie Regentropfen an. Es ist verblüffend, unter einem so geringen Gewicht zusammenzubrechen.

Sechzehn

Nach dem, was Knick ihnen erzählt, und dem, was sie sich zusammenreimen, scheint es so gewesen zu sein: Als er die Augen aufschlug, stand Sie-Schreit über ihm und flüsterte, sie glaube, sie habe den weißen Knochen entdeckt, sei sich aber nicht ganz sicher. Ob er wohl mitkommen würde, um nachzusehen?

Sie half ihm hoch, schob ihren Rüssel zwischen seine Hinterbeine, und sie liefen eilig los. Er hatte geträumt, wie Sie-Schnaubt behauptete, der weiße Knochen sei ein Vogel, und jetzt fragte er: »Hatte er Flügel?« Keine Antwort. Er witterte Mir-Mir und erwähnte, daß die Gepardin ihnen folgte. Daraufhin sagte Sie-Schreit: »Du sollst nicht langsam sterben müssen. Ich werde nicht zulassen, daß du langsam stirbst.« Das erschreckte ihn. Auch der Geruch ihrer Nervosität und der Gestank von Mir-Mir erschreckten ihn, und er sagte, er wolle zu seiner Mutter zurück. »Deine Mutter kann dir auch nicht helfen«, sagte sie. Sie selber hingegen schon, meinte sie wohl. Sie erreichten den Rand des Steilabbruchs. »Da unten?« fragte er und spähte hinunter. »Rühr dich nicht von der Stelle«, sagte sie und hastete davon. Um Mir-Mir zu verjagen, nahm er an. Aber der Geruch der Gepardin wurde stärker statt schwächer, und als Knick den Kopf wandte, stand Mir-Mir hinter ihm. Er rannte los. Mir-Mir holte ihn ein und packte ihn am Hals. Er war unfähig zu schreien. Sie leckte an seinem Ohr. Dann war plötzlich Sie-Schreit wieder da. Ein Stoß, und Mir-Mir flog von seinem Rücken und ergriff jaulend die Flucht. Sie-Schreit lief schnurstracks an Knick vorbei. »Wo willst du hin?« rief er. Am Rand des Abgrunds zauderte sie keine Sekunde.

»Warum hat sie das getan?« fragt er jetzt, während Sie-Schützt, Matsch und Sie-Schnaubt seine Haut auf Verletzungen untersuchen. Die beiden antworten nicht und zeigen einander dadurch, daß sie dasselbe vermuten: Sie-Schreit hat ihn zu Mir-Mir gelockt, wurde dann jedoch von plötzlicher Reue überwältigt.

»Keine einzige Wunde«, sagt Sie-Schützt überrascht.

»Warum hat sie es getan?« fragt Knick hartnäckig.

»Weil –« Sie-Schützt seufzt, und Matsch denkt, sie wird ihm die Wahrheit sagen, aber in Wirklichkeit seufzt sie, weil sie ihn belügen wird. »Sie litt unter Hitzeschlaf«, sagt sie. »Sie dachte, sie könnte schweben. Es kommt öfter vor, daß Kühe im Hitzeschlaf über eine Klippe springen. Das ist keine schlechte Art zu sterben.«

Er ist zu jung, um die Spur von Unaufrichtigkeit in ihrem Geruch wahrzunehmen. »Sie hat Mir-Mir weggestoßen«, sagt er ehrfurchtsvoll.

»Ja, sie hat dich gerettet.«

»Was ist mit dem weißen – Was ist mit der weißen Trophäe?« Er kling jetzt wieder besorgt.

»Sie hat sie gar nicht gesehen. Der Hitzeschlaf verwirrt die Sinne.« Sie stupst Matsch an, damit sie ihr Bein hebt und er nuckeln kann.

Sie bleiben in der Nähe des Steilabbruchs, und während Knick schläft, fressen sie die Wurzeln, die aus dem Boden ragen wie die halb begrabenen Knochen von kleinen Tieren. Obwohl sie vom Verzehren des Feuergrases erschöpft sind, gestatten sie sich nicht, die Augen zu schließen. Ab und zu trägt der Wind eine Brise des Kuhgeruchs von Sie-Schreit zu ihnen herauf, vermischt mit ihrem Todesgestank. Von Mir-Mir ist nichts mehr zu riechen. Die Nacht ist kalt, und Matsch erkennt um den Mond herum einen orangefarbenen Hof. Als sie den anderen davon erzählt, meint Sie-Schnaubt, die Sie müsse sich mit Strolch gestritten haben.

»Du hattest doch dieses Gefühl hinter den Augen«, sagt Matsch, »ehe du eingeschlafen bist.«

»Was für ein Gefühl?« will Sie-Schützt wissen.

»Das Gefühl, daß etwas Furchtbares passieren würde«, antwortet Sie-Schnaubt.

»Und so war es ja auch«, sagt Sie-Schützt.

»Aber ich habe das Gefühl immer noch«, sagt Sie-Schnaubt.

»Hat es etwas mit Knick zu tun?« brüllt Sie-Schützt.

»Nein«, sagt Sie-Schnaubt kläglich. »Ich weiß nicht genau. Weck ihn nicht auf.«

»Na gut«, brummt Sie-Schützt. Kurz darauf murmelt sie: »Sie hat zu Sie-Schützt gesagt, sie solle sich keine Sorgen machen.« Sie bezieht sich auf die Versicherung, die Sie-Schreit ihr erst gestern gegeben hat, daß Knick nicht geopfert werden würde.

Der Wind legt sich. Im grauen Dämmerlicht schaut Matsch über den Steilabbruch. Nichts zu sehen außer Dunst und die nackte, malvenfarbige Klippe. Sie und die Matriarchin suchen nach einem Weg nach unten. Schließlich entscheiden sie sich für eine im Zickzack verlaufende Spalte etwa dreißig Meter weiter. Eine Schar Wildgänse fliegt schreiend über die Schlucht, und Knick wacht auf. Matsch säugt ihn, und dann machen sich die vier auf den Weg. Der Abstieg geht langsam, schon wegen Knicks schwacher Knie und ihres lahmen Beins. Als sie halb unten sind, stürmt eine lebhafte Horde Paviane an ihnen vorbei, und erst nach einer Schrecksekunde wird ihnen klar, daß es keine Steinlawine ist.

Unten erblicken sie einen Graben und die Überreste der umgestürzten Akazien, die Matsch in ihrer Vision gesehen hat. Der Leichnam ist schon sichtbar, und als sie ihm näher kommen, wird Matsch überraschenderweise von Traurigkeit ergriffen. Gestern abend hat sie nur ungläubiges Entsetzen verspürt und eine gewisse Erleichterung, die sie sich endlich zugestehen konnte. Der Schädel ist eindeutig kleiner als vorher, nicht nur, weil er zertrümmert ist, und sie vermuten, daß die geistigen Fähigkeiten, die Sie-Schreit von den Sie-A-und-As geerbt hatte, durch die Bruchstellen entwichen sind.

»Dieser verdammte Kopf hat sie zugrunde gerichtet«, grummelt Sie-Schützt. »Ein so großer Schädel war einfach zuviel für sie.«

Es sind keine Aasfresser da, noch nicht, und von Mir-Mir ist keine Spur zu entdecken. Wie sollen sie ohne die Gepardin den Sicheren Ort finden? Matsch fühlt sich noch nicht imstande, diese Frage zu stellen, nicht einmal sich selber. Sie führt einen Hinterfuß über den Leichnam und konzentriert ihre Gedanken ganz darauf, den Geist freizusetzen. Zunächst weint nur Knick offen, aber als Sie-Schnaubt die Hymne anstimmt (»O grenzenlose Freude«, eine merkwürdige Wahl für einen solchen Anlaß), beginnt auch Sie-Schützt zu flennen. Matsch und Sie-Schnaubt schauen sie erstaunt an – ihr müßte es eigentlich am schwersten fallen, zu verzeihen –, und sie schüttelt in hilflosem Kummer den Kopf, bis die Hymne zu Ende gesungen ist. Dann blinzelt sie, hebt witternd den Rüssel und brummt: »Sie-Schützt ist am Verdursten.«

Sie trinken aus den Wasserlöchern, die Matsch in ihrer Vision gesehen hat. Als sie den Schlammpfuhl betreten, schwimmt das dort heimische Krokodil planschend ans andere Ufer und streckt sich der Länge nach auf dem Sand aus. Sein fleckiger Rücken dampft. Im Graben wächst stacheliges Gras, und nachdem sie sich ausgiebig im Schlamm gewälzt haben, essen sie davon. Sie-Schützt ißt außerdem noch Impalakot und trinkt ein bißchen von Knicks Urin, den sie besonders schmackhaft findet, seit Matsch ihn säugt. Als sie schließlich wieder in die Steppe hinausziehen, fegen hohe Staubwirbel über den Boden.

Drei Tage lang schleppen sie sich in nordöstlicher Richtung voran, in der vagen Hoffnung, daß Dattelbett von der Pfanne aus ebenfalls diese Richtung eingeschlagen hat. Am frühen Nachmittag des ersten Tags kommt auf der linken Seite eine Kette von blauen Bergen in Sicht, die von Norden nach Süden verläuft.

Die Matriarchin bleibt stehen.

»Wir sind auf der falschen Seite der Berge!« brüllt die Medizinkuh.

Um den weißen Knochen zu finden, müßten sie westlich der Berge sein. Aber was Sie-Schnaubt zum Halten veranlaßt hat, war nicht die Entdeckung von etwas leuchtend Weißem, sondern ein Geruch. Sie hebt den Rüssel in Richtung der Berge, saugt mit geschlossenen Augen konzentriert die Luft ein, und Matsch und Sie-Schützt heben ebenfalls die Rüssel, riechen jedoch nichts. Sie-Schnaubt läßt den Rüssel wieder sinken und wandert weiter.

»Was war das?« brüllt die Medizinkuh.

»Ich weiß nicht genau«, murmelt Sie-Schnaubt.

»Hast du immer noch dieses Gefühl hinter den Augen?« fragt Matsch sie.

»Ja.«

»Das Schreckliche ist noch nicht passiert«, vermutet Matsch.

»Nein, noch nicht.«

»Was könnte es deiner Meinung nach sein?«

Sie-Schnaubt schüttelt den Kopf. Sie weiß es nicht.

Knick ist inzwischen wieder kräftiger und kann allein laufen, wenn er alle paar Stunden gesäugt wird und das Tempo gemächlich ist. Eigentlich müßte die Landschaft langsam sandiger werden – angeblich bewegen sie sich auf eine Wüste zu –, aber der Boden ist noch genauso flach und steinig wie am Steilabbruch. Der einzige Unterschied ist, daß es immer mehr Maschendrahtzäune gibt. Nur zwei von den Zäunen, die ihren Weg blockieren, können sie niedertrampeln. Die restlichen sind zu stabil oder verursachen ein Brennen auf der Haut, so daß sie an ihnen entlangwandern müssen, bis sie eine Lücke finden oder der Zaun die Richtung wechselt. Sobald das Hindernis umgangen ist, schlagen sie wieder ihren ursprünglichen Kurs ein, oft mit unfreiwillig schnellem Schritt, denn in den meisten Fällen sind Spuren von Menschen oder Fahrzeugen in der Nähe. Als sie am zweiten Tag gegen Mittag die bimmelnden »Kehllappen« der Rinder der Massai hören, fangen sie an zu rennen. Obwohl schwarze, Rinder weidende Menschen als ungefährlich gelten, gab es doch vor Generationen eine Zeit, in der sie es nicht waren.

Am folgenden Morgen stoßen sie kurz nach dem Aufbruch auf den Kadaver eines Flugzeugs. Eingedrückte Schnauze, zerbrochene Flügel, zerschlagene Augen, überall glänzende, unzerstörbare Eingeweide, und um den Rumpf streicht ein Rudel Wildhunde herum. Sie-Schnaubt führt sie durch die Trümmer. Zwei von den Hunden, ein Männchen und ein Weibchen, urinieren direkt vor ihnen, wobei das Männchen sich auf die Vorderbeine stellt. Sie-Schnaubt droht ihnen, aber da ist es schon passiert. Ein Stück weiter fängt Matschs verkümmertes Bein an zu zucken. Noch ein böses Omen.

Am späten Nachmittag laufen sie einen Pfad entlang, auf den von beiden Seiten kahle Sagobäume ihre Schatten werfen. Sie wittern Löwen und Hyänen, und kurz darauf hören sie Kampfgeräusche. Etwa zehn Meter vor ihnen stürzt eine große männliche Hyäne zwischen den Bäumen hervor. Sie-Schnaubt zögert. Sie-Schützt tritt an ihre Seite. Matsch geht ein paar Schritte zurück. Aus dem Bauch des Hyänenmännchens spritzt Blut. Er dreht sich wie wild im Kreis und schnappt nach sich selber. Schließlich hält er inne, bloß um sich die Eingeweide aus dem Leib zu zerren und sie zu verschlingen.

Mit abgewandten Rüsseln gehen sie an ihm vorbei. Er fletscht die Zähne, als wollten sie ihn seiner Beute berauben. Er stellt zwar kein böses Omen dar, höchstens ein obskures, aber sein Anblick ist auch nicht gerade ermutigend, besonders nach der Begegnung mit dem urinierenden Wildhund und den Zuckungen in Matschs Bein, und so setzen sie ihren Weg schweigend fort. Während Matsch vorsichtig in die Fußstapfen der Matriarchin tritt, verspürt sie eine Furcht, die so unüberwindlich erscheint, daß sie schon fast prickelnd ist. Sie hat das Gefühl, sie alle streben wie hypnotisiert irgendeinem Verhängnis entgegen, und als sie am Ende des Tags Halt machen und Sie-Schnaubt träge brummt: »Es ist nicht hier«, denkt sie als erstes, das Verhängnis sei ihnen ausgewichen.

Sie befinden sich an einem Flußbett, zwischen schwarzem Dornengestrüpp, das fächerartig aus dem Boden stakt und wie versteinerter Reisig aussieht. Fünfzehn Meter weiter westlich liegen ein paar Felsblöcke, und in deren Schatten drängen sie sich zusammen. »Bis jetzt«, sagt Sie-Schnaubt, »war ich nie völlig verzagt, selbst wenn nirgends eine Spur von ihr zu finden war, weil immer irgend etwas in der Luft lag, ein Zittern …«

»Ein Duft!« tönt es von der Medizinkuh.

»Kein Duft. Ein Ansporn, weiter zu suchen.«

Die Medizinkuh nickt verständnislos. »Wie Sie-Schützt Dattelbett kennt – «

»Du kennst sie nicht. Du kannst sie nicht mehr kennen. Wir alle sind nicht mehr dieselben.«

Das scheint Sie-Schützt zu verstehen und bedauerlich zu finden. Sie stößt einen ungestümen Seufzer aus. »Wohin gehen wir also als nächstes?« fragt sie.

»Ich weiß es nicht.«

»Du weißt es nicht!« Die Miene der Medizinkuh erstarrt einen Moment lang vor Schreck und Entsetzen, ehe sie sich wieder entspannt und nach einem Hoffnungsschimmer sucht. Sie-Schützt ist nicht mehr dieselbe, denkt Matsch. Früher hatte sie ein Auge an der Stelle, wo jetzt ein stinkender Pfropfen aus Hyänenkot steckt, früher war sie robust und seufzte niemals. Nein, sie ist eindeutig nicht mehr dieselbe. Aber sonst hat sich an ihr nichts verändert. Was die Matriarchin betrifft, die war früher fett und unbekümmert, jetzt aber ist sie klapprig und ernst, obgleich sie sich ihre Schlauheit und ihren feinen Geruchssinn bewahrt hat und manchmal sogar noch Späße macht. Gut möglich, denkt Matsch, daß sie selber als Außenseiterin weder die eine noch die andere der beiden Kühe je wirklich gekannt hat. Wenn sich an ihnen also etwas Wesentliches verändert hat, würde es ihr vielleicht gar nicht auffallen.

Wenn das zutrifft, hat sie auch Dattelbett nie gekannt.

Diese Möglichkeit eröffnet sich ihr wie ein Fluchtweg. Ihre Rettung. Wenn Dattelbett jemand ist, den sie nie wirklich gekannt hat, dann wird der Verlust von Dattelbett für sie nicht schmerzlicher sein als jeder andere Verlust.

Ihr nächster Gedanke verblüfft sie, denn er ist nicht ihr eigener. Dennoch nimmt sie an, es sei ihr eigener, hält ihn für eine plötzliche Erinnerung an eine Bemerkung der Matriarchin: »Du witterst nicht konzentriert genug, du bist zu abgelenkt, warum probierst du es nicht mal in der Richtung?« Und doch klingen diese Worte seltsam und unbekannt. Während sie weitere hört – »... vielleicht sollten wir zur Pfanne zurückgehen ...« – und sieht, wie sie sich im Gesicht der Matriarchin und den Bewegungen ihres Rüssels spiegeln, erkennt sie schlagartig die Wahrheit und sagt mit gelindem Erstaunen: »Ich höre deine Gedanken.«

᠅

Ihr Kummer ist nicht so herzzerreißend wie erwartet. Nach dem ersten Schreck quält sie vielmehr die Sorge. Die ganze Zeit haben sie nach einem todgeweihten Kalb gesucht, statt nach dem weißen Knochen.

Es ist mitten in der Nacht, und sie und die Medizinkuh weiden die Dornbüsche ab. Etwa eine Stunde lang hat Sie-Schützt schluchzend auf den Knien gelegen und sämtliche erreichbaren Steine durch die Luft geschleudert. Jetzt aber scheint sie sich vollständig erholt zu haben. Allerdings sorgt Matsch sich um die Matriarchin, die sich seit ihrer Offenbarung weder gerührt noch ein Wort gesprochen hat. Der Geruch, den Sie-Schnaubt verströmt, zeugt nicht nur von Trauer, sondern auch von Scham und irgend etwas Durchlässigerem. Ergebenheit?

Wahrscheinlicher ist, daß sie in Erinnerungen schwelgt. Sie wirkt wie gelähmt. Zweimal hat sie schon zugelassen, daß Sie-Schützt ihr Wasser in den Mund spritzt, und vor einer Weile, als Sie-Schützt ihr zurief: »Du machst Sie-Schützt Angst«, da dachte sie nur: »Sie-Schützt.«

Der Gedanke ist irgendwie durchgesickert. Beide Kühe blocken ihre Gedanken ab, wie Kühe es oft tun, wenn sie besonders verzweifelt sind. Das einzige, was Matsch von den beiden hört, ist ein leises Stöhnen. Knick schläft zwischen ihren Beinen und erwacht nur ab und zu, um zu trinken. Seine Gedanken sind so deutlich zu hören, als läge ihr Ohr direkt an seinem Kopf. Milch, Matsch, Weh, tot, da, Sie-Schreit, kalt, juckt, Sand ... Er denkt japsend, in einzelnen Worten, außer wenn er sich an etwas erinnert. »Mir-Mir hat an Knicks Ohr geleckt«, denkt er einmal und spricht – ähnlich wie seine Mutter – über sich selber so, als sei er jemand anders.

Die Matriarchin taucht erst am späten Vormittag aus ihrer Benommenheit auf. »Wie wär's mit einem Schluck zu trinken«, brummt sie in geselligem Tonfall und fängt an, ein Loch auszuheben. Etwas später kommen ein paar Impalas herbei, um sich an dem Wasser gütlich zu tun, und Sie-Schützt will sie wegjagen, denn das Flußbett ist eng und flach. Aber Sie-Schnaubt hält sie davon ab. »Sei doch freundlich«, sagt sie, und aus ihrem Mund ist diese Aufforderung überraschend und noch dazu unfair, denn Sie-Schützt ist ihr Leben lang die freundlichere von beiden gewesen.

Der Tag wird zur Nacht, die Nacht zum neuen Tag. »Was machen wir eigentlich noch hier?« beschwert sich Matsch bei Sie-Schützt.

»Sie-Schützt wird mit ihr sprechen«, sagt die Medizinkuh, geht zur Matriachin, lehnt sich an sie und posaunt: »Zeit zum Aufbruch!«

»Wohin?« fragt Sie-Schnaubt mit echter Neugier.

»Wir müssen Dattelbett finden! Wir müssen ihre Gebeine beweinen!«

»Und wie sollen wir sie finden?«

»Indem wir suchen.«

»Und wo?«

Sie-Schützt blinzelt. Frag nicht mich, sagt ihr Gesichtsausdruck. Ich bin nicht die Feinriecherin.

Sobald ihre Wasserlöcher leer sind, ziehen sie weiter das Flußbett hinunter und graben neue, und sie ernähren sich von den schwarzen Dornbüschen am Ufer. Es kommen noch mehr Impalas, um zu trinken, und auch Giraffen und Oryxantilopen. Heute kann Matsch deren Gedanken hören, wann immer sie sie anschauen. Sie sind erwartungsvoll, durstig, erschöpft, leidend … und dankbar, jedenfalls die Oryxantilopen und die Impalas. Die Giraffen sind hochmütig. »Es ist unser gutes Recht«, denken sie. Sie nennen Matsch und ihresgleichen die Langschnauzen, während die Impalas und die Oryxantilopen sie die Dicken nennen. Wie sie sich selber nennen, weiß Matsch nicht, sie hat sich nie die Mühe gemacht, Dattelbett danach zu fragen, und ohne es zu wissen, hat sie keine Möglichkeit, die anderen Geschöpfe anzusprechen. Aber warum sollte sie das überhaupt wollen?

Sie fragt sich das, denn die Matriarchin ist von ihnen fasziniert. Dauernd saugt sie ihren Geruch ein, läuft ein paarmal sogar um sie herum und betrachtet sie von allen Seiten. Sie-Schnaubt mag vorgestern nicht mehr dieselbe gewesen sein wie vor dem Gemetzel, aber heute ist sie auch nicht mehr dieselbe wie vorgestern. Sie starrt Insekten und Steine an, genau wie Dattelbett es getan hat. Unaufgefordert ißt sie mit Sie-Schützt Oryxantilopenkot. Sie ißt Erde. Sie macht keinerlei Pläne.

Um ein gutes Beispiel abzugeben, vielleicht auch aus unverwüstlichem Optimismus, versucht Sie-Schützt weiterhin, den Leichengeruch von Dattelbett zu wittern. Und zugleich macht sie Jagd auf den weißen Knochen. Obwohl es in dieser Gegend weder Termitenhügel noch Felsblöcke gibt, beteiligt sich Matsch an der Jagd und weiß immer auf den ersten Blick, ob das Weiße, das Sie-Schützt erspäht hat, eine nähere Untersuchung lohnt. Obwohl das nie der Fall ist, macht sich Sie-Schützt trotzdem jedesmal auf, um den jeweiligen Stock oder Stein zu holen. »Beinah!« brüllt sie, anscheinend ermutigt durch Funde, die nicht einmal entfernte Ähnlichkeit mit einem Knochen haben.

Der nächste Tag bricht an. Statt zu grasen, beschäftigt Sie-Schnaubt sich damit, auf der nordwestlichen Seite der Felsen mit großer Sorgfalt ein Bett anzulegen. Sie entfernt jedes Stöckchen und jeden Kiesel und stampft mit den Füßen die Erde fest. In Matschs Augen ist das ein verrücktes Unterfangen. Obwohl es verboten ist, die Gedanken der Matriarchin zu belauschen, probiert Matsch es, hört aber wieder nur das leise Stöhnen. Schließlich sagt sie: »Matriarchin, wie lange dauert es noch – «

Sie-Schnaubt schaut sie interessiert blinzelnd an.

»– bis wir aufbrechen?« beendet Matsch erschüttert ihren Satz. Das ist der Blick von Dattelbett. »Sollten wir nicht nach der weißen Trophäe suchen?« drängt sie. »Es kann doch sein, daß wir bei unserer Suche auf … auf Dattelbetts …«

Sie-Schnaubt kommt ihr zu Hilfe: »… Kadaver stoßen.«

»Ja.« Matsch fühlt sich getadelt, allerdings zu Unrecht. Sie hat nicht geweint, nicht einmal im stillen, sie hat keine Trauer gezeigt, und ihr ist bewußt, wie hartherzig sie wirken muß. Aber selbst wenn sie es wäre, na und? Wenigstens eine von ihnen sollte einen klaren Kopf bewahren. Sie verhungern langsam. Es gibt einen Ort, an dem sie weder verhungern müssen noch abgeschlachtet werden, und wenn sie nicht sterben wollen, dann müssen sie diesen Ort so schnell wie möglich finden. Was nützt es da, zu trauern, herumzutrödeln und freundlich zu den Impalas zu sein? Sie fühlt sich hundert Jahre älter als diese beiden Kühe, von denen die eine permanent verwirrt ist und die andere allmählich völlig in Wahn und Selbsttäuschung versinkt.

»Sie-Schmollt«, sagt die Matriarchin mit ihrer neuerdings zärtlich klingenden Stimme, »selbst wenn ich ein zielloses Umherziehen für sinnvoll hielte, könnten wir noch nicht losgehen.«

»Warum nicht?«

Sie läßt ein paar Tropfen Urin fallen. Während sie sich umdreht, um daran zu riechen, sagt sie: »Weil ich jeden Moment mein Neugeborenes werfen werde.«

Seit zwei Tagen hat Matsch nicht einmal an ihr eigenes Neugeborenes gedacht, und an das der Matriarchin schon gar nicht. Der Aufruhr in ihrem Bauch, der sie unablässig daran erinnerte, hat sich beruhigt, und Knick zu säugen verlangt ihr so wenig ab, daß ihr gar nicht mehr bewußt ist, warum sie eigentlich Milch produziert. Sie schnuppert am Urin der Matriarchin, riecht das Gebäraroma und ist entsetzt, weil ihre Suche nach dem weißen Knochen nun durch ein Neugeborenes behindert werden wird.

Die Wehen dauern an. Sie-Schnaubt hockt sich hin, richtet sich wieder auf, grast oder wirft mit Steinen um sich, bis der nächste Schmerz-schub sie ergreift, hockt sich wieder hin, rollt sich auf die Seite. Sie-Schützt stößt ermutigende Brummtöne aus, und wenn Sie-Schnaubt steht, schiebt sie sie in den Schatten und lehnt sich an sie, um sie zu stützen. Sie kostet ihren Urin, sagt aber nichts. Wenn der Urin klar wäre, würde sie das herausposaunen, denn klarer Urin bedeutet keine Komplikationen.

Am späten Vormittag schließlich rutscht das Neugeborene ohne An-kündigung durch eine weitere Wehe heraus und landet mit dem Rumpf zuerst auf dem Bett, das Sie-Schnaubt vorbereitet hat. Sie-Schützt reißt schnell mit dem Stoßzahn die Embryonalhülle auf und zieht an der Nabelschnur, die um die Brust des Neugeborenen gewickelt ist. Matsch kommt näher. Es ist ein Bullenkalb, wie Sie-Schreckt vorhergesagt hat. Der Kleine bewegt sich nicht. Matsch schluckt, um den Schmerz in ihrem Hals loszuwerden. »Auf die Beine mit dir«, brummt Sie-Schützt drohend und stupst den winzigen braunen Körper mit dem Fuß an. Sie-Schnaubt schnuppert an seinem Schädel, zieht ihren Rüssel wieder zurück, dreht sich anmutig um die eigene Achse und wandert dann zur anderen Seite der Felsen. Sie-Schützt wackelt wild mit dem Kopf. Das Klatschen ihrer Ohren weckt Knick, der quiekend fragt: »Ist es da?«, und auf den Knien zu dem Leichnam hinüberrutscht, aber ehe er ihn er-reicht, hat Sie-Schützt ihn beim Schwanz gepackt und zurückgezerrt. Sie-Schnaubt taucht von der anderen Seite der Felsen wieder auf. »Er soll Dürre heißen«, sagt sie, als sei sie nur weggegangen, um sich einen Namen auszudenken. Ohne hinzuschauen bestäubt sie den Kleinen mit Sand. Sie-Schützt und Matsch häufen noch mehr Sand und Zweige auf ihn, und als er ganz bedeckt ist, stellt Sie-Schnaubt sich über ihn. Geier stürzen aus dem leeren Himmel. Stundenlang verscheucht Sie-Schützt sie drohend. Schließlich sagt Sie-Schnaubt mit verträumter Gleich-gültigkeit: »Laß sie«, und da scheint die Medizinkuh plötzlich ihre eigene Erschöpfung zu bemerken und läßt sich mit einem verwirrten Ausdruck in den Augen zu Boden sinken. Die Geier beziehen Stellung auf einem einzelnen Dornbusch, dessen Zweige sich unter ihrem Gewicht wie eine aufblühende Blume nach außen biegen.

Matsch hat sich ein Stück von den beiden Kühen entfernt und steht im Gegenwind, damit ihr Geruch nicht zu ihnen getragen wird. Um

Knick braucht sie sich nicht zu kümmern, er kann den Geruch der Erleichterung, den sie verströmt, sowieso nicht erkennen. Ihrem Kummer freien Lauf zu lassen wäre leicht, aber froh zu sein – weil es letztendlich für Dürre und auch alle anderen so besser ist – kostet sie große Anstrengung. Es ist, als müsse sie ihren Geist, ihren Atem und ihr Blut festhalten. Als Knick sich auf die Knie erhebt und an ihr saugt, kann sie kaum glauben, daß überhaupt noch etwas aus ihr herausfließt. Sie frißt Wurzeln und beobachtet die Geier. Wenn einer zu ihr herüberschaut und Knick beäugt, fängt sie Fetzen seiner blutrünstigen Gedanken auf. Damit stellt sie ihre Widerstandskraft auf die Probe. Schließlich wird ihr doch übel, und sie will sich gerade abwenden, als einer von zwei Geiern, die Knick anschauen, denkt: »Riecht wie der Kadaver hinter den blauen Bergen«, und sein Nachbar denkt: »Nur süßlicher.«

Einen schwindligen Moment lang nimmt Matsch diesen Kadaver so wahr, wie die Geier ihn gesehen haben: bei Sonnenuntergang, aus der Luft. Die dunkelrote Duftwolke, die ungewöhnlich klaren Einzelheiten, der im Tod erstarrte Körper mit dem nach hinten gefallenen Kopf. Die blitzenden Stoßzähne. Daß die Stoßzähne noch da sind, versetzt ihrem zornigen Herzen einen Stich. Sie geht zu den anderen Kühen und erzählt es ihnen. »Es ist Dattelbett«, sagt sie, und Sie-Schnaubt sagt seelenruhig: »Ich hatte gleich das Gefühl, daß in der Nähe dieser Berge ein Geruch in der Luft hing.«

»Sie liegt unter einem großen Schmausbaum. Wir werden sie bestimmt finden.«

»Wir könnten bei Anbruch der Dämmerung aufbrechen«, sagt Sie-Schnaubt.

»Warum nicht sofort?« fragt Matsch.

Sie-Schnaubt legt den Kopf schief.

»Je eher wir dort eintreffen«, sagt Matsch mit schonungsloser Offenheit, »desto mehr wird es noch zu betrauern geben.« Sie verschweigt jedoch ihren Hauptgedanken, daß sie nämlich um so bessere Aussichten haben, den weißen Knochen zu finden, je eher sie auf die Westseite jener Berge gelangen.

»Was ist mit ihm hier?« brüllt Sie-Schützt. Sie berührt Dürre mit dem Rüssel.

Die Matriarchin schaut kurz nach unten, dann zur Seite. »Im ewigen

Vergessen«, singt sie leise, »liegt die Unsterblichkeit«, und die drei stellen sich mit den Gesichtern nach außen in Trauerformation um den Leichnam herum auf, singen alle dreihundert Strophen der Hymne, stillen danach noch einmal ihren Durst und wandern los. Hinter ihnen kreischen die Geier. Entrüstet und besitzergreifend klingt das für Matsch, so als würde etwas, das niemals in die Welt hätte kommen sollen, zurückerobert. Knick ist der einzige, der sich noch einmal umdreht.

Der Weg, den sie nehmen, ist nicht gerade der kürzeste. Die Matriarchin schert dauernd aus, um an irgend etwas zu riechen, das ihre Aufmerksamkeit erregt – mal ist es ein Straußennest, mal ein umherwehender Fellfetzen. Vor einem Tecleabusch bleibt sie stehen, bricht einen Zweig ab und hält ihn sich vor die Augen. »So viele kleine Runzeln!« murmelt sie. Sie-Schützt ergreift ebenfalls einen Zweig, betrachtet ihn eingehend und grölt: »Seht euch das an!«

Als sie weitergehen, holt Matsch die Medizinkuh ein und murmelt: »Du solltest die Führung übernehmen.«

Sie-Schützt schaut sie erschrocken an.

»Wir haben bisher kaum zwei Kilometer geschafft«, sagt Matsch.

»Sie sucht die weiße –«

»Nichts, was sie aufgehoben hat, war weiß«, unterbricht Matsch sie.

»Man kann nie wissen«, brummt Sie-Schützt trübselig.

»Ich schon«, sagt Matsch. »Ich weiß es.«

Sie-Schützt schaut sie an. »Ist dein Kopf größer geworden?« fragt sie.

Matsch bleibt abrupt stehen. »Was für ein Unsinn«, sagt sie, als ihr der Hintersinn der Frage dämmert. Sie stürmt davon ... und da die Matriarchin soeben ein Gnuskelett entdeckt hat und es untersucht, prescht sie auch an ihr vorbei.

Sie ist erstaunt, als sie hört, daß die beiden Kühe ihr folgen, aber ihr Erstaunen erstarrt schon bald zu Reue. Sie gibt sich nicht der Illusion hin, die neue Matriarchin zu sein. Für die Führung verantwortlich zu sein, bedeutet nur eine weitere Last auf ihren Schultern und außerdem eine Gefahr. Sie hält Ausschau nach Hyänen, aber auch nach Termitenhügeln und Felsblöcken, obwohl es unwahrscheinlich ist, daß sie den weißen Knochen auf dieser Seite der Berge finden werden. Matsch drängt auf ein zügiges Tempo, aber es geht dennoch nur quälend langsam voran, weil Knick sonst nicht mithalten könnte. Am Nachmittag wird der Wind stärker, der Staub fegt in hohen Wirbeln über die Steppe, und Knick sinkt schließlich auf die Knie und schreit: »Ich kann nicht mehr, ich kann nicht mehr.« Sie-Schützt eilt herbei, aber Matsch hat schon ihren Rüssel unter Knicks Hinterbeine geschoben.

»Ich habe ihn«, sagt sie.

»Du bist nicht stark genug!« brüllt die Medizinkuh.

»Ach nein?« Matsch wird wütend und schiebt das wimmernde Kalb energisch vorwärts. »Ich bin nicht stark genug?«

Im Grunde weiß sie, daß es stimmt. Sie hat ständig Krämpfe in ihrem lahmen Bein, und bei jedem Atemzug spürt sie einen brennenden Schmerz. Wenn sie könnte, würde sie ihren Körper einfach zurücklassen. Ebenso wie die Reste dieser Familie und das Neugeborene zwischen ihren Rippen ist auch ihr Körper etwas, das sie nur unfreiwillig mit sich schleppt. Das Pochen in ihren Schläfen führt sie darauf zurück, daß ihr empörter Geist auszubrechen versucht, und sie zieht die Möglichkeit in Betracht, daß sie die Schlauheit, die aus Sie-Schreits Schädel gesickert ist, tatsächlich in sich aufgesogen hat. Sie berührt ihren Kopf, um festzustellen, ob er gewachsen ist. Schwer zu sagen.

Sobald die Sonne untergegangen ist und der Wind sich gelegt hat, kann Knick wieder allein laufen. Da die Matriarchin nicht mehr versucht, Dattelbetts Kot aufzuspüren, spielen die Unterdüfte keine Rolle mehr, und Matsch beschließt, bis zur Morgendämmerung weiterzuwandern. Mitten in der Nacht werden sie plötzlich von einem Rudel Hyänen umschwärmt, was weder Sie-Schützt noch Sie-Schnaubt zu stören scheint. Matsch jedoch ist verärgert über die Vermessenheit der Hyänen und verscheucht sie, entzückt von ihrer eigenen Furchtlosigkeit.

»Selbst zehn von denen können keine Siejenige zur Strecke bringen«, sagt sie prahlerisch zu Knick.

»Ich weiß«, antwortet er.

»Ach ja?« sagt sie schroff. Typisch, sogar Knick hat es gewußt. »Ich wußte das nicht.«

Die Dämmerung ist da, die Sonne steigt hoch. Matsch möchte mindestens bis zum Mittag weiterlaufen. Aber die Matriarchin gerät immer öfter ins Straucheln, und auch sie selber hinkt inzwischen stark und hat Mühe, dem Sog der heimtückischen Erinnerungen an Dattelbett zu widerstehen – heimtückisch deshalb, weil sie Matsch leicht aus der Fas-

sung bringen könnten –, und so ruft sie schließlich am Rande einer Salzpfanne eine Rast aus. Ihr Kopf scheint tatsächlich größer geworden zu
sein, denn sie hat als erste ein Wasserloch gegraben. Nach dem Trinken
und Duschen legt sie sich ein Stück von den Kühen entfernt nieder, weil
sie deren Trauer als lähmend empfindet. Hinter ihr ertönt das typische
laute, nervenaufreibende Rufen von zwei Kiebitzen, das so klingt, als
würden zwei Steine gegeneinandergeschlagen, und sie will gerade aufstehen, um sie zu verjagen, als sie spürt, wie ihr drittes Auge sich öffnet.

Es ist eine Vision von der nahen Zukunft. Morgendämmerung. Die-
siges, gelbes Licht. Sich kreuzende Flußpferdspuren, überall Morast, an
den Dornbüschen winzige grüne Blätter. Fünf Flußpferde laufen in
einer Reihe. Ihre Rücken sind mit Madenhackern übersät. Das schrille
Kreischen von Tausenden von Webervögeln ... Und da sind sie schon,
schwirren aus dem Sumpf, als würden sie von einem Windkanal angesaugt. In der Luft formieren sie sich zu einer viereckigen Matte, die sich
mal hierhin, mal dorthin bewegt. Die Flußpferde treffen am Sumpf ein.
Wohlig seufzend schlüpfen sie zwischen die Papyrusstauden. Die Krokodile lassen sich tiefer ins Wasser sinken. Die einzelnen Schreie der
Webervögel verdünnen sich zu einem einzigen, schnell schwächer werdenden Pfeifen. Matsch erkennt den Ort nicht. Sie erkennt auch die
Stimme nicht, die jetzt spricht. »Ich hatte eine Vision von den Lilien.«
Es klingt wie ein Bullenkalb, aber das kann nicht sein, denn Bullen
haben keine Visionen. Doch die Stimme gehört wirklich einem kleinen
Bullen. Er hat exotisch lange Stoßzähne und winzige Ohren. Mit der für
Visionärinnen charakteristischen Sicherheit weiß Matsch, daß er einer von
den Verlorenen ist. Hinter ihm stehen zwei große Kühe von Matschs
eigener Art und ein Neugeborenes, dessen Schwanz von seiner Mutter
festgehalten wird. Die Kühe sind Matsch unbekannt. Ihr Auge steigt
höher und erfaßt weitere Siejenige – Kühe, Kälber, Neugeborene. Aus
der Höhe sehen sie wie Trittsteine aus. In der Steppe schimmert junges
grünes Gras. Ihr Auge zieht weiter, und ihr Blick schweift an einer mit
Pfützen gespickten Straße entlang, dann zu einem am Straßenrand
rastenden Fahrzeug. In der hinteren Höhle des Fahrzeugs thront ein
menschliches Wesen. Es starrt in Richtung Sumpf. Wenn Menschen
Gefühle haben, dann würde sie sagen, dieser hier ist belustigt. Als er
den Kopf zu ihr umdreht, schließt sich ihr drittes Auge.

Sie rappelt sich hoch. »Laßt uns gehen«, sagt sie.

»Wohin?« fragt Knick.

Zu dem Sicheren Ort ... aber die Worte schaffen es nicht bis in ihren Mund. Wohin? denkt sie.

»Was ist los?« fragt Knick.

»Sei still. Alles in Ordnung. Ich hatte eine Vision.«

»Oh.« Er schweigt ehrfurchtsvoll.

»Ich kenne den Weg nicht«, sagt sie bekümmert.

»War es eine schlimme Vision?«

Sie schaut zu ihm hinunter. Wie schutzlos und verloren dieses kleine Wesen doch wirkt. »Nein«, sagt sie. »Es hatte geregnet.«

»Hier?«

»Dort.«

»Wo?«

»Ich weiß nicht. Ich weiß es nicht.«

Sie schläft im Stehen. Als sie erwacht, ist es später Nachmittag, und Sie-Schnaubt hat sich in die Salzpfanne begeben und hält prüfend den Rüssel in Richtung Süden. Matsch erkennt eine herannahende Gestalt und den schmalen, nach Osten zeigenden Schatten. »Mir-Mir!« ruft sie aus.

Die Matriarchin kommt zurück. »Ich habe von ihr geträumt«, sagt sie leicht verwundert.

»Knick!« Die Medizinkuh hievt sich auf die Beine. Knick rennt zu ihr. »Verschwinde!« trompetet sie in die Steppe hinaus.

»Bist du verrückt?« ruft Matsch.

»Sie-Schützt wird sie verjagen!« brüllt die Medizinkuh.

Matsch verpaßt der größeren Kuh einen Klaps, und die weicht verblüfft zurück. »Hör mir zu«, faucht Matsch. »Ich habe in meiner Vision den Sicheren Ort gesehen, und Mir-Mir wird uns dort hinführen.«

Sie-Schützt starrt auf sie herab.

»Ich werde sie warnen, damit sie Knick in Ruhe läßt«, sagt Matsch.

»Sie lahmt«, sagt die Matriarchin mit sanfter Stimme.

Matsch wirbelt herum, um es sich anzusehen. Tatsächlich: Ihr rechtes Vorderbein knickt immer wieder ein, zweifellos die Folge des Stoßes, den ihr Sie-Schreit verpaßt hat. In ungefähr fünfzehn Meter Entfernung hält sie an und setzt sich. Matsch wirft der Medizinkuh einen warnenden Blick zu und geht los. Die Gepardin erhebt sich. »Ich werde dir nichts tun«, denkt Matsch.

Mir-Mir schwenkt vorwurfsvoll ihr Vorderbein.

»Ja«, denkt Matsch. »Das ist bedauerlich.«

»Wo ist die mit den Warzen?« Obwohl sie maunzt, klingen ihre Worte in Matschs Kopf wie mürrischer Singsang.

»Sie ist gestorben«, denkt Matsch.

»Das Bullenkalb gehört Mir-Mir.« Sie wackelt mit ihrem kleinen Kopf und nimmt Knick aufs Korn.

»Keinesfalls. Er hat dir nie gehört. Die mit den Warzen hatte kein Recht, ihn dir zu versprechen.«

»Die da hat ein Kalb geworfen.« Jetzt starrt sie Sie-Schnaubt an.

»Gestern. Ein Totgeborenes.«

Ihr Schwanz schlägt auf den Boden. Sie betrachtet Matschs Hinterbeine. »Du hast noch nicht geboren.«

»Nein, noch nicht.«

»Es gehört Mir-Mir.«

Matschs Bauch zuckt. »Der Handel gilt«, sagt sie.

Mir-Mir schaut nach Westen. In ihren orangefarbenen Augen glimmen Sonnen. »Mir-Mir kennt den Weg«, sagt sie prahlerisch, aber sie lügt nicht. Zum ersten Mal wird Matsch klar, daß eine gedachte Behauptung nicht falsch sein kann. Die einzige List, die sie aus Mir-Mirs Gedanken entnehmen kann, besteht darin, bis zur Geburt des Neugeborenen einem indirekten Kurs zu folgen, damit sie den Weg nicht erraten können.

»Du wirst uns dort hinführen«, denkt Matsch, »egal ob mein Neugeborenes vor oder nach unserer Ankunft herauskommt.«

»Hier lang«, sagt die Gepardin und wendet sich nach Osten.

»Nein, hier lang«, denkt Matsch zögernd. Sie weist mit dem Kopf nach Südwesten. »Zuerst müssen wir noch eine Tote beweinen.«

⁂

»Was geschehen ist, ist geschehen«, denkt Matsch.

Sie umkreisen und liebkosen den Kadaver, obwohl ihm die Augen fehlen und er stinkt, obwohl er bereits mit Geierkot beschmiert, mit

Fliegen übersät und von Maden zerfressen ist. Mir-Mir döst hinter ihnen auf einem Termitenhügel, in den bei ihrer Ankunft eine Horde von Mangusten geflohen ist.

Die Stoßzähne haben sich fast ganz aus ihren Höhlen gelöst. Der schmale Schädel ist unter den Hautlappen kaum noch auszumachen. »Sie schwimmt jetzt auf dem Ewigen Uferlosen Wasser«, hat die Medizinkuh bei ihrer Ankunft gesagt, und bei diesem Gedanken schnürt sich Matsch die Kehle zu. Arme Dattelbett, sie starb zu jung, um zur Familie der Sie aufzusteigen. Matsch hätte geweint, wenn Sie-Schützt nicht mit ihrem »Was geschehen ist, ist geschehen« herausgeplatzt wäre. Obwohl sie das schon oft gebrüllt hat und es unweigerlich auch diesmal brüllen mußte, trafen ihre Worte Matsch wie eine übersinnliche, unanfechtbare Wahrheit. »So ist es«, sagte sie und sah die Medizinkuh plötzlich im Schein des Erhabenen.

»Was geschehen ist, geschehen. Was geschehen ist, geschehen«, singt Matsch im Stillen vor sich hin und wehrt so die Erinnerung und damit auch die Trauer ab. Es ist ganz einfach. Die Matriarchin wendet jetzt dem Leichnam den Rücken zu und stimmt eine Hymne an. Matsch dreht sich um und richtet Augen und Rüssel auf Mir-Mir, die ihre Rettung sein wird. Und die Matsch plötzlich um ihre Einfalt und Herzlosigkeit beneidet. Welcher irrwitzige Plan hat bestimmt, daß die Siejenigen mit Erinnerungen belastet sein müssen, statt leichtfüßig ihren Begierden zu folgen?

Der Abend dämmert schon, als sie das Trauern beenden. Sie weiden und trinken, dann legen sie sich hin, nah genug bei Dattelbett, um ihre Überreste vor Beutejägern zu schützen. Seit Mir-Mir zurückgekommen ist, schläft Knick wieder neben seiner Mutter, und Sie-Schützt hat ihm eingeschärft, sie zu wecken, wenn er zu Matsch gehen und saugen will. Was Mir-Mir betrifft, so hat sie sich die ganze Zeit über nicht vom Fleck gerührt. Die Mangusten sitzen in dem Termitenhügel in der Falle, denkt Matsch noch, ehe sie zum ersten Mal seit zwei Tagen in Schlaf fällt.

Einige Stunden später wird sie von einem heftigen Bauchkrampf geweckt. Sie steht auf – was nur Mir-Mir bemerkt, die daraufhin mit glänzenden Augen um sich blickt – und geht zum nächstgelegenen Dornbusch hinüber. Die Steine sind noch warm von der Hitze des Tages. Grillengezirpe umfängt die Dunkelheit. Vermutlich haben die Wehen eingesetzt, aber sicher ist Matsch sich erst, als sie uriniert. Nicht nur der unverwechselbare Geruch des Urins sagt es ihr, sondern auch die große Menge. Mir-Mir stiehlt sich heran.

»Bleib weg«, denkt Matsch.

»Es gehört Mir-Mir.«

»Ich habe Schmerzen. Wenn du mir zu nah kommst, könnte ich dich ungewollt verletzen.«

»Du könntest Mir-Mir treten.« Voller Selbstmitleid.

»Geh weg!« Matsch wirft den Kopf herum, und Mir-Mir zieht sich hastig wieder auf den Termitenhügel zurück. Der Krampf läßt nach. Sie legt sich auf die Seite, aber da durchzuckt ein neuer Krampf ihren Unterleib, und sie hievt sich in die Hocke und läßt tröpfelnd Urin ab.

»Ich dachte mir schon, daß es heute Nacht soweit sein würde«, sagt die Stimme der Matriarchin. Sie weckt die Medizinkuh, und die beiden und auch Knick kommen.

Sie-Schützt probiert den Urin. »Klar!« verkündet sie glücklich.

»Klar«, wiederholt die Matriarchin wehmütig.

Matsch richtet sich auf. Schwankt. Ihr fällt ein, wie ihre Mutter kurz nach ihrer eigenen Geburt schwankte, und sie versinkt tief in diese Erinnerung. Zu ihrem Schrecken schluchzt sie, als wieder daraus auftaucht. Beide Kühe stecken ihr die Rüssel in den Mund. Sie wendet sich ab. Daß ihr Urin klar ist, freut sie nicht. Ein lebendes Neugeborenes zu opfern, wird noch viel schwerer sein, aber diese beiden Ahnungslosen hoffen offensichtlich auf ein lebendes Kalb, und ihr wird bewußt, daß sie versuchen könnten, den Handel mit Mir-Mir zu vereiteln. »Legt euch wieder schlafen«, sagt sie, wird im selben Augenblick aber von einem gewaltigen Schmerz gepackt. Unwillkürlich stellt sie sich auf die Zehenspitzen, fällt gegen Sie-Schützt und verliert das Bewußtsein.

Als sie die Augen wieder öffnet, steht sie zwischen den beiden Kühen, die sie stützen. »Warum fällt es nicht heraus?« jammert sie.

»Knie dich hin«, sagt die Matriarchin, und die beiden helfen ihr, sich niederzulassen. »Du mußt pressen«, sagt die Matriarchin. Matsch preßt. Die Matriarchin streicht mit dem Rüssel über ihre Hinterbacken. Die Medizinkuh streicht über ihre Vulva.

»Es ist noch nicht soweit«, brummt die Medizinkuh. »Leg dich hin, Sie-Schmollt.«

Matsch legt sich hin. Die beiden großen Kühe schweben über ihr, unüberwindlich, erdrückend. Unter dem Bauch der Medizinkuh hockt Knick. Mir-Mir geht auf dem Termitenhügel hin und her. Mit ihrem leuchtenden Blick durchbohrt sie Matschs Bauch und spießt das Neugeborene auf. Sie-Schnaubt tritt zur Seite, und der Abstand zwischen ihren Beinen und denen von Sie-Schützt erinnert Matsch erneut an ihre eigene Geburt, daran, wie sie durch andere Beine hindurchschaute, die damals, als sie unter dem Leib ihrer Mutter eingeklemmt war, die Grenzen der ihr bekannten Welt darstellten.

Wieder muß sie schluchzen, aber das spielt keine Rolle. Wie ein Kalb saugt sie am Rüssel der Matriarchin. Sie schläft ein. Sie schläft stundenlang. Als ein Krampf sie weckt, lichtet sich die Dunkelheit bereits, aber die beiden Kühe haben sich nicht von der Stelle gerührt. Der Krampf bringt sie auf die Beine. Die Kühe stützen sie, als sie wieder zu Boden sinkt. Ein weiterer Krampf. Sie-Schützt hilft ihr hoch, dabei fällt ihr der Augenpfropfen heraus, und Sie-Schnaubt tritt versehentlich darauf. Die Matriarchin hebt den Fuß schnell wieder hoch. »Laß nur!« brüllt Sie-Schützt. »Es ist Sie-Schützt egal!« Der Fuß wird wieder hingestellt. Aus der Augenhöhle dringt ein widerlicher Gestank. Matsch übergibt sich. Sie-Schützt scharrt Erde über die glitzernde Pfütze. Matsch preßt, hat das Gefühl, ihr gesamter Geburtskanal werde nach außen gestülpt, und sieht einen blauen Schimmer, den sie für eine Begleiterscheinung ihrer Qualen hält.

»Ein Blitz!« ruft die Matriarchin aus.

»Da kommt sie!« grölt Sie-Schützt.

Die Wucht, mit der das Kalb aus ihr herauskommt, wirft Matsch um, und sie landet auf dem Hinterteil. Panisch rappelt sie sich hoch.

Da ist es. Es lebt und läuft wie in Zeitlupe im Kreis herum. Weiblich, wie vorhergesagt. Matsch beschnuppert den Kopf, der noch von der Embryonalhülle bedeckt ist. Sie streift die Hülle ab und tritt beiseite.

»Das war ein Blitz«, sagt die Matriarchin und blickt in die Ferne.

»Nenn sie Blitz«, trompetet die Medizinkuh. Sie stupst das kleine Ding mit dem Fuß an.

»Blitz«, flüstert Matsch.

»Sie soll Blitz heißen!« trompetet die Medizinkuh.

Matsch bemerkt zwar die heranschleichende Gepardin, aber irgendwie kann sie die Gefahr und ihre Quelle nicht genau bestimmen.

Als Mir-Mir zu nah kommt, stimmt die Medizinkuh ein Gebrüll an, und die Gepardin rennt zurück zum Termitenhügel. »Ich darf sie nicht anschauen«, sagt sich Matsch, als wäre das Problem gelöst, wenn sie Mir-Mirs Gedanken nicht hört.

Die Gedanken von Blitz sind schwache Piepser. Sie versucht aufzustehen. Schließlich gelingt es ihr, sie findet die Zitze, und dann hört Matsch ein Summen, das vermutlich ein Wonnelaut ist, das sie aber zugleich für den Ausdruck einer anderen Art von Befriedigung hält: Eine dringliche Ahnung hat sich bestätigt. Aber wie ist dieser erinnerungslose Körper zu einer Ahnung gekommen?

Die Matriarchin zeigt nach Osten. »Seht nur«, sagt sie.

Am heller werdenden Horizont hängt eine Kette rosaroter Wolken.

»Lobet die Sie!« trompetet die Medizinkuh.

»Lobet die Sie«, sagt die Matriarchin gedankenvoll. Gemeinsam mit Sie-Schützt und Knick wandert sie etwa zwanzig Meter auf die Steppe hinaus. In diesem glühenden Licht ist ihre Magerkeit aus Matschs Blickwinkel besonders auffällig, aber dennoch wirken die drei nicht ausgezehrt, eher geläutert, auf das Wesentliche reduziert. Von hinten schleicht sich nun die Gepardin heran. Geräuschlos – Matsch nimmt nur den stärker werdenden, Übelkeit erregenden Gestank wahr. Matsch hat Mühe, nicht in einer Geburtserinnerung an die Hyäne zu versinken. »Ich könnte mich hinlegen«, hatte sie in jener Nacht gedacht, und jetzt denkt sie dasselbe, aber diesmal muß sie eine unmögliche Entscheidung treffen: Soll sie sich neben oder auf ihr Neugeborenes legen? Sie blickt über ihre Schulter.

Mir-Mir ist keine drei Meter entfernt. »Sag ihnen, daß es Mir-Mir gehört«, denkt sie.

Matsch denkt nichts.

»Du bist die Anführerin.«

»Bin ich nicht.«

»Mir-Mir kennt den Weg.«

»Zum Sicheren Ort«, denkt Matsch stumpfsinnig. Die Schlauheit, die sie von Sie-Schreit geerbt hat, läßt sie im Stich.

»Geh da rüber.« Mir-Mir weist auf den Termitenhügel.

»Nein.«

»Es gehört Mir-Mir. Es gehört Mir-Mir.«

Als hätte sie Blitz überzeugt, tapst die Kleine mit unsicheren Schritten auf die Gepardin zu. Zweimal fällt sie hin, rappelt sich aber wieder hoch und geht weiter. Sie ist winzig, schrumpelig, haarig und in Matschs Augen fremdartig, zu niemandem gehörig. Nichts scheint einleuchtender zu sein als dieser klägliche kurze Gang. Mir-Mir kriecht ihr entgegen. Sie streckt eine Pfote aus, da erwischt der Fuß der Matriarchin sie unter dem Kinn und zerrt sie auf die Hinterbeine. Blitz läuft hastig zu Matsch zurück. Der zweite Tritt landet in den Rippen der Gepardin. Der dritte trifft sie am Schädel, und ihr Körper fliegt schlaff gegen den Baum. Sofort hüpfen die Geier auf die unteren Äste herab.

»Du hast Mir-Mir getötet«, sagt Knick. Er starrt die Matriarchin und ihren mörderischen Fuß verblüfft an.

»Die wären wir los«, knurrt die Medizinkuh, aber auch sie ist erstaunt.

Sie-Schnaubt schlendert zum Baum hinüber, hebt etwas von dem Stroh auf, das aus den Webervogelnestern gefallen ist, und streut es über die Gepardin. Sie geht zu Matsch und Blitz und schiebt ihren Rüssel in den Mund der Neugeborenen. »Du hättest dasselbe für mich getan«, sagt sie, als hätte Matsch ihr gedankt. Ihre Stimme klingt gleichmütig, aber das Temporin läuft über ihr Gesicht und sie verströmt noch immer einen starken Zornesgeruch.

Matsch fängt an zu schluchzen. »Dattelbett«, sagt sie, und der Klang dieses geliebten Namens ist wie ein Requiem für alles, was sie in ihrem Leben verloren hat: ihre leibliche Mutter, ihren Geburtsnamen, Dattelbett – und schließlich der kurze, traumartige Verlust ihrer selbst. Blitz will gesäugt werden. Matsch liebkost sie und wird ganz plötzlich von Angst überwältigt. Sie schaut sich wie wildgeworden um, sucht nach den Gefahren, die überall lauern können.

»Hör auf damit«, sagt Sie-Schnaubt ruhig. Sie zieht an Matschs Rüssel, und Matsch beruhigt sich langsam.

»Heb das Bein«, sagt die Medizinkuh.

Matsch tut es. Blitz findet sogleich die Zitze, und Knick kommt angelaufen und hängt sich an Matschs andere Brust. Durch die beiden Kälber steht sie wie angewurzelt, so daß sie schwankt, aber nicht umfällt.

Und jetzt tauchen die Mangusten aus dem Termitenhügel auf. Es sind Dutzende. Sie knurren und zischen, sprinten hinüber zu der Gepardin. Manche stürzen sich auf sie, manche hopsen auf der Stelle und vollführen Sprünge, so hoch wie Knicks Kopf. Dann halten sie unvermittelt inne, setzen sich auf die Hinterbacken und betrachten ihr Publikum.

»Groß, Groß, Groß, Groß«, hört Matsch sie denken. Sie reibt sich mit der Rüsselspitze die Augen.« »Was ist groß?« denkt sie.

Alle Köpfe drehen sich in ihre Richtung. »Groß, Groß, Groß hat, hat, hat das Mistvieh, das Mistvieh getötet, getötet, getötet«, schnattern sie laut. Sie schauen von Matsch zu Sie-Schützt, dann zu Sie-Schnaubt und wieder zu Matsch.

»Frag sie, ob sie mit Dattelbett gedankengeredet haben«, brummt die Matriarchin.

Wieder drehen sich die Köpfe, jetzt alle in ihre Richtung. »Sing, sing, sing das Lied, Lied vom, Lied vom Kampf, Kampf, Kampf so schwer, schwer, schwer«, schnattern sie.

»Hat die tote Siejenige gesungen?« denkt Matsch, und sie kreischen und springen und lassen sich auf den Rücken fallen.

»Was haben sie denn?« brüllt die Medizinkuh.

»Keine Ahnung«, sagt Matsch. Sie kann das Gekreische nicht entziffern. Sie schiebt die Kälber weg und geht zu den Mangusten hinüber, die jetzt wieder auf den Hinterbacken sitzen. Sie zeigt auf Dattelbett. »Wir sind gekommen, um sie zu beweinen.«

»Tot! Tot! Tot!« schnattern die Mangusten verzweifelt.

»Wissen sie, wie sie gestorben ist?« fragt die Matriarchin. Ihre Stimme klingt gefaßt.

»Gift, Giftbiß, Biß, Giftbiß«, schnattern die Mangusten, als hätten sie ihre Frage verstanden.

»Sie wurde von einem Zuckstock gebissen«, erklärt Matsch den Kühen und fängt erneut zu schluchzen an. Ihre leibliche Mutter und Dattelbett, beide von einer Schlange getötet. Zum dritten Mal an diesem Tag versinkt sie in der Erinnerung an ihre Geburt, und als sie wieder auftaucht, haben sich die Mangusten um ihre Füße versammelt und erzählen eifrig schnatternd von dem weißen Knochen.

»Da, da lang, lang!« Sie gestikulieren und hüpfen in Richtung Südosten. »Da lang! Da lang!«

Sie gehen langsam, nicht nur wegen der Kälber. Wie immer kurz vor dem Regen sind Grastriebe durch die Erde gebrochen. Zwar sind die Halme noch zu zart und zu kurz für richtiges Weiden, aber um endlich wieder den köstlichen Geschmack von etwas Grünem zu erleben, pikken alle unterwegs daran, wie die Vögel.

Am zweiten Tag entdeckt die Matriarchin einen Klumpen Kot von Langschatten. Ihrer Schätzung nach ist er vierzehn bis sechzehn Tage alt.

»Vielleicht hat er denselben Weg genommen wie wir!« trompetet die Medizinkuh.

»Kann sein«, sagt Sie-Schnaubt.

Die Frage, wen sie am Sicheren Ort treffen werden, beschäftigt die beiden großen Kühe. Sturm ganz bestimmt – Sie-Schnaubt hegt keinen Zweifel daran, daß er den Weg gefunden hat. Sumpf und Hagelkorn ... Wenn sie mit Sturm oder einem anderen Fährtenmeister in Kontakt standen, könnten sie es geschafft haben. Und Langschatten. Sie können sich nicht vorstellen, warum der Kenner der Zeichen nicht da sein sollte, es sei denn, eine Katastrophe war passiert.

Matsch erzählt ihnen nichts von ihrer Vision, in der sie niemanden wiedererkannt hat. Schließlich hat sie bloß einen kleinen Winkel des Sicheren Orts gesehen und kaum jemanden aus der Nähe betrachten können. Sie stellt auch keine Vermutungen an. Sie säugt ihr Kalb und Knick. Sie pflückt die jungen Grashalme. Sie tut alles mit großer Umsicht, teils aus Reue, teils weil sie sich vor Liebe ganz schwach fühlt. Mindestens einmal pro Stunde versinkt sie in einer Erinnerung, und nach dem Erwachen hält sie manchmal den Geruch von Blitz für den Geruch der Hauptfigur aus der Erinnerung. Dann ist Blitz für sie Dattelbett, oder Hagelkorn. Oder Langschatten in Musth.

Blitz läuft unter ihr, Sie-Schnaubt vor ihr, Sie-Schützt und Knick bilden den Schluß. Vorn in der Ferne liegen die blauen Berge, und direkt über ihren Köpfen fegen bauschige weiße Wolken in entgegengesetzter Richtung über den Himmel. Blickt man zurück, wie Matsch es häufig tut, sieht man die Staubschwaden, die sie aufgewirbelt haben, bis zum Horizont hin auswallen, und die ganze Weite der Steppe, überflutet von Licht.

Danksagung

Zahlreiche Bücher haben sich während meiner Recherchen als hilfreich erwiesen. Dazu gehören: *Das Auge des Elefanten*, von Delia und Mark Owens, *Dämmerung im Reich der Elefanten*, von Jeremy Gavron, *Die grünen Hügel Afrikas*, von Ernest Hemingway, *Ich träumte von Afrika*, von Kuki Gallmann, *In the Presence of Elephants*, von Peter Beagle und Pat Derby, *Elephants: Majestic Creatures of the Wild*, herausgegeben von Jeheskel Shoshani, *Elefanten: Die letzte Chance zu überleben*, herausgegeben von Ronald Orenstein, *Elephants*, von S.K. Eltringham, *Safari: Experiencing the Wild*, von Neil Leifer und Lance Morrow, *Elefanten*, von Reinhard Künkel und *The Natural History of the African Elephant*, von Sylvia K. Sikes. Wobei die Lektüre von letzterem Text ziemlich bedrückend war, denn die Autorin hat etliche Male »ein prächtiges, gesundes Tier« geschossen, um dessen Leiche zu sezieren. Etliche Nachschlagewerke, vor allem jene, die von Collins und der National Audubon Society veröffentlicht worden sind, habe ich immer wieder zu rate gezogen, genauso wie ein besonders umfassendes und faszinierendes Werk mit dem Titel *The Behavior Guide to African Mammals* von Richard Despard Estes.

Zusätzlich zu den eben erwähnten Büchern gibt es noch drei weitere, die mir unverzichtbar waren. Sie sind von Menschen verfaßt worden, die einen großen Teil ihres Lebens in Afrika verbracht, dort die Elefanten erforscht und unermüdlich für deren Sicherheit gekämpft haben. Dieser Kampf ist äußerst mühsam, denn der angestammte Lebensraum der Elefanten verschwindet mehr und mehr, und durch den Elfenbeinhandel wird die Wilderei gefördert. Es handelt sich bei diesen Büchern um: *Das Jahr der Elefanten*, von Cynthia Moss und Martyn Colbeck, *Coming of Age with Elephants*, von Joyce Poole sowie *Unter Elefanten*, von Ian und Oria Douglas-Hamilton.

Außerdem stehe ich in der Schuld von Christopher Dewdney und Jan Whitford, die eine frühe Version des Manuskripts begutachtet haben, und ich werde Beth Kirkwood ewig dankbar sein, nicht nur für ihre redaktionellen Vorschläge, sondern weil ich durch sie auch den Weg ins Masai-Mara-Reservat gefunden habe, wo ich afrikanische Elefanten in ihrer natürlichen Umgebung beobachten konnte.

Mein Dank gilt dem Canada Council, dem Ontario Arts Council und dem Toronto Arts Council für die mir gewährte finanzielle Unterstützung. Und ein besonderer Dank geht an meine Lektorinnen: Iris Tupholme bei HarperCollins Canada für ihre Voraussicht und ihren unerschütterlichen Glauben an mich sowie Sara Bershtel bei Metropolitan Books in New York für ihren Scharfsinn und ihr Engagement.

1. Auflage 1999
© für die deutsche Ausgabe Verlag Antje Kunstmann GmbH,
München 1999
© der Originalausgabe: Barbara Gowdy 1998
Die Originalausgabe erschien unter dem Titel »The White Bone«
bei Harper*Flamingo*, Toronto 1998
Duineser Elegien von Rainer Maria Rilke, zitiert nach Insel-Taschenbuch 1101,
Sämtliche Werke I, Frankfurt 1987
Umschlaggestaltung: Michel Keller, München,
unter Verwendung eines Bildes von Raquel Jamarillo
Satz: Frese, München
Druck & Bindung: Pustet, Regensburg
ISBN 3-88897-219-1

Die Übersetzer danken Dirk Schäfer

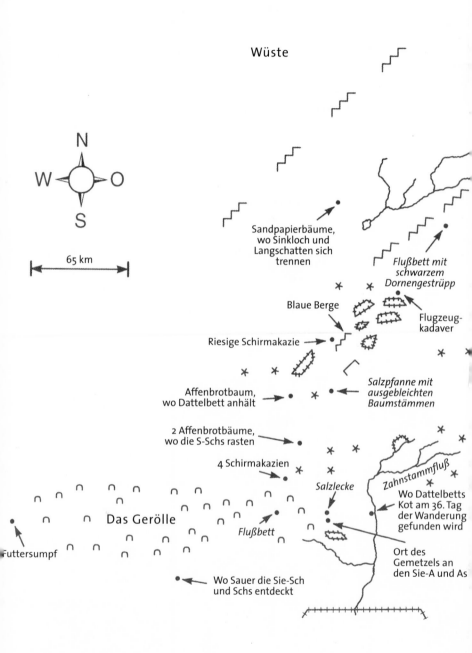

Wüste

N
W · O
S

65 km

Sandpapierbäume,
wo Sinkloch und
Langschatten sich
trennen

Flußbett mit
schwarzem
Dornengestrüpp

Blaue Berge

Flugzeug-
kadaver

Riesige Schirmakazie

Affenbrotbaum,
wo Dattelbett anhält

Salzpfanne mit
ausgebleichten
Baumstämmen

2 Affenbrotbäume,
wo die S-Schs rasten

4 Schirmakazien

Salzlecke

Zahnstammfluß

Wo Dattelbetts
Kot am 36. Tag
der Wanderung
gefunden wird

Das Gerölle

Flußbett

Futtersumpf

Ort des
Gemetzels an
den Sie-A und As

Wo Sauer die Sie-Sch
und Schs entdeckt